天気の不思議を読む力

The Secret World of Weather

Author of The Natural Navigator
Tristan Gooley

トリスタン・グーリー
保坂直紀 日本語版監修
東 知憲 訳

A&F

ワイト島のありかを示す積雲。背景には前線の前にできる巻雲が見える

低い草や落ち葉には霜がおりるが、道や立ち上がった茎の上、木柵の下などにはない

アザミは地下から上がってくる熱をさえぎるので、周りの芝にはない霜がおりている

冷えた霧を含む北風が木に吹きつけると、霧氷ができる。正面は西だ

石は地下の熱をよく伝えるので、周りの雪を解かしている

丘に生えた濃緑の木の上に、にわか雨をもたらす雲が発達している。低いちぎれ雲が、すでに雨が降りはじめていることを示す

ワイト島の崖にできた雲

温度逆転によって生まれた扇型(ファニング)の煙。この上下では、高さとともに気温の変化する様子が劇的に異なる

南からの日差しが南側の雪を解かした。正面は西

放射霧が生まれつつある時間。晴れて雲のない朝が条件、覆い被さる木がある場所ではできない

霧が作る水滴。見えない川の存在を示している

場違いな感じがする積雲だが、その下にはラフバラーの街がある

巻雲のコンマ、ブライトン上空にできた馬尾雲。翌日に前線が到達

ジェット気流のロープとささやかな日暈(ハロ)。12時間後に雨が降り出した

高さが何かを教えてくれる。層雲の上に見える巻雲が指し示すのは隠された嵐だ

ロンドン上空で観察された、太い飛行機雲。翌日に天候が悪化しはじめた

天気の不思議を読む力

The SECRET WORLD of WEATHER

30／20周年記念日にあたり
この本を妻ソフィーに捧げる。
どんな天気のときもそばにいてくれてありがとう。

天気の不思議を読む力

目次

イントロダクション

これは天気に関する非・正当的な本だ。

私のやり方は、画面に映し出される天気図を使わない。そのかわり、木の周りを歩いたり、道を行くときに見つかる手がかりに焦点を当てる。それらは、現在と過去、そして未来の天気を教えてくれるのだ。この道は、あまり探検されていないがすばらしい所、すなわち微気象の世界へと私たちをいざなう。いまこそ、小さな発見を喜び、誰も気づかない天気のサインに光を当てるときなのだ。それらは空や風景のいたる所に存在し、見つけられるのを待っている。多くは、私たちが手を触れることのできる距離にあるだろう。

旅を楽しんでほしい。

（とくに説明がない限り、本書の内容はヨーロッパ、北米およびアジアにおける人口稠密《ちゅうみつ》地域の大半を含む北半球を前提としている。）

＊訳者によるキーワードの説明

原著に登場する最重要用語の1つに「マイクロクライメート」があります。我が国で広く受容されている訳語は「微気候」のようですが、この本ではそれに加えて「微気象」という用語を使いました。気候とは、長期にわたる天候の平均といえるもの。気象とはもっと短期的で、刻々と変化する天候・大気現象すべてを指します。私たちがフィールドで、庭で、街で出会うのは「気象」、長いスパンで見いだされた傾向が「気候」と考えていただければよろしいかと思います。

1

2つの世界

気象予報士たちが知る世界／隠された世界／ブロッキング高気圧／自然の扇風機

そよ風が吹く、9月後半のある日。地面には夏がしがみついていた。なじみのカシの木を通り過ぎ、陽光の下に広がるサウスダウンズ〔英国沿岸部の国立公園〕を見下ろす。連なる丘は、暑さの中で揺れていた。空にはふわふわした低い雲がいくつか浮いているだけで、高い雲はない。すばらしい視界とは言えなかったが、海が、鈍い暗色で遠くに広がる帯として見えていた。

その日は木曜。私は週末に家族でピクニックに行きたいと考えていた。首筋に風を感じた私は、カシの木とその影に目をやった。天気は持つだろう。ピクニックに完璧な場所も発見した。

この短くわかりやすいストーリーには、いくつかの手がかりと2つのサインが含まれている。それぞれが、天気のこれまでとこれからを知る助けになるだろう。しかしもっと大事なのは、それらが天気の秘密世界へと入っていく道しるべでもあるということだ。

気象予報士たちが知る世界

天気予報は当たらないと不評であるが、それはいまに始まったことではない。19世紀、英国王立海軍で中将を務めたロバート・フィッツロイは、「予報」という言葉を作り出した天気のパイオニアだった。困難な領域において新しい手法を築き上げようという試みに対する見返りとして、彼が得たものとは？　予報が外れるたび、市民は彼に非難をあびせかけ、耐えきれないほどだった。フィッツロイはふさぎこむようになり、１８６５年に命を絶った。

　彼は時代の先を行きすぎていたのだ。フィッツロイが自殺したその年、王立協会の学者たちは天気予報に関してこう発表している。「この先48時間の天気を予報できるほど科学が進んでいると考える者が有能な気象学者の中に存在するという証拠は、どこにもない」

　それから１００年が過ぎ、20世紀中盤になると天気予報はあたりまえのことになったが、疑念は残ったままだった。１９５５年、英国ベッドフォードシャーのダンスタブルにある中央予報局の主任予報官は、申し訳なさそうにこう言っている。「24時間より先の天気予報に、正確度はほとんど保証できない」

　そして70年後の現在、10日間予報をいくつか検索するのにかかる時間は秒単位である。なぜこんな具合になったのだろう？　空に現れる天気のサインをうまく読めるようになったのだろうか？　ひとことで言えば、ノーだ。

　過去１００年において、４つの領域で革命が起きた。データは大量かつ正確になり、天気を形作るプロセスの理解が進み、恐るべきパワーでデータを処理する計算機が登場し、コミュニケーションは高速化した。大気圏の高い層から海面にいたるまでの温度が世界各地で収集され、コンピューターに入力されて予報が吐き出される。

　コミュニケーションは、想像しているよりずっと重要である。大西洋の真ん中で大気圧を測定しても、そのデータを使って立てた予報が、陸に住む人々に届くまで２週間かかるとしたら、それにはなんの意味もない。ほんの１００年前まで、英国海岸地域に住む多くの人たちが、マストの先に三角のコーンを掲げて強風の警報を伝達したなどとは、いまや信じられない。数日先の天気を正確に予報する方法を発案したとしても、メッセージを遠隔地まで届けるために、いったいいくつのコーンを掲げればよかったのだろうか？

　悪天候の犠牲になった人たちにとって、コミュニケーションの発達は遅すぎるほどなのかもしれない。第二次世界大戦の直前、アイルランド西岸の沖で突風が発生した。犠牲者は44人の漁師。遠く離れた場所では気象予報士たちが嵐の発生を察知し、無線で警告を送っていたのだが、アイルランドのメイヨー県沖にある島までは到達しなかった。

　すこし前で、私は10日間予報について触れた。予報は簡単だが、その内容を信頼に足るものにするのはとても難しい。経験に基づいて言わせてもらえば、強力なスーパーコンピューターを使っても、５日を超えた未来の予報は困難だ。勇気をもって先々までの予報を出してみても、６日や７日先になると信頼性は落ちてくる。とはいえ、５日間予報の価値はある。20年前であれば、３日以上先の天気を予測できるなど、私は思わなかった。多くの領域で急速な進歩が起きているのだが、それが全領域にあてはまるわけではない。

　プロによる天気予報の進歩は、私たちと天気の間に奇妙な関係を生み出すことになった。ほとんどの人が、自ら天気を確認し、それに基づいて予報を行えるのだという考えを捨て去ってしまったのだ。さらには天気が、その根幹である土地とのリンクを切り離されてしまった。

　プロが天気を説明するやり方と私たちの実体験の間には、大きなギャップがある。テレビやインターネット上の天気図には、地域全体を覆う大きな渦巻きがあるだろう。画面に出ている地域を自動車で横断するためには5時間くらいかかるかもしれないが、私たちが体験する天気というのはもっと小さなスケールのものだ。

　気象予報士が私の前で「にわか雨」ということばを口にしたら、私は自宅の裏庭に雨が降る可能性があるか聞くことにしている。彼らは私が意味することをじゅうぶんすぎるほど理解しているので、苦笑いを誘い出すことさえできるかもしれない。彼らは、自分たちのアプローチの限界を知っている。世界最高の気象予報士が１００人集まり、世界最強のコンピューターを１００台借りてきたとしても、明日どこににわか雨が降るか、特定することは難しい。地域の特徴を理解できていないなら、完全に降参だろう。気象予報士たちは賢く、すばらしい業績を挙げているが、実際に私たちが体験する天気のスケールになると困難が立ちはだかる。１８６５年段階で、48時間予報は不可能だと思われていた。それ以来大きな進歩は見られたが、現段階においてコンピューターを駆使しても、細かな地形を理解させることは難しいので、向こう三軒両隣といった小さなスケールの正確な予報は不可能なままなのだ。

　しかし、五感を駆使する私たちは違う。5日先の天気トレンドの変化は予想しにくいままだろうが、これからどこに雨が降りそうか、正確な予想をできる場合がある。気象予報士よりも私たちが恵まれている理由は2つある。まず、彼らは広い地域に住む膨大な人口を対象としているが、私たちは隣の郡に住む人たちではなく、自分たちへの天気の影響が興味の対象だ。次に、気象予報士たちは大気が作り出す現象として天気を捉えているが、私たちは大気の下にある地形が作り出すものとしての天気を体験する。

　土地の特徴に敏感な人は、機械が到達できない理解力をすでに与えられているのである。

隠された世界

地形が、天気を形作る。

コンピューターは、巨大な陸地ならよろこんで計算に組み入れるが、私たちが地元のちょっとした丘を散歩するとき、どのような天気に遭遇するかなどという質問を想定したりはしない。日差し、風、雨、気温、視界などは、ちょっとした散歩の間にもどんどん変わっていく。これこそが私たちの言う「天気」であり、1本の木を挟んだ両側ですら違ってくる可能性がある。これは基本的な真実だが、プロの気象予報士は異議を唱えるだろう。「あ、それはいわゆる「天気」ではありません。あなたがおっしゃっているのは「微気象」です」

この手の返答を幾度となく聞いてきた私は、「そうですね」と相づちを打つようにしている。しかしじつは、こうも思っている。どうぞ好きな名前で呼んでくださいよ。私が話したいのは、実際に私たちが体験するこの手の天気のことなんです。

私たちは街中に、丘の上に、谷間に、海岸沿いに、森の中に、島に、住んでいる。私たちを取り囲む地形は、天気が形作り、天気を形作るもの。森林は雨を招き、多くの樹木種を育て、サイクルが強化される。木が生えている場所は、生えていないところよりも雨が降る可能性が高い。植生が違う木立の中では、雨の質も変わってくる。

小さく平らな島と起伏のある広い島とは、隣どうしであっても天気が異なる。大きな島は、両端で天気が異なる。上から眺めると、両側で色が異なっている島も多いのだ。片側にほとんどすべての雨が降り、反対側にはほとんど降らないなど。モロッコの沖にあるカナリア諸島では、南西側にあるビーチで海水浴客が肌を焦がしているとき、北東側では木々が雨に濡れているということもあり得る。

視線をズームして地形を細かく見ていくと、その切り替わりに驚くことになるだろう。スイス・ジュラ山脈にある８００メートルほどの尾根は、両側の天気がまったく違い、異なる生態系が隣接している。ダウニーオーク（コナラ属の木）をはじめとする温暖な天候を好む種は、南斜面に生える。亜高山帯を好むアルパイン・ペニークレス（ロゼットを作るアブラナ科の高山植物）などは北斜面だ。これらの異なる環境が、わずか60センチに満たない稜線をへだてて存在する。私たちはほんのひとまたぎで、緯度換算で１０００キロメートル、高度換算で１０００メートルぶんの変化を体験することができる。このように天気とは、場所がほんのすこし違うだけで大幅に異なる可能性があり、それは私たちの天気の定義に織り込みずみである。

米国や欧州の温帯に分布するジュニパー（セイヨウネズ）の林を例に取ると、その北側と南側の気候は、北方の森林と砂漠ほども違う。ジュニパーの林を取り囲む気候はわずか数メートルで大きく異なり、通常の気候に当てはめると５０００キロメートルぶんにも相当する。私たちがそんな林を歩くとき、腕を広げたくらいの距離に、１つの大陸ほどの天気が詰め込まれていることに気づくだろう。

それらは理論上の違い、学問的な事実、測定値だけに留まる話ではないことは強調しておきたい。局所的な気候は、その地における平均的な天気、可能性のある天気を説明してくれるし、それらを引き起こす要素でもある。そして、私たちが出会うであろう天気への手がかりを提供してくれる。地形が天気をいかに反映し、変化させるかを知るようになれば、未来の天気を予想して変化を感じるのがとても楽しくなる。

12月の初旬における晴れた夜のウォークで、私はヒース（ツツジ科の低木）の生える平坦な荒地を横切ったことがある。マツの木の下から出ると、予想どおり空気が急に冷たくなった。散在するヒースの間には凍った水溜まりがあったが、草地や近くの木立の下にはなかった。そんな事実に気づき、理由の説明ができる自分を頼もしく思えた。荒地は夜間、急速に熱を失い、ほんの何百メートルしか離れていない場所より3℃ほども冷える場合があるのだ（荒地がなぜそれほど急に熱を失うか、その理由は次章で学ぶことにしよう）。

　気象の専門家たちは、隣り合った地域でもこうした面倒な相違が起きることを熟知しているので、風速計や温度計はつねに、そんな変動の影響を受けない高さに設置しようとする。科学的には理にかなっているのだろうが、天気予報を行おうとする人たちが、風速や気温などの変動要因を、私たちが現実に体験する位置よりもずっと上で測定しようとするのはちょっとおもしろい。

　気象予報士たちは、大スケールで起こる天気を解明してきた。「ビッグウェザー」を私たちにわかりやすく解説し、数え切れないほどの人の命を救うというすばらしい仕事をなしとげたことも事実だ。しかし同時に、予期せぬ結果も生んでいる。その成功により、私たちは日常的に遭遇する場面よりもはるかに大きな規模で天気を考えることしかできなくなってしまった。

　本書では、私たちが町で、都市部で、木立の中や丘の上で出会う天気の秘密を解明するための、手がかりやサインを探ってみようと思う。そのようなサインの中には大きなスケールの気象に関係し、学者たちにとってなじみのある世界に重なるものもあるだろうが、大半は私たちが足を下ろす土地の形と関係する。気象現象の多くが、とても狭い範囲に詰め込まれている。それこそが、隠された天気の世界なのだ。

　では、私が散歩の途中で出会った手がかりやサインをまず見てみたいと思う。それによってスケールの差を実感し、おなじみの天気の世界を離れて、隠された天気の世界へと入っていく道を知ることができるだろう。

ブロッキング高気圧

この章の最初で取り上げた私の散歩では、いくつかの低い雲を除いて快晴の空とそよ風が特徴だった。温められた空気はゆらめき、視界はまあまあだがすばらしいというほどではなく、風景の詳細はぼやけていた。これらのすべてがサイン、夏の高気圧が持つ特徴だ。

夏、ある地域に高気圧が居すわると、安定した晴天、あまり向きの変わらない微風、すばらしいとは言えない視界、あまり雲のない空などが生まれる。高気圧が留まり続ける限り、天気は変わらない。高気圧の中には、1カ所に留まってなかなか動こうとしない頑固なものもある。それらはブロッキング高気圧と呼ばれ、熱波を生み出す原因でもある。ブロッキング高気圧の中にいるとわかったら、私たちとどのような位置関係があるのかを確認するだけで良い。好天がどれくらい続くか、それによって予想できるだろう。

高気圧を追跡するのは簡単だ。風向きに注目しておくだけで良い。風は北半球では高気圧の周りを時計回りに吹くので、いま後ろから風が吹いているとしたら、高気圧はあなたの右手側にある。私の場合、丘を見下ろしたときに追い風を感じた。私は南を向いているはずと思ったが、カシの木が落とす影で確認できた。時刻はほぼ正午、太陽は南中に近い位置にあるので、影はその逆の北を指す。つまり、高気圧の中心は西にあるというわけだ。

地球は東向きに自転しているので、地球をとりまく大規模な風は普段は西から東へと吹くことになる。

つまり、さまざまな気象現象も西からやってくるのだ。

　さまざまなサインの断片を集めると、こうなる。私は自分が高気圧の中にいると感じ、風向きから、その中心が私よりも西にあるとわかった。大規模な好天システムが、陸地をゆっくりこちらに向かって進んでいるのだ。良い天気は週末にかけ、さらに良くなってゆくだろう。

　細かな所には、まだこだわらないでおこう。ブロッキング高気圧のことは、さらによく知っておきたいのであとから取り上げようと思う。いまのところは簡単なことを１つ覚えておこう。しばらく晴天の期間が続きそうなら、風向きに注意を払ってほしい。高気圧が支配している晴天時、風はいくらかの変化はあるがもっぱら弱い。しかし、この平和な時が過ぎ、落ち着かない空になってくる前には、風向きが変わることに注意してもらいたいのだ。

　ブロッキング高気圧は大きくて目立つサインであり、気象予報士が示す天気図の上でも、大きな同心円状の線として表現されるだろう。使い勝手が良いので、大きな天気の世界にも登場する。次は秘密の世界に足を踏み入れ、放送されている天気予報には決して登場しない類のサインに出会ってほしい。

自然の扇風機

　私が選んだ完璧なピクニック場所は、カシの下だった。暑い日、木陰に立って涼んだ経験は誰にでもあるだろうが、その理由をきちんと理解している人は不思議に少ない。日差しを避けるためというのがおもな理由だろうが、もう１つ。風も違うのだ。

　吹く風にとって、木は障害物である。その周りの空気圧は微妙に異なっていて、風上側では圧力が高まり、風下側では低くなる。風上側のこの高い圧力が風下に向かって風を加速する。したがって、木の下を通る風は、木から離れた所を吹く風よりも強く、速くなる。暑い日に、木陰で休むと涼しさを覚えるのは、日陰と風の相乗効果なのだ。

扇風機としての木

ここまで述べてきた2つのサインが、私たちの活動領域を示してくれる。これから探検してゆく世界において、ほぼ両極端に位置するものなのだ。ブロッキング高気圧は、巨大な天気システムのサイン。それは気象予報士たちの世界であり、数日間にわたり数百キロメートルの領域で天気がどう変わってゆくかを教えてくれる。木が作り出す自然の扇風機は、秘密の世界のものだ。微気象に属するサインであり、ローカルの極致であるが、私たちと直接的な関係があり、信頼性も高い。それらを考え合わせることで、私たちが実際に体験する天気という、有効かつ魅力に富んだ理解が生まれる。

週末、天気はなんとか持った。私たち一家は、メエメエ言うヒツジやカアカア鳴くカラスといっしょに、涼しい風が通るカシの木陰でピクニックを楽しんだ。日曜には風向きが変わり、月曜には雲がやってきて気温が下がった。

2 秘密の法則

陽だまりに座る／冷たいナイフと温かいスプーン／種子・糸・翼／飽和にいたる湿気の道／転がるリンゴ――安定度の話／湿気の毛布と潜熱／見えない天井

天気のサインを自信を持って解釈するためには、何が起きているかを理解していなければならない。サインを生み出した天候要素を見つめるときは、五感を活用することになる。この章は、私たちの目に見えるものの後ろにある、隠された理論を説明しよう。最初は難しいかもしれないが、ただちにすべてを理解しようとする必要はない。大事なコンセプトは何度も登場してくるので、しだいに見えてくるはずだ。自然環境の中で各要素が機能するのを発見できれば、なじみも深くなる。本章で説明する考え方を使えば、美しい天気パターンを見つけ出し、暗号を解くことが可能になるだろう。それは、一生使える知識となる。

陽だまりに座る

天気とは、太陽と地球の自転によってつねにかき回されている、熱と空気と水のスープだ。そのスープは均一に温まったり混ざったりすることが決してないので、まったく同じ天気の日は存在しない。あらゆる天気パターンは熱、空気、水という3つの要素に分けて考えることができる。それらの要素を知り、動きを理解できれば、天気を読むのがうまくなる。まずは熱から始めよう。

冬の日、体が太陽に温められている感じは、なんと心地よいものだろう！　氷と薄い雪が地面を覆う静かな寒い日、顔に当たる日差しの暖かさを嬉しく思わない人などいるのだろうか？　放射されたエネルギーがもたらしてくれる喜びだ。

太陽のエネルギーは地球に到達し、それを温めるというのは周知の事実だ。エネルギーが多く届く地域は温暖になる。夏の午後や赤道の近くでは暑さにうだり、冬や寒い夜、あるいは高緯度地域では体が震える。

冷え込んだ朝、顔に日差しを感じたあなたは、周りを見回すと、場所によってはおりた霜がもう解けていることに気づく。ジャケットを触ってみると、色の濃い部分は薄い部分に比べてずっと温かく感じられる。熱い所すらあるかもしれない。空気は凍るほど冷たくて息が白いにもかかわらず、である。

太陽からのエネルギーは、空気を通って顔や服に到達し温度を上げたわけだが、均一ではない。顔はすこし温まり、上着の黒い所はもっと温まり、薄い色の所はあまり温まらず、空気はさらに温まらない。太陽から出たエネルギーの吸収が、対象によって不均一であることは、暑い日でも観察ずみだろう。黒い車のボンネットは、その横に停めてある白い車と比べるとずっと熱い。暗い色は、明るい色よりもずっと大量の輻射熱を吸収する。

霜がおりるような寒い朝でも、暖かく快適な場所を見つけて座ることはできる。直接日光が当たり、熱の吸収が最大で、貴重な熱が逃げにくい所を探すのだ。陽だまりを見つける技術である。木の生えた丘の南斜面は陽だまりがある可能性が高く、木の枝がひさしを作っていて、太陽光は入るけれども真上の空は見通せないような場所はなおさら良い。

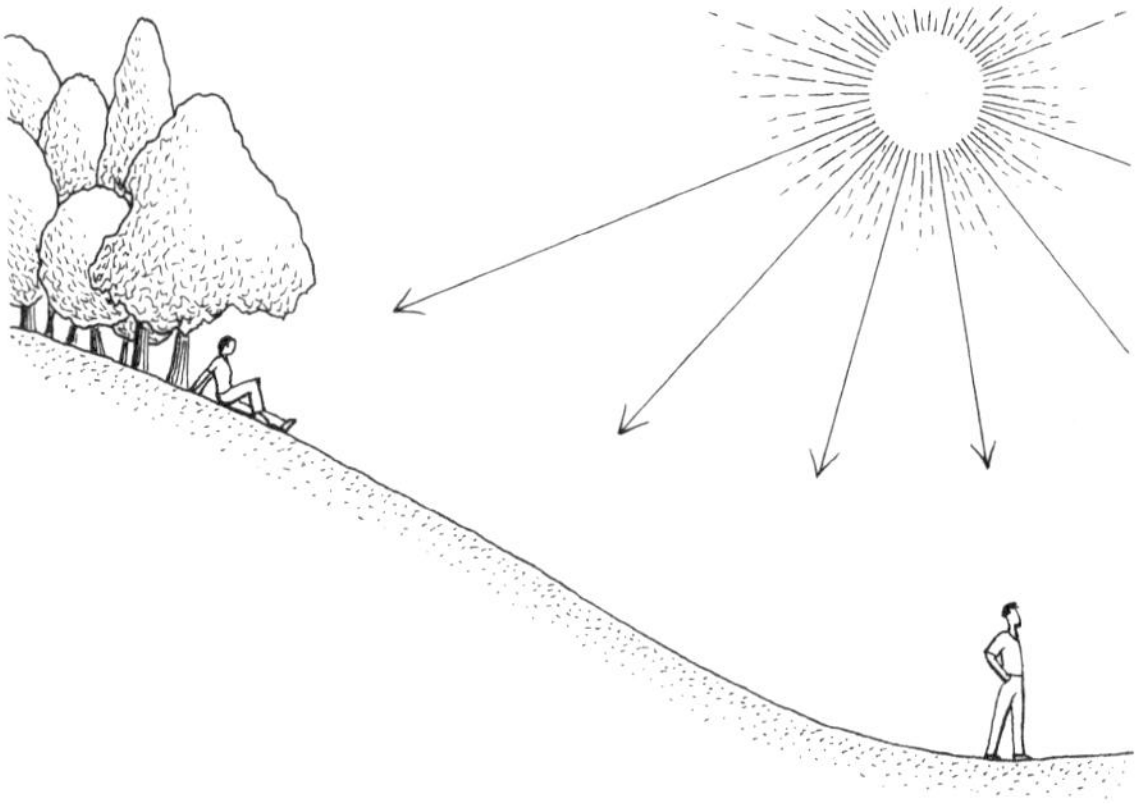

斜面はあなたの体を傾けて日差しを受けやすい角度にし、木の枝は3つの貢献をなす。木立は風よけになるが、ひさしになる枝は雪や霜から地面を守り、太陽からの輻射熱をよく吸収できる状態にしておいてくれる。上方向に熱が逃げてゆくのをいくぶん防いで陽だまりを冷やさない効果もある。晴れた寒い日に木の下へと行くのは変な感じがするかもしれないが、開けた場所に立っているのと、陽だまりに立っているのでは大きな違いがある。寒い天気の中、屋外で長い間動かずにいる必要があるなら、太陽ポケットとも言える陽だまりを探してみると良い。動物はそのことをよく理解している。

　もちろん、建物の軒下も同じような陽だまりを作る。アルプス地域では、軒下で陽に当たりながら快適な読書をする人の前で、凍てつくような氷の中を行く人たちの吐く息が渦を巻いて立ち上がる。

　私たちは、輻射熱を発する物体に囲まれている。マイナス273℃（絶対零度）よりも温かい物体はすべて、太陽から届くものと同じ、目に見えない赤外線を発する。地球上にあるものは絶対零度よりもずっと温度が高いので、私たちの周りのものすべてが、エネルギーと熱を周りに放射している。横においたホットドリンク、足元にある地面、何十メートルか離れた所にある木などはすべて、あなたを温めるエネルギーを放射しているのだ。もちろん、はるか彼方にあって5000℃以上の高温で燃える火の塊からたっぷり届くエネルギーとは比較にならないが、たしかにそれらは存在し、影響を持つのである。

あらゆる場所は、熱に関して固有の特徴を備えている。独自のやり方で、放射により熱を吸収したり失ったりするのだ。第1章、ヒースの生えた荒地で感じた寒さを覚えていらっしゃるだろうか。そのような土地は熱をとりわけ急速に放射するので、水溜まりが凍っていたのである。

熱の放射は、イメージが難しいかもしれない。熱は、真空の宇宙空間を何百万キロも伝わってきて地球を温め、夜には地面から宇宙空間へと戻ってゆく。霜や露について詳しく見てみると、熱放射についてもっと理解が深まることだろう。

冷たいナイフと温かいスプーン

ある所から別の所へと熱が移動してゆく2つめのパターンは、もっともシンプルでなじみがあるものだろう。温かいものが冷たいものに接触するとき、熱は前者から後者へと流れる。振動する分子が別の分子に接触すると、その振動が伝わってゆくのだ。これが伝導である。

素材によって熱の伝導性は違う。金属は熱の良い伝導体であるし、木はそうではない。台所にある引き出しの中で、同じ温度で保管された金属のナイフが冷たく、木のスプーンが温かく感じられるのはそういう理由だ。金属のナイフはあなたの指から熱を吸い上げるので、木にはない冷感が生まれる。

水は、熱の伝導体として空気よりも性能が良い。涼しく快適な空気の中を散歩する体験は、一度落水してしまうと生命の危険もあるサバイバル状況となる。水は、あなたの体熱をずっと急速に奪ってしまうからである。

冷えた地面の上でも寝袋に入っていれば暖かいのは、寝袋の熱伝導性がとても低く、地面や空気へ熱が逃げるのを防いでくれるからだ。

むき出しの地面の上で一夜を過ごさざるを得なくなったら、実験をやってみる価値がある。石は砂よりも、砂はピートよりも熱をよく伝える。地面はそれぞれ特徴を持っていて、含まれる水分量が大きな影響を与える。

野生のイノシシはこれを熟知している。アリ塚は熱伝導性が低いと知っているので、砕いて寝床に使うのである。熱伝導とは、私たちの天気体験において、天気それ自体よりも大きな影響を持つ要素なのだ。

種子・糸・翼

空気は温められると膨張し、密度が下がる。温かい空気は冷たい空気よりも上に行こうとする。たき火の煙ややかんから出る湯気などは、冷たい空気をこえてのぼる。これが対流、熱が移動する第3の方法である。

アルプス地域を歩く人たちが出す白い呼気が上昇していったのを覚えていらっしゃるだろうか？　私たちの体温は37℃くらい、だいたい周りの空気よりも高温である。寒い日、私たちの口から出る呼気は上昇してゆく。

空気は透明なので、ほとんどの対流現象は見えないが、放射と同様に私たちの周辺のいたる所で起きている。太陽が昇ると、放射現象によって地面は温められ、隣接する空気の温度も上がるので上昇を始める。対流によってできる暖気の柱は、上昇気流と呼ぶ。この柱の太さは数メートル単位のことも、何百メートル単位のこともある。

初期の動力飛行機はとても繊細だったので、つねに危険と背中合わせだった。アドレナリン漬けだったパイロットらがもっとも恐れたのが乱気流なので、飛行は朝が好まれた。太陽が地面を温め、上昇気流を作り出してしまう前だ。以来、飛行機の設計は大きな進歩を見せ、対流が危険を引き起こすことはほぼなくなったが、私たちは離陸時や着陸前の揺れとしてそれを実感する。低い雲の層を通過するときに生まれるがたつきが、上昇気流だ。

太陽は地面を温めるが、それは不均一で、タイミングも異なる。太陽は東から出るので、そちらに向く斜面は、西斜面よりもずっと前に温まりはじめ、より強力な上昇気流を生み出す。上昇気流は地形の特徴とともに、時と角度にも関係がある。丘によって午後まで日差しが遮られる谷間にようやく光が入るとき、林、川、草原、街、湖などは違った温まり方をする。暗色で乾いた場所は、明色で湿った場所よりも温度上昇が早い。太陽が上昇気流を生み出すのだが、どこで立ち上がるかは地形が決めることである。

つねに観察を怠らなかった18世紀のナチュラリスト、ギルバート・ホワイトは「秋の好天時、野原に大量に現れ、尻尾から糸を紡ぎ出して空気よりも軽く宙に浮かぶちいさなクモ」がいると書いた。そして１８３０年、チャールズ・ダーウィンはアルゼンチンの陸地から１００メートル離れて停泊するビーグル号までクモが飛んでくることに気づいた。クモはもちろん、ホワイトが言うように空気より軽いわけではない。糸を帆として使い、飛ぶというよりはむしろ気球のように、上昇気流に乗って浮遊するのだ。立ち上がる空気の流れは、時として大陸を横断するほどの大移動を生み出してくれることもあるが、彼らのすばらしい旅はふつうもっと短い。皆さんも、秋の草にひっかかってパッチワークのように輝くクモの糸を見たことがあるかもしれない。そんな体験は、クモが好む晴れた微風の日のあとによく起こる。地面が温まりすぎて上昇気流が強くなると、クモたちはまた飛ぶ気を失い、状況が落ち着くまで待つという興味深い調査結果がある。

　動物の行動を研究する専門家たちは、１００年以上前から、鳥の体重と上昇気流の強さ、そして飛行する時間帯に関係性があると気づいていた。猛禽類は上昇気流に乗って高度を稼ぐ。晴れた日、黒く茂る林の上を旋回しながら上がっていく鳥は、上昇気流のありかを示してくれるのだ。夜明け時に太陽起因の上昇気流はないが、時間が経つと地面が温められ、空気が上昇しはじめる。大型の鳥になればそれだけ、強い上昇気流が必要になる。まず旋回を始めるのは小型の猛禽、大型はもっとあとだ。時計の針にたとえて考えることもできる。猛禽はぐるぐると回り、次第に大きくなる、というわけだ。旋回する鳥は、立ち上がる気流と、その下の暖かい土地を示す。

　夜は明けたけれども上昇気流がまだ弱く、どんな小さな鳥も高く舞い上がることができないとき、それを活用するトンボの姿を見る機会があるかもしれない。トンボが動き出す前は、種が飛ぶ時間である。数多くの植物が、上昇気流をうまく使って種子を飛ばし、生存を実現している。重力はつねに種子を地面に引き戻そうとするが、親の日陰に落ちてしまうなら、存続は危うい。植物の種子は自力で動いたりのぼったりできないので、多くの種類が気流を活用して親元を離れ、新しい土地で成功しようとする。

　私たちも種子の旅立ちを目撃することができるが、そのためには見やすい光が必要だ。小さな隙間を通して暗い部屋に射し込む光は、室内に浮くほんの小さなほこりも目立たせるが、それに似た自然環境がベスト。暗色の木の間から入ってくる強い日差しが良い。とはいえ完璧な光環境にはなかなか遭遇できないので、空中に浮かぶ種子をうまく見つけられるよう心構えをしておこう。アレルギー体質の人ならよくわかることだが、一年のある時期、空気は種子で満たされる。ふわふわの毛が付いているサワギクの種などはよく目立つが、種類はあまり関係ない。なんらかの種子が空中に見つかれば、それはごく弱い上昇気流が存在していることをあなたに教えようとしているのだ。

空中の種子を観察していると、風が吹いたら横倒しになるのがわかるだろう。これは興味深い特徴で、第14章において詳しく触れるが、ここでは単に、種子はとても静かな日を好むと覚えておこう。目を凝らしておくと、種子がドラマチックな上昇を始めるその瞬間を見ることができる。その旅路は、垂直であればあるほど良い。空気の階段である上昇気流にうまく乗ったことになるからだ。そんな場所の地面は、よく陽が当たり、周りよりも暗色をしているか、より乾いているせいで温まりやすいだろう。

おめでとう！　新しい地図ができた。種子と小さな上昇気流を観察したあなたは、そのごく小さな土地の上で空気の流れを観察した、おそらく史上初の人類となったのだ。

飽和にいたる湿気の道

陽が当たっている机の上に氷を置くと、それがどうなるかは言うまでもない。個体から液体に変わるだろう。解けるという現象だ。さらに数時間たってからその場所を見ると、何もない。水が液体から気体に形を変えたからだ。つまり蒸発して水蒸気へと変化した。氷の中のごく一部は、水のステップを飛ばして一気に水蒸気へと変わる（昇華）だろう。とはいえ、そこにほとんど驚きはない。

水がたどる逆方向の旅も、常時起こっているけれど私たちはあまりそれについて知らない。水が氷になるのを見たという人はそれほどいないだろう。しかし水蒸気が凝結して白くなるのはよく見ている。冷え込んだ日の息、熱いコーヒーからのぼる湯気、自動車の排ガス。水が形を変えるとき、そこにはとても興味深く、かつ見落とされがちなことが起きる。

天気を読む人たちにとって、水蒸気が気体から液体へと形を変える「凝結」はたいへん重要な現象である。地球をとりまく大気は、気化した水分を必ず含んでおり、乾燥した砂漠の空気ですら、水分がまったく含まれないわけではない。空気は、温度が高いほど、水蒸気の形で水をより多く含むことができ、それ以上水を含むことができない状態を「飽和」と呼ぶ。飽和状態は、水蒸気の割合が増すか、温度が下がってそれ以上水蒸気を含めなくなるかのいずれかによって生まれる。この状態を通り過ぎると、水蒸気は凝結を始め、雲や霧、湯気などが発生するのだ。私たちが見ることのできる水は、液体ないし固体であることに注意しよう。気体である水蒸気は目に見えない。

逆もまた起こりうる。空気が乾燥するか温度が上がると、霧や雲は水蒸気に戻るので見えなくなる。霧や雲が生まれたり消えたりするのは、このプロセスに立ち会っていることになる。

冷やされた空気が飽和状態にいたる温度を「露点」と呼ぶ。空気中に水分が多ければ露点も高く、少なければ露点は低い。言い換えるなら、じめじめした空気はほんのすこし温度が下がるだけで雲を作りはじめるが、からっとした空気は相当に冷えないと雲を作らない、ということだ。

寒い日、にわか雨が降ったあとに太陽が顔をのぞかせるとき、植物や路面から湯気がのぼっているのを見てみよう。太陽は雨水を温め、それは目に見えない水蒸気として立ちのぼる。しかしそれは空気によってすぐに冷やされ、露点に到達して飽和が起こる。水蒸気は凝結して水に戻り、くねくねとした湯気となって見えるのだ。

つまりは、温度がカギとなる。低くなれば、水蒸気は目に見える水の状態に戻る可能性が高い。冷え込んだ朝は池から湯気が上がるが、暑い日に霧は出ない。

転がるリンゴ——安定度の話

私は毎朝空を見つめ、こう自分に聞く。安定した様子かな？　わずか数秒でさまざまな事項が明らかになる大事な習慣だ。一度やり方を理解すれば、意識することもなく行えるだろう。本章を読み終えるころには、皆さんもそうなるはずだ。

自然界のシナリオには、安定と不安定の状態が交互にやってくるものが多い。捕食される動物（たとえばウサギ）が増えれば、捕食する生物（たとえばキツネ）も状態が良くなって増え、さらにウサギを食べる。そうなるとウサギの数は減少に転じる。キツネがウサギを食べすぎるとその数は急減し、キツネは飢えて減り、ウサギの数は戻り、サイクルがまた始まる。このシナリオにおいて、ウサギの数はかなり安定していると言って良いだろう。変化があれば、それをきっかけとしてさらなる変化が起こり、ほぼ開始時点へと戻ってくる。しかし病気がはやってキツネが全滅したら、ウサギは爆発的に増え、しばらくの間その数は不安定になるだろう。

安定したシステムに起こる変化は、状況を開始時点にまで立ち返らせようとする力を生み出す。不安定なシステムに起こる変化は、さらなる変化を生み出し、もっと大きな変化を生み出すループを駆動する。不安定状態をふつうのことばで説明するとしたら「小さな変化をきっかけに大きな変化が次々にやってくる可能性を秘めた状態」となる。

安定状態は、自宅でも体験することができる。食卓に大きなボウルを置き、底にリンゴを1つ入れてみよう。指でリンゴを底からすこし押し上げてみても、離せば下へ転がって戻る。何百回同じことをやっても、この「システム」は出発点に戻る。安定しているからだ。

次にボウルを伏せて置き、リンゴをその上にのせる。指先で軽く押してやると、それはボウルの斜面を転がり、食卓から床に落ちるだろう。小さく押しただけで大混乱が起きてしまった。これが不安定状態である。

大気の状態は安定しているか不安定かのどちらかであり、それを理解するためには「潜熱」のことを知る必要がある。私が思うに、潜熱の移動こそ、巨大な重要性を持ちながらもあまり理解されていない気象プロセスだ。把握するためにはすこし時間がかかるかもしれないが、理解してしまえば、もっともシンプルかつパワフルな天気の手がかりがなぜ実効性を持つのか、どうやって活用すれば良いかがわかる。自分の周りの天気が安定しているか不安定か、根拠を持って即時に判断ができるようになるだろう。皆さんもそれを目指してほしい。努力する価値はじゅうぶんにある。

湿気の毛布と潜熱

エネルギーは移動し、形を変えるが、決してなくならない。エネルギーの総量はつねに一定である。これが不変の法則であり、私たちはそれを前提として話を進めよう。

氷よりも液体の水が、液体の水よりも水蒸気のほうが、大量のエネルギーを持つ。すなわち水蒸気が水に変化するとき、あるいは水が凍るとき、このエネルギーはどこかへ移動していかなければならない。空中に熱として放たれるのだ。これを「潜熱」と呼ぶ（ラテン語 *latere*［＝隠された状態にある］に由来）。このプロセスは、逆向きに動くこともある。つまり氷が水になったり水が水蒸気になるとき、潜熱はそれぞれ氷や水によって吸収されるのだ。

ご承知のとおり、液体の水の温度は０℃より下がらず、１００℃より上がらない。これらの数値が固定されて動かないのは、水が状態を変えるとき、余分なエネルギーすべてが状態変化に費やされるからである。

大きなボウルに水と大量の氷が入っていると想像してみよう。水温を計ったら０℃。すこしボウルを温めれば氷は解けるし、冷凍庫に数分間入れておくなら氷は増えるだろうが、水温は０℃のままである。やかんの湯が沸騰しているとき、火を強めれば水蒸気はたくさん出るが、水温が１００℃を超えることはない。料理本に「強火のまま沸騰させる」という指示があっても、ガスを浪費しないようにしたいものだ。水の温度は１００℃よりも上がらないのだし、強火を維持しても台所が湯気でいっぱいになるだけだ。

では、私たちが観察する天気の手がかりとこれがどのようにつながるか見てゆこう。空気中の水蒸気が飽和状態になって凝結を始めると、雲ができる。その際、エネルギーは熱の形で逃がされなければならない。つまり雲が生まれると、空気は温められる。私たちが周知のとおり、温まった空気は体積が増え、密度が低下する。つまり雲ができると熱が放出され、それによって空気は温まるので上昇しようとし、それによりさらなる膨張と冷却、さらなる飽和と雲が生まれるというわけだ。雲が成長するときに水蒸気が放出するエネルギーは、このプロセスを駆動し続ける。

理論的に言えば、このプロセスは永遠に続く可能性があるのだが、ほとんどの場合において、雲ができるときに放出される潜熱はプロセスを稼働させ続けるためにはじゅうぶんではないので、雲の発生は止まる。それによってできる雲は、高さよりも広さがあるタイプだ。たまに、雲の生成時に放出される潜熱がじゅうぶんで、サイクルが回り続けることがあるが、そのような場合の雲は高く立ち上がる。それが継続して一人歩きを始める天気現象が雷雨である。

雲が生成する場合に放出される熱の量は一定である。それならば、なぜ高く立ち上がる不吉な雲と、平らでやさしいタイプの雲ができるのだろう？　その答えは、高度が上がるにつれて気温も変化することにある。高度が上がるにつれて気温が下がる速さが、上昇と膨張によって雲が冷える速さを超えているなら、雲はいつまでも上昇を続けるだろう。これは不安定な大気状態である。暖かい空気が冷たい空気の下に来ている状態は不安定だ。高度が上がってもすこしずつしか気温が下がらないなら、雲は立ち上がって発達するが、すぐに平らにつぶれる。これは安定した大気状態を物語る。

空気は目に見えないので、その安定具合や不安定さを直接視認することはできないが、雲は指標として使うことが可能だ。それが縦方向に成長して横にはあまり広がらず、上限を感じさせないとき、大気は不安定である。リンゴはボウルの斜面を転がり落ちようとしているのだ。大気の安定度は、私たちが目にするほぼ全種類の雲で読み取ることができる。

晩夏の暑く湿度の高い午後、いまにも天気が急変しそうな気配をにじませる原因は不安定な大気である。乾いた炎暑は、決してそのような感覚をもたらさない。私たちが間接的ながらも感じているのは、潜熱の力だ。熱く湿った空気は上昇し、凝結して雲を作るが、湿度の高さによって大量の潜熱が放出される。これが火に注がれる油だ。雲は高く成長を続け、やがて雷雨がやってくる。

蒸し暑い日中に続き、夜も不快な暑さのままでありそうな感じを持ったことがないだろうか？　そんな場合、「湿った毛布」と私が呼ぶ予兆をあなたは見つけたことになる。

湿度が高いとき、夜が急に冷え込むことはほぼあり得ない。水蒸気の持つ潜熱が、冷却にブレーキをかけるからだ。湿った空気が冷えようとするとき、それは即座に露点に到達するので凝結を始め、大量の潜熱を解放するので気温はあまり下がらない。水蒸気の中の潜熱が、湿った毛布を生み出すのである。

見えない天井

上方に成長していく雲が、透明なガラスの天井に突き当たったかのような光景を見たことがあるだろうか？

大気は通常、高度が上がるにつれて冷えてゆく。雪は山のふもとではなく山頂にあるので、私たちはこの事実をあたりまえのように捉えている。しかし、現実は必ずしもそうではないのだ。暖かい空気が、冷たい空気の層の上に乗ることもある。この暖気は、下にある冷気のふたになる。

上昇する気流は、暖かい空気の層に突き当たると止まる。暖気の下側に広がる温度の逆転面が、透明な天井を作っているのだ。このレベルにおいて、大気はとても安定している。

温度の逆転を、私たちはこれから何度も目にすることになる。とてもありふれた現象で、さまざまな層において発生する。しかし、皆さんも一度は体験したことがあるのではないだろうか。霧が平らに広がる谷間を見下ろすとき、あるいは入道雲の頂点がつぶれてゆくのを見るとき、あなたは温度逆転の実例を目の当たりにする。

3 空は語る

7つの黄金則／雲のファミリー／雲の手がかり／昼食後に注意／親戚たちを知る

雲は、あなたに話しかけてくる。かつて太平洋を股にかけたミクロネシアの伝説的な航海者たちは、雲の形と色を解釈して天気を予測する技術を「カペサニ・ラン」と呼んだが、それは「空の語り」という意味である。雲は私たちにじつに多くのことを伝えようとするもので、じっくりとそれを見ていこうとは思うが、まずは目的をはっきりさせておこう。私は皆さんに、雲の多様な名前を暗記してもらうつもりも、すべてを分類させるつもりもない。やりたいのは、雲の言語を理解することだ。そのためには、私たちなりの体系的なやり方が求められるだろう。

まったく同じ形の雲は2つとして存在しないと想定できるが、仮にそれがあったとしても、空気が私たちの目に見える雲の色を変えてしまうから見え方は違ってくるはずだ。空気がきれいな環境下では、白く見える雲も、観察する距離が遠くなってくるに従って青色を帯びる。空気中にちりなどが存在するなら、黄色や橙、赤色に見えるかもしれない。太陽の光も雲の内部や外に影を作り、それは秒ごとに変化する。

雲の観察者の多くは、なんらかの形を雲の中に見いだすことを楽しんでいるが、天気の手がかりを求める我らにとっても利点はある。変化を続ける雲の形を追跡するのは、驚くほどに難しい。変化は、実際にそれが起こっていることがわかるくらいの速さでありながら、ぼーっとしていると見逃してしまうほど遅い。ウサギやカエル、あるいは何か他の生き物の形を雲の中に探す習慣があるなら、その特徴がねじ曲がってゆくので気づくだろう。ウサギの耳が長くなってきたなら、天気は悪くなる。その理由については後述しよう。

足を止めてじっと見つめるのではなく、感覚を鋭敏にしておこう。心を開いて、驚きを見つけよう。私たちの脳は雲に形を探すことにすぐ慣れてしまうが、そんなときは雲の隙間のほうに形が見つからないか、意識を切り替えてみると良い。雲の形と同じくらいはっきりと、強烈に目立つものが見えてくるだろう。雲の中に動物の姿がなくても、意識して探す気持ちさえあるなら、青い空の隙間にちょっとした動物園が見えるかもしれない。ただし、あなたにその気がなければ、彼らはそのまま通り過ぎて消えてゆくだろう。

さあ、この練習を終えたあなたは、手がかりを探す準備ができた。じきにあなたは、19世紀に活躍したナチュラリストであるリチャード・ジェフリーズもそうしたように、雲からのメッセージを受け取るだろう。「空ににじむインクあるいは「メッセンジャー」、暗い雲が流れゆく。その後ろには南風と西風に乗った水の運び屋が続き、雨の長い列を種まきのように大地に叩きつける」

7つの黄金則

さて、変化の基本パターンを学ぶ時がやってきた。雲が示す普遍的な手がかりだ。

誰もが気づく変化というものは、たしかにある。たとえば、雲の色が暗くなってくると、天気も悪化する。理由は簡単、黒雲は水分を大量に含んでいるからだ。しかし感覚を研ぎ澄ませば、このパターンも洗練させることができる。意識さえあれば、雲中にある影と雨の予兆であるグレイの形を区別できるようになるだろう。

ほとんどの人は数多くのパターンを目にしながら気づかない。しかし実際のところ、パターンの発見は難しくなく、ひとつひとつが単純なメッセージを含む。私はそれらを「7つの黄金則」と呼んでいる。雲の種類にかかわらず全世界において、ほぼすべての天気に適用が可能である。雲が送ってくるメッセージは未来を語るが、訪れる変化のタイミングが遠い順番に並べてみようと思う。常識のように思えるものも、そうでないものもあると思うが、すべて直球。もう一度言っておきたいが、自然がはっきりと示しているサインに気づく人は、もはやあまりいない。

1 雲が低くなると天気は悪くなる。

この手がかりは、意識を磨いていけばもっと役に立つようになる。頭上に低く、重苦しげに広がる鉛色の空には誰しも気づくが、それまで長時間、時には何日にもわたってどんどん低くなってきたことをわかっている人はあまりいない。それを察知するには、天気の傾向に心のダイヤルを合わせる必要がある。昔から伝わる、このことわざを思い出してみよう。「雲が丘にかかると、雨が降りかかる」。これは雲の高さというよりは、傾向と考えると意味が通る。雲が丘に実際に接触するのではなく、高かった雲がだんだん低くなってくることである。

2 さまざまなタイプの雲が見えるなら天気は悪くなる。

もし私たちの目にいろいろな雲が飛び込んでくるなら、大気が不安定ということなので、悪天候の可能性が高くなる。いまの段階において、各種の雲を知る、分類するなどという必要はなく、たんにさまざまな種類の雲が存在するということだけを知っておきたい。

3 小さな雲が成長するようなら天気は悪くなる。

あたりまえのように思えるかもしれないが、ほとんどの人はこれを察知できない。さほど天気を真剣に捉えていない人でも、空に雲が増えてきたことには気づくが、小さな雲が何時間もかけて成長することには気づかない。この黄金則には逆もあり、「雲が小さくなるようなら、天気は好転する」。本書のあとのほうで、この黄金則は磨き込んでいくつもりだが、雲の成長傾向はできるだけ初期に気づいておきたいものである。

4 横に広がらず高く立ち上がる雲は悪天候の兆し。

大気の不安定度に関し、単純ながらも力強いメッセージが込められた、シンプルな天気パターン。

5 尖った頂きやぎざぎざの上部を持つ雲は不安定な天気の警告。

雲の上部が持つ形は、空気の動きを教えてくれる地図であり、尖った形や鋭さは不安定を暗示する。以下のような言い伝えもある。

　雲が岩や塔のように見えたなら

地は頻繁な雨によって潤される

雲の全体的な形と、上部のごつごつした質感を取り上げるものだ。逆に言うなら、滑らかで丸い雲は天気好転のサインである。

６ 雲の下側がでこぼこしているなら雨がやってくる。

雨が来そうかどうかは、雲の下側が教えてくれる。底部が滑らかで平らなら、雨雲ではない。

７ 参照する雲が低ければ低いほど、予報の適用範囲は短期になる。

低い雲は、これからまさに起きようとしている現象だけを示す。あとから触れるように、最初は低いが次第に立ち上がってゆく雲は別の話。立ち上がる雲はもはや低い雲とは言えない。

これらのパターンは、適用される予報スパンが長いものから短いものへと並べてみた。次第に低くなってくる雲は、２日後にやってくる悪天候の予兆として使用可能だが、下がでこぼこしている暗い雲は、ほんの数分後の天気を先取りすることしかできない。段階をなす各パターンの背後にある科学と詳細情報については順次説明していこう。まずは雲の家族を知ることから始めよう。

雲のファミリー

国連世界気象機関（ＷＭＯ）の職員があなたのところにやってきたとするなら、国際雲図帳《うんずちょう》を机にさっと広げ、雲の種類は１００以上あります、と言い出すだろう。自分の話が終わった彼らは、傘を持っていないので雨中を走って帰っていく。予想どおりである。私たちは誰しも、空のことを知ろうとする以前に、人間の行動を見つめてきたのだ。知識が蓄積するあらゆる分野において、名前をつけ、分類し、表を作るのが好きな人というものが一定数存在する。良い人たちであることは間違いないし、リストの武装がないと丸腰に思えるのも性格上の欠陥などではない。しかしここに、本書が何度も念押しをすることになる基本を記しておきたい。ある事や物に科学的な名前がついていないとしても、読み解いて理解することはできるのだ。

それは、植物、動物、岩、空といった自然界のすべてにあてはまる。雲の大きさ、形、色、パターンは、名前以上に豊かな内容をあなたに伝えようとしている。雲に名前が与えられる何千年も前から、人類は雲の意味を読み解いてきた。そして、自然界の事物に「正しい」名前などは存在しない。文化によって、受け入れられることは異なる。西欧文化はラテン語学名を使うことで一定のベースを共有するが、地球の反対側にある文化ではそのようなものに意味は見いだされない。最初の雲をご紹介する前に申し上げておきたいのは、だいたいの形を理解しておくだけで良い、ということ。学名や通称の知識を試験しようというつもりはまったくない。

ではまず、雲の主要ファミリー３つの形と外見を区別できるようにしよう。

巻雲 *Cirrus* のファミリー――空高く広がる細い雲

この雲の仲間は、私たちが定期的に目にする高層雲だ。巻雲の構成要素は氷の結晶であり、純白に見える。形はさまざまだが、ほぼつねに細い筋の集合体となる。白い綿菓子、羽根、ひっかき傷、髪の毛のように見えることもあるだろう。まったく不動、あるいはゆっくりとしか動いていないように思えるが、それははるか上空にあるからで、実際は高速で流れている。

7つめの黄金則において、私たちは参照する雲が低ければ低いほど、予報の適用範囲は短期になると知ったが、その逆も真である。すなわち高層雲である巻雲は、変化の初期警告をもたらしてくれるのだ。

巻雲のファミリーに属する雲のラテン名には、つねに*cirro*という言葉が使われている。これがついた雲は、上空高い所にある氷の雲だ。

層雲 *Stratus*のファミリー——平らな雲

ラテン語で*stratus*は「平ら」「重なる」という意味なので、その語を学名に含む層雲の仲間も、幅広く平らなシーツ状という特徴を共有する。雨を連れてくることもあるが、降らないほうが多い。いずれの場合も安定が特徴だ。層雲がもたらすものは安定性で、しばらくの間は天気に変化がないと予想できる。幅の広い平らな雲が西から広がってきたとしたら、それから数時間は変化があまり起きず、変化があるとしても緩やかである。

層雲の平らさは、安定した大気を示している。

積雲 *Cumulus*のファミリー——立ち上がる雲

この雲の仲間は、いくつかの異なる形をもつ。好天時は、小さく親しみやすい、ふわふわのひつじ雲。荒天をもたらすのは、巨大な塔のように成長するものだ。形や大きさにかかわらず、積雲は比較的平ら

Cirrus
巻雲
Cumulus
積雲
Stratus
層雲

な底部の上に、はっきりとした膨らみが積み上がる、独立した雲だ。空に広がるガラスの上に真っ白いボールがたくさん入った袋が見えたなら、それは積雲。アニメ「ザ・シンプソンズ」の導入部にあるように、青空を背景に雲がもくもくと見えるなら、それも積雲だ。

積雲を理解するためには、泡立つように成長していることに注意しなければならない。それは何を意味するのだろうか？

積雲はすべて、地面の加温が引き起こす、暖かい上昇気流によって生まれる。これが決定的に大事だ。ピクニックのたき火で焼きたくなるようなマシュマロ、不吉な雰囲気をまとう巨人、どちらに似ているにしても積雲は局地的ななんらかの条件によって地表の空気が温まり、急上昇を始めた事実を物語っている。頂点が丸く膨らんでいれば、上昇はまだ継続している証だ。

層雲と巻雲の特徴はまたあとから見ることにし、本章では積雲のみを取り上げて、私たちの目の付け所と観察技術を磨いてみよう。

雲の手がかり

積雲は、大気について多くのことを教えてくれるが、空と地をつなぐものでもある。

大気中に水があることを示す積雲は、大きさによって水分量を推測できる。しかしもっとも重要な情報を教えてくれるのは、底部の高度である。

空気中に水分が多いと、積雲の底部は地上近くまで下がってくる。つまり底部の高さは湿度計として使えるが、目盛りは逆に読まなければならない。湿度が上がるほど、底部は下がってくるわけである。積雲は陸の上よりも海上のほうが低くなるが、それは海上の空気のほうが湿っているからだ。

湿度の上昇は天気悪化の予兆となるが、湿度は直接的に目で見ることができない。しかし雲は、その助けとなってくれる。低くなる雲は湿度の上昇を示し、天気の悪化を警告してくれる。

積雲は、大気が安定していないことを教えてくれる。もしも完全な安定状態であれば、活発な発達を見せない。積雲の大きさと形状により、私たちは大気の不安定度を測ることができる。幅広い雲よりも高く立ち上がる雲のほうが重要な意味も、そこにある。雲が高く立ち上がればそれだけ大気は不安定であり、予報は悪くなる。

積雲はすべて、局地的な状況に左右されるローカルな現象だ。私たちの近くで何が起こっているかを教えてくれる。しかしそのためには、まず正しい質問を投げかけること。積雲は、温まった地表が引き起こす対流現象、すなわち上昇気流によって生まれるわけだから、最初の質問はこうだ。「あの積雲を生み出した温度上昇は、何によって起こったのだろう？」。原因は、ただちに特定できる場合も多い。

南極の低い太陽は、どれだけ照りつけても白い地面をじゅうぶん温めることはないので、上昇気流はまず生まれない。そこに積雲がほとんど発生しない理由だ。逆に、高温の湿った空気がたちこめる熱帯地域では、巨大な積雲の発生など日常茶飯事。そして私たちの大半が生活する温帯地域においては、積雲がなぜその場所に発生したかを知るために理解しておくべきことがある。時と場所の組み合わせが大事なのだ。

上昇気流が生まれるためには、太陽が地面をじゅうぶん温めることが必要なので、積雲は正午から夕

暗色の地面や林のほうが、薄い色の土地や海よりも温まりやすい。積雲がもくもくと生まれている場所は前者だ

方にかけて発生しやすい。地面の温まり方は場所によって異なり、温かく乾燥した場所と湿った冷たい場所の境目など、大きな差がある場所に積雲が生まれる傾向がある。風のない静かな日は、木の生えた丘の南面に発生しやすく、谷底にある湖の上や丘の北斜面などにはあまり生まれない。

これからどれほど細かく学んでゆくかは、あなた次第である。砂地や草原は、森よりも太陽光をよく反射するので温まる速度は遅い。土地は、それぞれ違った温まり方をする。積雲を理解するためにとりあえずは、2つの基本原則を頭に入れておきたい。

1　偶然はない。積雲には、発生原因が必ず存在する。積雲の真下には局地的な対流、すなわち上昇気流がある。

2　太陽と地形の関係をよく考えることで、局地的な対流を生み出した原因がわかる場合がある。

積雲は、上昇気流に乗る生クリームのデコレーションとも言えるもので、その雲の読み解きは、見えない上昇気流を見る能力と大きくかかわってくる。パラグライダー操縦士であるボブ・ドルーリーの発言を引用しよう。

上昇気流の発見は、流体力学および気象学の理解と五感の両方を活用する、禅にも似た芸術といえよう。太陽、空気、地形によるどのような相互作用が上昇気流を生み出すのかは、重要事項の半分にすぎない。私たちの周りにある空気を視覚化するためには、操るグライダーの動きと垂直・水平方向の位置に関するすべてを意識下に置くこともまた必須。メーター類は、私たちの五感が伝えてくることを確認するためだけにある。

昼食後に注意

雲の読み解きに関して言うなら、午前と午後はまったく違う。

よく晴れた日の午前、私たちは積雲が成長に失敗するのを見る。小さく、不均一で、断片的な雲の塊ができては消えてゆく。大気システムのバランスが保たれているのだ。太陽からの熱はごく弱い上昇気流を生み出すだけで、空気中の湿度も雲ができるぎりぎり。気流も水分も、次のステージへと成長するには不十分なのである。とはいえ、ささやかな雲ができる場所は正確に把握しておくと良い。もし風が弱くて雲が移動しないなら、そこから仮想の線を下ろせば、周りよりも温まり方が速い土地を知ることができるからだ。

時間が経つと、システムのバランスは崩れてくる。太陽は地表の温度を大きく引き上げ、強い上昇気流が生まれる。湿度は朝とあまり変わらないかもしれないが、地表の空気はより高層にある低温の中へと持ち上げられる。空気は露点に到達し、典型的な積雲が生まれはじめる。雲の中にある水蒸気は凝結しはじめると熱を放出し、さらなる上昇気流を生み出すので、空気はもう一段階上に持ち上げられる。数時間の間に、連鎖反応のきっかけが生まれるのだ。雲がない日の出から、小さな塊が生まれては消える段階を経て、空中に膨れ上がる明るい白色の積雲が発生する。

あらゆる種の積雲が大気の不安定さを示していることを、この発達は物語る。冷たい空気の下のどこで空気が局所的に温められ、上昇を始めるのか教えてくれるのだ。積雲は、この持ち上げ運動なしでは決して誕生することがない。この雲に高さがあれば、それだけ大気は不安定ということである。

太陽は決定的に大事であるが、その役割はもっとも安定的で変動が小さく、予測可能だ。それに対して、大気と地形の要因には魅力あふれた要素がある。まずここでは大気に集中して見てゆこう。

空気がとても乾燥しているとき、日中は雲など発生しないだろう。太陽が君臨する一日だ。空気がとても湿っているとき、太陽はあまり顔を覗かせない。しかしながら、好天で始まった一日は、それら両極端の間のどこかにあてはまるもの。これからどんな天気になってゆくか推定する手がかりは、両極端の間のどのあたりに位置するかを理解することにある。正午過ぎには、積雲の挙動を注意深く見なければならない。

太陽による温度の上昇が加速すると、積雲が現れて成長を始める。しかしおやつ時になると太陽光の力は急減速し、上昇気流も弱まる。いったいいくつの雨粒が集まれば川と言えるのだろう、という問いにも似た疑問が、「太陽の加温力が弱まると雲もできにくくなるのだろうか？」である。雲を発生させる駆動力が上昇気流による対流だけなら、エンジンである太陽が傾いてパワーダウンするやいなや、そのくっきりとしたエッジはぼやけ、ちぎれて消えてゆくだろう。もし雲が消えてゆくのが見えたなら、夕方からそれ以降にかけても好天が期待できる。太陽が沈みかけても雲が成長を止めないなら、悪天候がやってくるだろう。上昇気流がないのに雲が発生し続けるということは、大気がとても不安定なことを示す。空気中には大量の水蒸気が含まれており、それが凝縮して潜熱を放出すると雲が成長する。青空で一日が始まったとしても、午後半ばからはとくに注意しなければならない。積雲は大気に関する情報を伝えようとするが、それを受信するためにはあなた側のチャンネルも合わせておく必要がある。

親戚たちを知る

巻雲、層雲、積雲という３つの家系は、あなたが目にする雲のすべてをざっくり分けるのに役立つ。次の段階としては、雲が持つ各特徴を認識できることを目指したい。重ねて言っておきたいが、私たちはアマチュアなのでラテン語の学名を完璧につづる必要はない。その雲が「とても高い所にあり繊細」か「平らな一層」か「上空に向かって成長しているか」を心に留めておくのだ。

　これらの系統の中で、２つの特徴を併せ持つ雲も存在する。私はそれらを親戚と考えるようにしている。

巻層雲 *Cirrostratus*

Cirro- という名前がつく雲のすべてに共通するとおり、これは高層に発生するものであるが、巻雲とははっきりと異なる。後半の *stratus* という部分が語るとおり、この雲は広い面積を覆う。低い所にで

き、完全に不透明な通常の層雲と違って、巻層雲は青空にかかる乳白色のベールのようだ。最初はほとんど見えないくらい薄いかもしれない。

巻層雲は、つねに透けて見える。太陽や月、時には星すらもそれを通して見えるだろう。*Cirro-* 系の雲なので構成要素はすべて氷の結晶であり、太陽や月の周りを取り巻く光の輪、すなわち暈（かさ）を生み出す。

太陽や月の暈を作る場合を除いて、巻層雲はとても高い位置にあり光をよく通すので、取り上げられることもあまりなく、よほど観察者が意識を集中しないと見過ごされてしまいがちだ。しかしながら、これを見つけ出すことができれば、豊かな情報が得られる。対流圏の上層部に水分があるサインであり、あとから説明するとおり、他の手がかりと組み合わせれば、悪天候がやってくる前兆として捉えることができる。

天気の手がかりとしての巻層雲は、とても控えめなものだ。ほとんどの人の頭上を気づかれないまま流れ去ってゆくが、それを知るために時間を取り、探す気持ちを持つ人にとっては貴重な情報をもたらしてくれる。

高層雲 *Altostratus*

学名の語尾についている *-stratus* という部分から、これも平らな毛布のような雲だと思われるかもしれない。先頭に来ている *alto-* は中層を意味することから、上層にある巻雲、下層にあって皆さんおなじみの積雲との間に発生するものである。高層雲は、しばしばかなりの厚さを持ち、広範囲に広がる不透明な雲のじゅうたんだ。小さな国であればすっぽり入ってしまうほどの広さを持つこともある。

夜明けや日没時に豊かな色合いを持つ場合もあるが、この雲は美しさで知られているわけではない。高層雲の形に見惚れ、自然界の驚きに身を浸したという人は、天気観察の全歴史を通じて誰もいないはずだ。ただし、空に書かれたサインを読もうという私たちは、それに近い所まで来ている。高層雲は、さまざまなキャストが登場する雲劇場において、確実に役割を果たしているからだ。巻層雲に続いて、それよりもずっと厚く低い高層雲が出現した場合、7つの黄金則のうち2つが適用できる。雲が成長し、低くなってきたので悪天候がやってくるというわけだ。

乱層雲 *Nimbostratus*

冒頭の *Nimbo-* はラテン語の *nimbus*（雨）に由来するものなので、乱層雲は雨を降らせる層雲ということだ。憂鬱なダークグレイの羽毛布団、空に広がる雲の中でもっとも陽気さに欠けるものである。30分も雨が安定して降り続いているなら、あなたはおそらく乱層雲の下にいると推定できる。層雲の仲間なので、広範囲を覆っているはずだ。少なくともあと30分は、天気が好転する見込みはないだろう。

積乱雲 *Cumulonimbus*

困った雲だと誰もが知っているが、生成の早期にそれと気づく人は多くない。頭にある *Cumul-* という部分が物語るように、これは積雲の仲間であり、*nimbus* の部分によって雨をもたらすものだとわかる。

積乱雲は嵐の雲だ。大気がとても不安定で、上下がかき乱されたときにどんな結末がやってくるか、教えてくれるものである。湿った空気が温められ、より温度の低い空気の中を上がってゆき、大量の水蒸気が凝結して潜熱が放出されるが、それは拡大する雲が熱を失う速度を上回っている。上空に向かう熱のアクセルが踏み込まれ、拡大による冷却ブレーキの効きを圧倒しているというわけだ。

立ち上がり続ける積乱雲も、重力の影響を受ける。雲中で大きく成長した氷の塊や水、そして空気は、この巨大で不吉なエンジンの中で落下を始める。摩擦は帯電を引き起こし、ゴロゴロドカン！　と雷鳴がとどろき、稲妻が走る。あとの章において、このトラブルメーカーについてしっかりと学べば、遠くのほうから眺めておくことも可能になるだろう。

4

空気を入れ替えたのは誰？

湿った仲介役／前線の話／温暖前線／暖域／寒冷前線／夕焼け空は羊飼いの喜び／朝焼け空は羊飼いの用心

数年前、私はイングランド北西部にある山がちの地域レイク・ディストリクトを一人でウォーキングしていた。とっかかりは、かなり急な上りである。昇ってゆく太陽は岩と空気を温め、じきに私は額の汗を拭うようになった。1時間後、デイパックと背中に挟まれたTシャツはびっしょりだった。

そのおよそ4時間後、凍りつくような霧の中を行く私は、グローブをはめた手であご髭についた氷を掻き落としていた。稼いだ高度は1000メートルにも満たないので、標高差による温度の低下は4℃ほどである。気温をこれほど激変させたのは、他の何か。つまり、空気自体が入れ替わったのだ。

この本の大半において、私たちは地表近く、すなわち気象予報士が取り上げない「秘密の世界」に出現する手がかりを見つめてゆくが、それは大規模な天気変化劇場の中で生まれる。私たちが体験する最大規模の変化の中には、空気の特徴が大きく変わった結果として発生するものもある。いわば、秘密の世界の後ろに広がる背景である。

空気のおもな特徴は、温度と湿度のレベルだ。一様な性質の温度・湿度を備える空気の大きな塊は「空気塊」と呼ばれる。その特徴は、暖かく湿っている、冷たく湿っている、暖かく乾燥している、冷たく乾燥しているなどと説明できるだろう。空気塊が持つ特徴は、発生場所と来歴による。大気に含まれる水蒸気の9割は海洋由来で、残りの1割が植物、川、湖、その他の陸上要素に由来する。すなわち、海洋上で生まれた空気塊は湿っていると推定できる。熱帯地域の海からやってくる空気塊は暖かく湿っており、極地からやってくる空気塊は冷たく乾燥しているだろう。ただし、時を経て空気塊の特徴がすこし変化することはある。大陸を移動するなら乾きはじめ、海上を移動するなら水蒸気が増えるというわけだが、異なる空気塊はなかなか混じり合わない。驚くべきことかもしれないが、私が体験したような急激な変化が起こる理由もこれである。

２０１９年10月のある日、米国コロラド州デンバーの気温は、わずか1日の間に28℃からマイナス2℃まで急落した。デンバー市民にとってこれは急変だったろうが、気象の世界においてはなじみがある現象。暖かい空気塊が、冷たい空気塊に押し出されたのだ。

空気塊は、それぞれ独自の温度プロフィールを持つ。高度が上がるに従ってどう気温が変化するかはそれぞれ違い、大気の安定度も異なる。極地由来の空気塊は冷たく安定している傾向に、熱帯由来の空気塊は暖かく不安定な傾向にある。空気塊それぞれが持つ湿度レベルと安定性の水準を考えれば、晴れた日といってもすべてが同じでないことが理解できるだろう。パプアニューギニアのウォラ語を話す人たちは、太陽が大地を温めて生まれた上昇気流は、ただちに豪雨や嵐をもたらすなど湿った不安定な空気のことをよく理解している。暖かく湿った不安定な空気塊のことを、彼らは簡単かつエレガントに「チャイ・ナット」（字義通りに訳すれば「雨・太陽」）と呼ぶ。

米国や英国では、夏の高気圧がもたらす乾燥した天気に出会うことが多い。そんなときの大気には湿り気もムシムシ感もない。パプア風に表現するなら「乾・高」だ。

その土地が接している陸ないし海の特徴により、やってくる空気塊の特徴はかなり決まってくる。えんえんと続く海や陸地に囲まれている場所なら、似たような天気がずっと続く傾向にあるだろう。大洋の中の島々やヨーロッパ、アジア、アフリカ、オーストラリア、アメリカといった大陸の中心部にある地域では、劇的な天気の変化がない日々が何週間も続くことがある。それと比べ、英国をはじめとする地域は東西で特徴の異なる気団に挟まれることが多く、安定した天気はずっとまれだ。

　夏の高温と冬の低温は、空気塊の特徴によって左右される。大陸から来る空気塊は夏には炎暑、冬には酷寒をもたらす可能性があるが、海から来る空気塊は年間を通じてずっと緩やかだ。その空気がどんな所からやってきたのか、風向きを調べれば手がかりが得られる。真夏や真冬の苛烈な温度は、海風ではなく陸風とともにやってくることに気づいているだろうか？　米国を襲う大寒波は、カナダ上空を通って北からやってくる空気塊がもたらす。英国に住む私は、酷寒の風が東から吹いてくることを知っている。これも大陸を渡ってきた空気塊である。

　晴天の朝、空気の感触を確かめてみよう。ムシムシしているだろうか、乾いているだろうか？　湿度の高い不安定な日になりそうだろうか、乾燥した安定した日になりそうだろうか？　今日は雨・太陽の日だろうか、乾・高の日だろうか？　ざっくりと予想してみると良い。

　夏の朝、空気がムシムシしているなら、それは雨・太陽だ。午後には大きく天気が崩れるだろう。まず小さな雲が生まれ、成長を続けて嵐になるかもしれない。朝の空気がさらっと感じられる乾・高なら、天気は崩れない。昼過ぎに積雲が成長しはじめても、すぐにしぼんでしまう。

湿った仲介役

陸地の温度は、激しく上下する。海水温はあまり変化しない。陸地はほんの数時間で数度の変化は起きるが、海水がそれだけの変化をするためには数週間かかる場合もある。すなわち、島や海岸の土地の温度変化には、海というクッションが働くので気温が極端に振れることはあまりなく、冬も夏も過ごしやすい。海は「湿った仲介役」の働きをするわけで、もしあなたが海から天気がやってくる地域を訪れるなら、頭に入れておくと良い。そこから1時間内陸にクルマを走らせた場所よりもずっと湿潤で、はるかに過ごしやすい気候のはずだ。沿岸に雪がうっすら積もっているなら、ちょっと内陸に入るだけでずっと深い積雪に出会うだろう。

大洋は温まるのに長い時間を必要とするが、冷える際も同じである。よく熱を蓄えるからだ。海は熱の貯蔵庫の役割を果たし、海流はその熱を世界中に配達する。エジンバラとモスクワの違いに見られるように、同緯度の場所がなぜまったく違う気候を持つのか、海が説明してくれる。海流の影響ははるか遠くにも及ぶ。ペルー沖の海水温の上昇がオーストラリアの気候に影響を及ぼすのがエル・ニーニョ現象である。

前線の話

先週のある日の早朝。厚着をした私はフィールドに出て空を見上げた。天気は良かったが、大きなサインがいっぱいに広がっており、崩れが予想された。目立つ雲がかかっている部分はあまりなかったが、抜けるような青色も見当たらない。巻雲と巻層雲が大気の上層に横たわっている。上層と下層の雲は、違った向きに流れている。今夜は、床につく前に雨が来そうだと思った。

私はその日の午後、体験会グループを引率する仕事があった。英国サセックスにあるウィールド&ダウンランド・リビング・ミュージアムの周りを歩いて、自然のサインを学ぶのだ。参加者のうち2人が天気予報を口にしたが、現場の天気について言う人はいなかった。はじめの1時間、空模様が話題にならないことに、私は内心とても驚いていた。頭上では雲がフォークダンスを踊り、風向きが変わろうとしていた。私たちのウォーキングが最後のほうに差しかかるころは、全員の口から空の話が出る。もはや無視できない所まで天気が変わってきたのだ。午後遅くに体験会が終わると、雨が降りはじめた。

この中には、英国文化のパターンもたしかに入っている。人々は「あきらかに」「やってくるらしい」「と言っていた」ということばを使って、見聞きした予報のことを話すのだが、大きな変化の到来を告げる手がかりに気づく人はあまりいない。

それらの手がかりに再び焦点を当て、声を上げさせよう。実際的な意味もあるが、美も関係している。雨の到来を予告するサインは、雨よりもずっと美しいのだ。それらを発見するためのカギは「前線」である。

私たちの上空を覆う空気塊が他と入れ替わるとき、天気は大きく変わる。2つの異なる空気塊の境界が、前線だ。気象予報士が「前線が通過しようとしています」というときに彼が意味するのは、「現在上空にある空気塊が別の空気塊によって追い出されようとしており、天気がはっきりと変わります」ということである。

前線は、次にやってくる空気塊がどのような温度をしているかで名前が変わる。暖かい空気塊が冷た

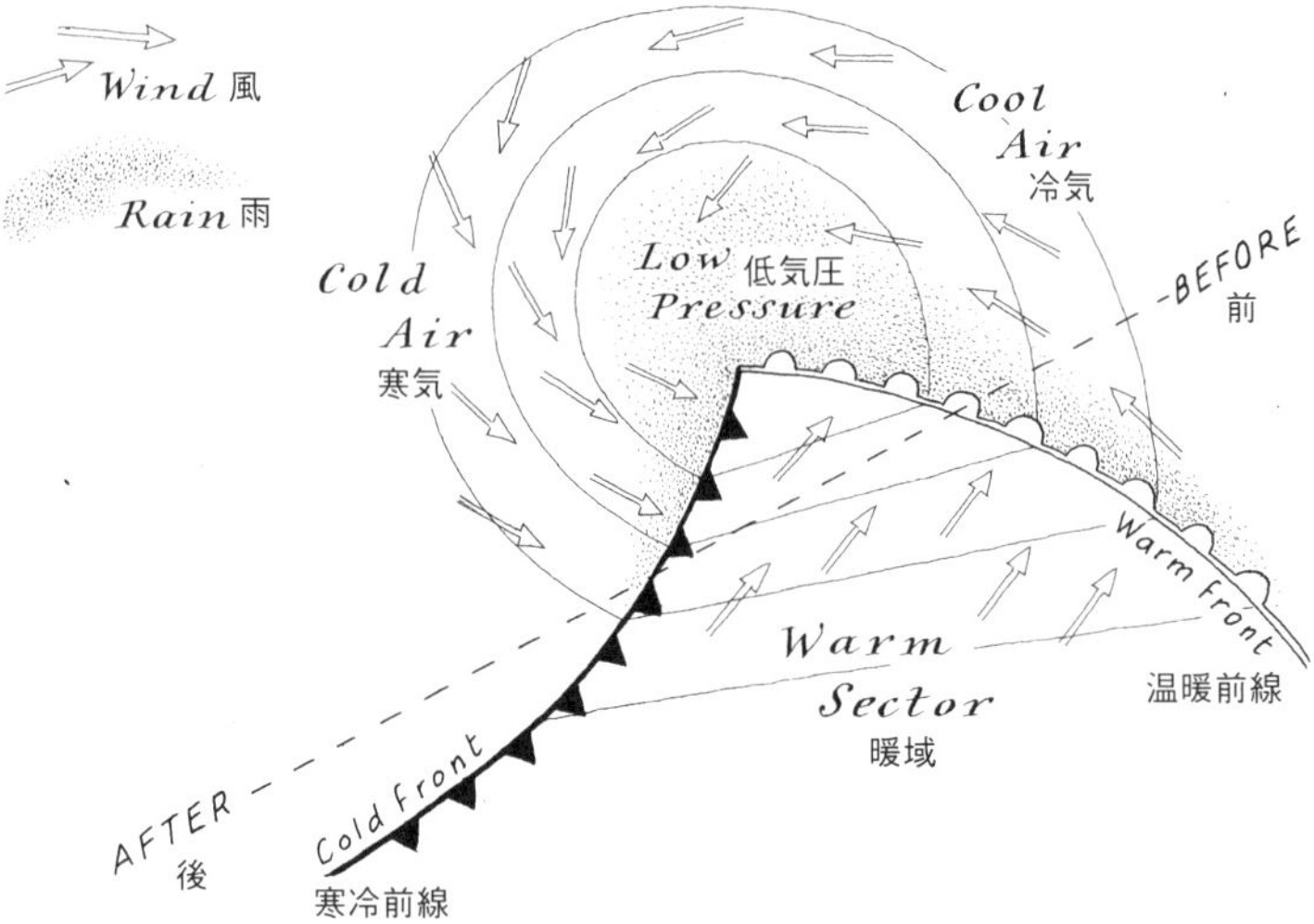
Wind 風
Rain 雨
Cool Air
冷気
Cold Air
寒気
Low Pressure
低気圧
BEFORE
前
Warm Front
温暖前線
Warm Sector
暖域
AFTER
後
Cold Front
寒冷前線

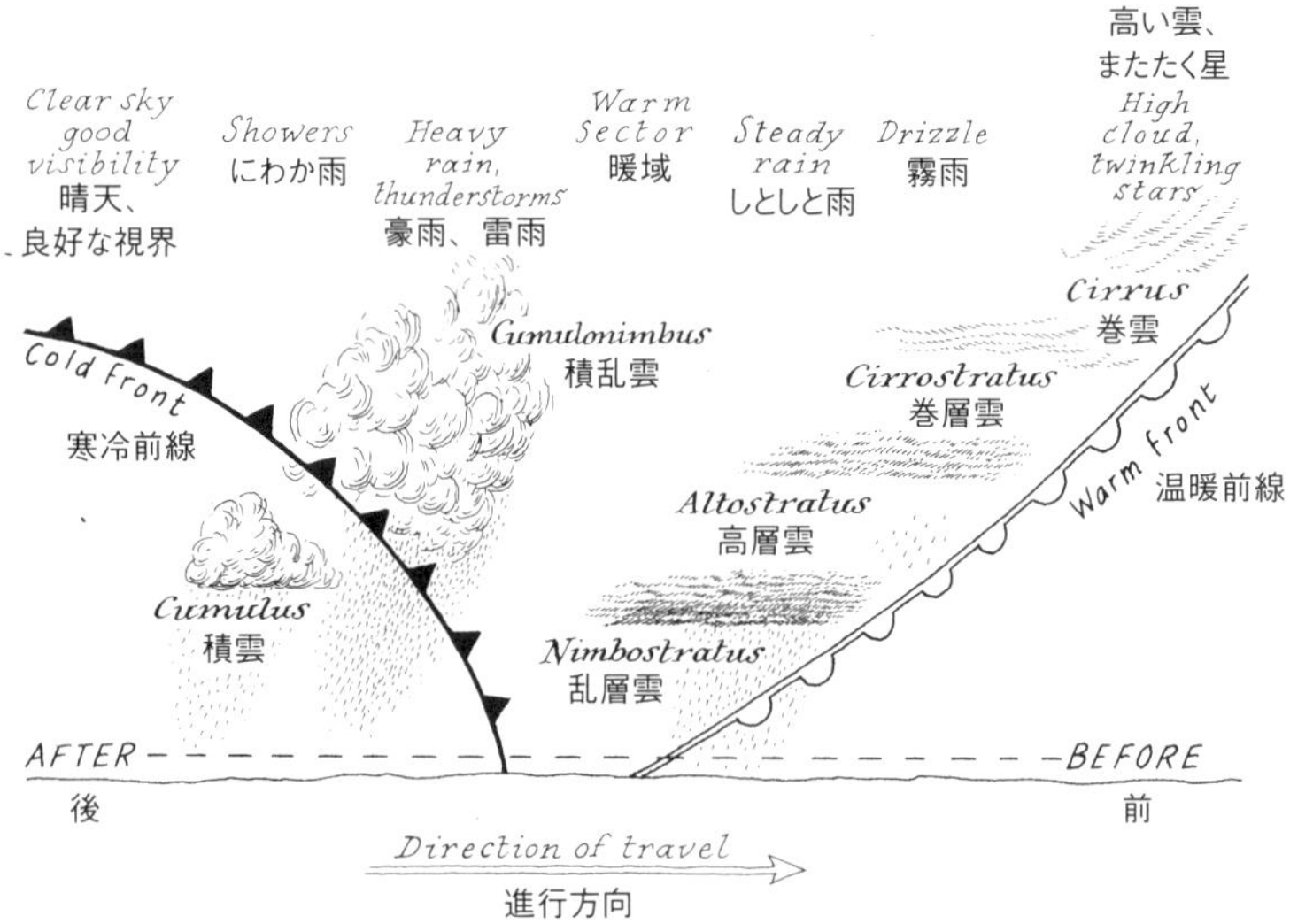
高い雲、
またたく星
Clear sky good visibility
晴天、
良好な視界
Showers
にわか雨
Heavy rain, thunderstorms
豪雨、雷雨
Warm Sector
暖域
Steady rain
しとしと雨
Drizzle
霧雨
High cloud, twinkling stars
Cirrus
巻雲
Cumulonimbus
積乱雲
Cold Front
寒冷前線
Cirrostratus
巻層雲
Warm front
温暖前線
Altostratus
高層雲
Cumulus
積雲
Nimbostratus
乱層雲
AFTER
BEFORE
後
前
Direction of travel
進行方向

い空気塊を追い出すとき、そこには温暖前線ができるというわけだ。その逆は寒冷前線である。

前線が通過する前、最中、そしてあとには、それぞれ異なるサインが現れる。天気予報のことを考えるなら、事前に現れるサインにもっとも価値があるが、前線は続けて通ってゆくので、通過後のサインも、次に何がやってくるか予測するのに役立てることができる。

移動する暖かい空気と冷たい空気のセットは、低気圧と呼ばれる。そのセットの中心は、周辺部よりも気圧が低いからだ。低気圧が近づくと気圧ははっきりと下がるので、何百年もの間、遠洋を行く船にはかならず気圧計が搭載されていた。ただし私たちは気圧の変化を直接感知することはできないので、空気塊が入れ替わるとき、すなわち前線の通過時に焦点を当てて考えていこう。

温暖前線と寒冷前線が続いて通過し、好天が途切れることがある。温暖前線は暖域と呼ばれる暖かい空気を従え、その後に寒冷前線がやってくる。典型的な気温変動のパターンは、次第に気温が上がり、それがしばらく続いてから寒くなるというものだ。

では温暖前線、暖域、そして寒冷前線について、すこし詳しく見ていくことにしよう。

温暖前線

暖かい空気は冷たいものよりも密度が低いので、暖気は冷気の塊に当たると押し上げられる。暖気の勢いが強いと、冷気の上を緩やかに長距離にわたって這い上がり、冷えて凝結を起こし雲ができる。温暖前線よりもはるか前に到達するこの雲は、晴天に発生するのでとても見つけやすい。

完璧な青空のキャンバスの上に生まれる、温暖前線を予告する雲は、もっとも上層にある繊細な巻雲である。巻雲の細い筋は、空におけるトレンドの変化を示すものだ。それは前線がやってくる方向を教えてくれる（もっぱら西から）。巻雲は、新しく到達しつつある空気塊の前縁にでき、半日か１日後に悪天候が訪れると示す。前線はそれぞれ進行速度が異なるので、この雲だけで天気が崩れ出す正確な時間を当てることは難しいが、それでも巻雲は貴重だ。暖気は緩やかな角度で上昇していくので、低気圧の中心から１５００キロも離れた地点の上空に最初の巻雲ができる場合もある。ローマとロンドン間にも相当する距離であり、これほど離れたものを指し示す空のサインとして、ほとんど類を見ない。

私たちは、冷気の塊の上に暖気がのった状態はとても安定していると学んだ。冷気は暖気を通って上昇しないからだ。暖かく湿った空気が冷気の上をスライドしてゆくとき、そこには温度逆転が起こり、冷気のふたとして働く。青空を背景に高く成長しようとする積雲の頂点がつぶれはじめたなら、暖気が上にかかっているということである。

時が進むと、雲はどんどん厚くなってくる。巻雲は、いくつかの筋から大きなひっかき傷になり、曇りガラスのような巻層雲に置きかわる。太陽や月はまだ見えているかもしれないが、ぼやけて周りに光輪ができる可能性もある。暖気塊があなたの頭上で冷気に重なったなら、雲は低く厚くなってゆく。次にやってくる高層雲のブランケットは太陽や月を完全に隠し、空が不透明になる。悪天候が忍び寄ってきた。４時間後には雨が降り出すかもしれない。

強くなってきた風は、向きも「バック」する。風向きが反時計回りに変わってゆくことを示す用語だ。たとえばおもに西方向から吹いていたのが南方向メインになったら、風が「バック」したという。雲はさらに低く暗くなってゆく。乱層雲と雨が到来。視界が悪くなる。雨は、強弱を繰り返しながら降り注ぐ。

そして前線が通過する。雨は続くが、風は「ヴィア」する、すなわち時計回りに変わってゆく。温暖前線に伴う雨はざあざあ、しとしと、陰気でしつこく暗い。ふつうは何時間か続くが、危険というよりは不快というレベルに留まる。温暖前線がもたらす天気変化を簡単に言うと、徐々に悪化して陰気な雨降りにいたる、ということになるだろう。

前線が通過しているのを察知するための練習としては、まず近道をお勧めしたい。テレビの気象予報士と天気図に頼るのだ。好天が続いたら、それからの予報に注意してみよう。いずれ、36時間以内に温暖前線が通過します、という発表があるだろう（天気図上で、温暖前線は赤の太線と半円の組み合わせで示される）。

空に現れるサインがいまからどう変化してゆくか、観察してみよう。温暖前線が通るときは、以下の特徴に注意しよう。

- 前縁部にできる巻雲
- 「曇りガラス」のような巻層雲
- 太陽や月の周りにできる光輪
- 成長が止まった積雲
- 厚くなる高層雲によって見えなくなる太陽
- 強く、向きが変わる風（ふつうはバックする）
- 低くなる雲
- 暗くなる雲
- 帯状の雨域
- 低下する視界

暖域

温暖前線が通過すると、サンドイッチの具の部分がやってくる。前方に温暖前線、後方に寒冷前線が控えるその部分は、暖域と呼ばれる。いろいろな雲が混在するかもしれないが、おもに層雲の類で、気温は前線が通過する前よりも上がっているはずだ。小雨が降るかもしれない。風は一定の強さで、視界は悪い。霧が発生する可能性もある。

暖域とは、前線の通過という大イベントに挟まれた、暖かく湿った間奏曲なのである。

寒冷前線

温暖前線は、私たちを甘やかす。好天と良好な視界の中で、やってくるずっと以前に警告を送ってくれるからだ。それに対して寒冷前線は、温暖前線がもたらした荒天と悪視界のあとにやってくるので、察知が容易ではなく、それに留まらない難しさも投げかけてくる。

本体のはるか前に前縁部ができる温暖前線と異なり、先行する暖気の下に冷気の塊が潜り込んでいくのが寒冷前線なので、到達は唐突だ。それに続く天気は、残念ながら荒れ模様になる。ひっそりと忍び寄り、私たちを急襲するのである。

温暖前線よりも寒冷前線のほうが劇的な天気変化をもたらすのは、寒気が大きなくさびとなって暖気の下に入り込むことによる。暖気はそれによって大きく押し上げられ、不安定度も急上昇する。地表付近の天気と大気上層の天気がほぼ同時に変化することにもなるので、温暖前線がもたらす長期的な予告、すなわち上層の雲は発生しないのだ。

寒冷前線がやってくる前の視界の悪さは雲の発見をさらに難しくするが、温暖前線や暖域では発生しない、高く立ち上がる雲が視認できるかもしれない。前線が近づくにつれてはっきりと風は強くなり、向きも変わる。到来前は時計回りに強烈にヴィア、通過時は反時計回りにバックするだろう。前線の通過時は、気温が急降下する。

温暖前線が連れてくるのは、徐々に高まる湿り気と行儀の良い雲だが、寒冷前線はひどい荒天や嵐の波状攻撃を伴う。このようなドラマを作り出す、角度の大きな冷気のくさびには、ほんのわずかではあるがありがたいところもある。混乱は長時間続かない。ひどい荒天が到来しても、すぐにそれは通過し、冷たい空気が主となって、空はすっきりしてくる。部分的な青空が到来するのだ。空気はまだ不安定で、ところどころに積雲や積乱雲が発生してにわか雨の可能性は残るが、視界は急に向上する。

寒冷前線の接近が疑われるときには、以下をチェックしよう。

- 時計回りにヴィア、つぎに反時計回りにバックして強さを増す風
- 気温の急降下
- きわめて不安定な天気、高い積雲、嵐の可能性
- 通過後の部分的な青空と気温低下

寒冷前線の足の速さは、キリスト教メソジスト派に属し、18世紀に数多くの賛美歌を作ったチャールズ・ウェスリーによる名言の裏打ちとなっているのかもしれない。「突風は、強いほど早く過ぎ去る」

これまで列挙したサインの数々は、標準的な前線の接近と通過をたどるものだ。2つのタイプの前線は、それぞれの特徴によって判別がつくが、実は個性を備えている。さらには各地の天気の傾向が背景としてあり、前線の特徴も世界各地で違う可能性がある。北米中央部に発生する寒冷前線は、しばしば南風が先行し、夜には蛇行する強風が吹く場合もある。

ここで、知らなかったらまんまと引っかかってしまいそうな状況を紹介しておきたい。寒冷前線は温暖前線よりも速く移動するので、最終的には追いついて2つが合わさってしまう。これにより生まれる「閉塞前線」は、前線に伴うあらゆる天気現象とサインを一気にもたらす場合がある。まぜこぜの悪天候が一気に到来し、手がかりを読むことがとても難しくなる。

しかし、本書の現段階では詳細にこだわりすぎないようにしたい。温暖前線、暖域、そして寒冷前線の大ざっぱな違いを把握するだけで良い。サインを1つずつ正確に覚える必要もない。ぐいぐいとやってくる前線が、どんな姿をしているかざっくりと知っていればじゅうぶんだ。

夕焼け空は羊飼いの喜び

夕焼けは、確固とした事実を伝えてくる。西の空は晴れていて、太陽の光がよく通るということ。もっともきれいな夕焼けは、低い太陽が放つ光が、おそらく私たちの頭上を通り過ぎて東へと流れた雲に反射するものだ。天気はもっぱら西から変わるので、短期予報は「良好」となる。

午後に寒冷前線が通過したなら、夕焼けが生まれるだろう。気温が低めの好天が期待できる。頭上に展開するサインの変化で、それがあてはまるか見てみると良い。

朝焼け空は羊飼いの用心

これまで天気は良かったが、前線が近づく朝は、東からの光が西の雲を燃えるように照らし出す。予報は悪い。雲を見れば、さらに細かな情報が取れるだろう。巻層雲に続き、低く厚い高層雲が出てきたら、羊飼いは正しいのだ。

5 風を感じるために

ささやき声の予報／風のダンス／晴天を告げる涼風／風の計器／メーターと針を知る／向きがずれる風／一定か乱れているか？／積雲は突風のサイン／砂とサンドイッチ／夏の市街地におきる強風／地上風の中に

水溜まりの中に見つけたパターンが、私の足を止めた。強い風で水面は波だっていたが、ふと吹きやむ瞬間の鏡には、空の豊かな絵柄が映った。風のマップである。

上空の大部分は青空だったが、ところどころに積雲が立ち、それらの間から上層にある巻雲が覗いていた。水溜まりをはさんだ反対側、まったく雲のかかっていない背景の前には、落葉したシラカバが何本か立っている。私は5つのレベルで風を感じることができた。上層の巻雲は、北西から南西に流れている。その下にある積雲は、西から東へと動いている。シラカバのてっぺんを揺らしているのも、同じ向きの風だ。私の顔に当たる風は2、3分間の間に何度も向きを変える。たまに訪れる強風は水溜まりを波立てるが、それは顔に当たる風の向きとも、雲が示している風向きとも違っていた。このような状況で、どちらから風が吹いているといえば良いのだろう？

まずは、単純化する必要がある。風が吹く高度で分けておこう。「ハイウインド」「メインウインド」「グラウンドウインド」の3つだ。

ハイウインドは地形の影響を受けない風で、私たちが体験するローカルな天気のずっと上を吹いている。巻雲などの上層雲を見ることで、その風の存在を推測できるだろう。

メインウインドは地形の影響をある程度は受けるが、地形に左右されるというほどではないもの。高度が上がるとメインウインドも強くなるが、地形の影響は小さくなる。立木のてっぺんの動きや、空の低層から中層にできる雲を観察することで、その風の存在は推測できる。

グラウンドウインドは、ローカルな地形との関係で形成される風。これこそ、私たちの体に吹きつけるものだ。あまりに局所的で変わりやすく、一定の広がりを持った地域の天気予報には使えないために、気象予報士たちが興味を持つことがない風である。

風の測定および天気予報は、メインウインドに立脚している。しかしながら、五感を使ってサインを読み解こうとするなら、私たちが生活する場所に吹いている風、すなわちグラウンドウインドに感度を合わせなければならないはずだ。運の良いことに、このチャンネルは愉快なキャラクター揃いで、変わり者も多い。秘密の世界のそんな住人たちのことは、あとからご紹介しよう。

私たちが「風向き」と言うときには、もっぱらメインウインドのことを指している。地面近くで生活する私たちが遭遇する風は、グラウンドウインドだ。空高くにある雲の話をしているなら、それはハイウインドに関係がある。

では次に、耳と目、そして肌で感じる手がかりを検討し、感覚をチューニングしていこう。

ささやき声の予報

空気だけでは音は生まれないので、風の音が耳に入ってくるというのは奇妙にも思える。それは、動く空気が物体と接触するときだ。風音が聞こえるときは、こう考えてみよう。「何に当たって音が出ているのだろう？」。原因を見つけ出すのはだいたい簡単だとはいえ、じっくり学ぶ価値はある。風は、いくつかの異なる、興味深いやり方で音を発生させるからだ。

風は、物を動かす。転がし、曲げ、互いにぶつからせ、落ち葉は地表の石をひっかくように滑っていく。ヤナギは強風を受けると独特のきしみ音を立てるが、それは枝が曲がりに耐えているから。風はまた、物を壊したり落としたりする。珍しいこととはいえ、ヤナギが風に耐えきれなくなると大きな音を立てて折れる。もっとも折れやすいのが、その名もポッキリヤナギ（*Salix fragilis*）。ヨーロッパおよび西アジア原産であるが、米国にも広く侵入している。

もっとも一般的な音の発生原因は、摩擦力による振動である。完璧に滑らかな面の上を吹く風は、まったく無音だろう。しかしそのような面は現実には存在しないので、速さがじゅうぶんなら、風は面と摩擦を起こして音が生まれる。

笛に似た切れ味のある音ですら、他の音に埋もれているなら、完璧な会場に座っていないと聞き分けられない。そんなコンサートにはなかなか遭遇しないので、私たちにできるのは、風が毎日行う練習に立ち会うことだろう。ほんのかすかなものであれ、何か音が聞こえたら2つのことをチェックしよう。なんの楽器が、どのように奏でられているかである。このちょっとした作業は無駄なように思えるかもしれないが、ためになる。風の強さおよび向きと音の関係性を感覚的に把握させてくれるし、実用面でも利点が多い。植物の上を渡ってきた風は、砂の上を吹く風とはまったく音が違う。砂漠でオアシスを「聞く」ことができるのはそれが理由だ。

岩、丘、谷、島、木、道などの上に吹く風は、強さないし向きが変わると音も変わる。風向きの変化は、これから天気の大変化が起きる際にきわめて明確な前兆となりうる。風が作る音の高さ、大きさ、特徴などが変わったなら、視覚ではまだ捉えられない変化に関する「ささやき声の予報」を得たことになる。

風のダンス

風の強さに注意を払うことなど、私たちはほとんどやらない。突風や嵐などは話題になるだろうが、微妙な変化などは無視してしまう。

吹きはじめたそよ風を顔でほとんど感じられないようなときも、そのダンスは始まっており、私たちの周囲では変化が起きかかっている。煙は曲がり、アブラムシは空中を漂い、クモが離陸する。顔で風が感じられるくらい強くなってくると、木の葉がかさりと音を立て、軽い種が飛びはじめる。もうすこし強くなると、ほこりが舞い上がり、小枝がしなり、羽根を持った種子が飛び、上昇気流が消え、旋回する猛禽はいなくなる。アブラムシやクモは地上に降りているだろう。

さらに風が強くなると、服がはためきはじめる。枝は大きく揺れ、ブユやカは人を刺さなくなる。もう一段階上がると、落ち葉が巻き上げられ、ハエも飛ばなくなる。木の大枝がしなるようになれば、ハチやガも活動停止。小枝が折れはじめると、空中にごみが舞い、私たちの歩行も難しく、空中を飛ぶ生き物のほとんどが避難場に逃げ込んでいるはずだが、トンボはまだすいすいと飛んでいるだろう。枝が折れて落ち、子供が風にあおられ、あらゆる昆虫が何かにしがみついているときでも、アマツバメなら飛んでいられる。

ここまで大量の情報を詰め込んできたが、まずは風を受けた葉の動きに注意を払うのが得策だ。木や低い植物の葉の動きを観察しよう。地面の落ち葉や空中に舞い上がった葉でも良い。草の高さが揺れにリズムを生み出すが、それは秒単位で変動することを観察しよう。

晴天を告げる涼風

風が思っていたより涼しく感じられるなら、それは空気の温度と風速に関係があるが、湿度を推定するガイドにもなる。気温が低いときは体感温度は湿度よりも風速に影響を受けるのだが、気温が高いと同じ温度でも乾燥した風のほうが涼しく感じられるものだ。湿度が低いと、肌から水分が蒸発しやすくなるので涼しい。私たちが汗をかくのもそのためだ。ふつう湿度の低下は天気の好転に伴うので、直感とは反するような手がかりとなる。つまり夏の暑い日、安定して吹く涼風は好天到来のサインなのだ。

風の計器

20代半ばの出来事を、よく覚えている。操縦訓練のため、バークシャーのメイデンヘッドそばの飛行場へと、私はオンボロ車を走らせていた。パイロットは「ＴとＰ」すなわちエンジンの温度と圧力を計器でチェックすることがルーティン。若い私にもそれはすり込まれていたので、自動車に乗っているときにもひんぱんにメーターを目視確認していた。ついやってしまうのだ。

走行に異常はなかったが、飛行場までもうすこしというとき水温計の針が急に動きはじめ、目盛りを振り切った。かろうじて路肩に車を停めた瞬間、シリンダヘッドのガスケットが破れ、ボンネットの下から水蒸気とオイルの煙が立ちのぼった。エンジンはお陀仏だったが、メーターをチェックしていたおかげでなんとか追突事故を誘発せずにすんだ。

針が大きく振れるのは、何かが変わった結果だ。そして風向きは、天気エンジンのメーターについた針。それに注目しておけば、変化の前の警告を受け取ることができる。

アリストテレスの後継者、レスボス島エレソスのテオフラストス（紀元前371年頃〜287年頃）は『天気のサイン』という魅力的なタイトルの本を書いた。この本には、雨に関する80のサイン、風に関する45のサインが取り上げられている。古代に書かれたものによくあるように、テオフラストスの文章は時にすばらしく、時に不可解。やりすぎてしまっている箇所もたしかにあるが、風向きと天気の変化に強い関連性があるという彼の指摘はじつに正しい。

私たちが簡単に活用できる中でもっとも軽視されている能力の1つが、風向きへの感度である。それはどんな原理に基づき、どう活用できるのだろうか？　その問いに答えるためには、気団や空気塊と同じように、とても大きな規模のシステムと変化について知る必要がある。

空気はつねに動いている。圧力の高いところから低いところに流れ、差をできるだけ小さくしようとするのだ。風船の口を押さえている指を離すと、高圧の空気が吹き出し、より低圧である室内の空気と混ざる。

空気の横方向の動きである風は、この均等化の力によって生まれる。短距離を吹く風の場合はシンプルだ。高圧になった空気が、低圧の部分へと流れていく。しかし長距離になると、風は「コリオリの力」によってカーブする。この力は地球の自転により生まれるもので、北半球では風が右に、南半球では左に曲がるのである。

太陽光線は地球を温めるが、極地や海などよりも、熱帯地方や陸地のほうが温度は上がりやすい。場所によって温度の差が生まれるのだ。暖かい空気は上昇して膨張し、気圧は下がる。冷たい空気は下降して収縮し、気圧が上がる。こうやって高圧部と低圧部が発生する。赤道付近の空気は暖かくて低圧、南極付近の空気は冷たくて高圧である。

空気が高圧部から低圧部へ流れようとして起きる風はコリオリの力により曲げられ、高気圧から吹き出す風は時計回り、低気圧に吹き込む風は反時計回りとなる。そういったわけで、北半球において背中に風を受けた場合、低気圧なら自分の向かって左側に、高気圧なら右側にあると推定できるのだ。

すなわち、風向きの大きな変化は、私たちの近くにある低気圧と高気圧の位置関係が変わってきていることを示す。空気塊の動きを決めるのは全体的な気圧配置なので、風向きが大きく変わった場合、大規模な変化がやってきているとわかる。重要なのでまとめておこう。主要な風向きの変化＝気圧配置の変化＝私たちの周りの空気塊が移動＝おそらく近未来に天気の大変化、というわけだ。

湿度が高いインドのモンスーンは、豪雨の季節をもたらすことで知られている。夏の太陽が低気圧と高気圧のバランスに変化をもたらし、北東の内陸部に由来する乾燥した空気がインド洋由来の湿った空気に置き換わるのだ。降雨はとても重要な要素ではあるが、モンスーンというのは季節風のことだ。インドのモンスーンは、5月から9月にかけては南西から、10月から4月にかけては北東から吹く。風向きと天気は、同じ現象と考えて良い。片方が変化したら、もう片方もそれを強調するように変わるのだ。

干ばつ被害に敏感な、米国南西部をはじめとする地域においては、日照りの時期の終了を告げる合図として、風向きの変化を使っていた。私たちはすでに、風向きの変化が前線通過の予兆として使えることを学んだ。規模はさまざまであるが、風向きが変わるとき、性質の異なった空気塊が到来しようとしていることは同じだ。

手がかりとなる現象の背後には科学の原理があり、私たちはその両方を理解したので、これからは自信をもってシンプルな天気の手がかりを活用することができるだろう。


風向きが大きく変化すると、天気の大きな変化が到来する。

メーターと針を知る

世界の歴史には、天気に敏感だった人に幸運が訪れた実例がちりばめられている。ジョージ・ワシントンはこまかな天気日記をつけていたが、この習慣が歴史を変えたと言っても誇張にはならないだろう。１７７７年１月、すなわちバレーフォージ宿営地での苦難が始まる１年前、米国独立戦争を戦うワシントンの軍勢はイギリス軍に押し込まれ、逃げ場を失いかけていた。午後に北西風が吹き出したことに気づいたワシントンは、翌朝の冷え込みを予想し、地面が凍結するだろうと踏んだ。そうして翌朝、暖かい朝ならばぬかるみとなっていたであろうルートをたどり脱出することができたのだ。

世界全域で、天気を運んでくるのは風の役割となっており、独自の地形がそれに関係してくる。イギリスの哲学者フランシス・ベーコンが言うように「風ごとに天気は違う」。風は、住所が書かれ消印が押された郵便封筒のようなものと考えることもできる。私たちは、届いた封筒を開封する前に、中身の手がかりを求めてざっと表裏を見るだろう。消印は、中のものがどこからやってきたのか教えてくれるし、その性質を想像することもできる。行政から来たものであれば税金か罰金の納付書、宛名が手書きでおなじみの消印が押してある封筒なら、私たちは心を躍らせながら開けるだろう（私は17歳のとき男子寮から学校に通っていたが、初めてのガールフレンドから届く手紙は１００メートル離れていてもわかった。最近は、その女性がメールで「忘れずに絶対やることリスト」を送ってくる。同じ人間だとは思えない。おっと脱線が過ぎたようだ）。風の向きは、それが連れてくるものに関する強力な手がかりになる、という話だった。

　北半球の多くの文化において、地域的な伝統の差はあるものの、北から吹く冷風に関する言及がある。聖書にも、風向きに関する多数の警告が入っており、旧約聖書のヨブ記、イザヤ書そしてゼカリヤ書が、南風は凶兆と警告している。「つむじ風は南からやってくる」（ヨブ記　37：9）。

　多くの地域で、人々は特定の方向から吹く風に敏感である。陸地、山や丘、そして海との相互作用はローカルなものである。風に対する豊かな感受性の例としては、地中海地方がある。それを取り囲む四方の地形がまったく異なり、各地で特徴のある風が吹くのだ。その名前には、風がやってくる場所の視覚的ないし記憶可能な特徴が取り込まれるのが普通だ。ラテン語の *trans montanus*（山を越えて）を語源に持つ「トラモンターナ」は、北にそびえるアルプス山脈から吹き下ろす風だ。名前の元になるような地形的特徴がない場合、天体が使われることもある。地中海の東風は「レヴァント」であるが、これはラテン語の動詞で「上がる」という意味で、日の出の方向と関係づけられているのだ。

　南風から北風へ変わったという場合、向きが真逆になって、最終的に北風になったのはわかるが、どんな具合にいつ変わったのかという情報は含まれていない。しかし、フィッツロイが私たちに思い出させてくれるとおり、どのように風向きが変わるのかはとても大事だ。彼の言葉によると「南風から西を経由して北風に変わったときが、もっとも強風になる」。この場合、彼は時計回りに変化する、すなわちヴィアする風がもっとも荒れると言っているわけで、始点と終点は同じだが東を経由して反時計回りに変化する風、すなわちバックする風とは区別している。前線のことを思い出してみれば、納得してもらえるだろう。「ヴィア風とバック風は、次に何がやってくるか教えてくれる」

古い英国の伝承では、風向きの変化について以下のようにまとめる。

ヴィアする風は好天
バックする風は悪天*

プロイセンの気象学者であったハインリッヒ・ヴィルヘルム・ドーヴェは、もう1つの要素について教えてくれる。季節的要素だ。「南から西を経由して北風へと変わるとき、冬ならば雪、春なら霙《みぞれ》、夏ならそのあとで気温の下がる雷雨となる」

これで、大きな風向きの変化の4要素を見たことになる。すなわち以前の風向き、現在の風向き、経由した風向き（ヴィア風かバック風か）、そして季節である。

スタートするにあたっては、シンプルさを心がけよう。ほとんどの現代人が見落としてしまう風向きの変化に敏感になったあなたは、すでに天気感度が上がっている。風向きへの感度をさらに鍛えるのは簡単。私は、この領域でもカンニングを推奨したいと思う。

＊日常生活において複雑な問題への対応を余儀なくされている現代人の多くが、「ヴィア風」「バック風」といった分類に混乱してしまう。バック風は反時計回りに変わっていく風、ヴィア風は時計回りに変わっていく風と考えればわかる人もいるだろう。もしそれで理解できなくても、あまり気にしないでほしい。

天候が大きく変わるとの予報が出たなら、いまの風向きを覚えておき、それから数時間でどう変化していくか見ていくのが良い。風向きを「東風」などと区分できたとしても、視覚的な手がかりを探しておくことを勧めたい。風上側の目印を定めるのだ。視界の中に旗や煙突の煙などがあれば、それもありがたく活用する。

目印は、2つの意味で役に立つ。まずは記憶面においての利点。学びはじめのころは、たとえば南西と南東を混同しがちになるだろうが、物理的な目印があればそれを予防できるわけだ。次に、風向きの確認作業を促す利点。風向きは、視界内にある高層ビルや丘の雑木林などとリンクづけしてあれば、その微妙な変化を見逃すことは少なくなる。

自分になじみの深い場所でその練習を繰り返すなら、関連性が見えてくるだろう。たとえば教会の尖塔から吹いていた風が、遠くの山頂からの風に変わったなら、4時間後に雨が降り出す、など。同じ土地でずっと仕事をしてきた農民や森林保護官が身につけるたぐいの知恵である。

ホームエリアで慣れてきたなら、方位と関連づけることもできるだろう。「頂上からの風」や「尖塔からの風」を「南西風」「北西風」に変えてゆく。そうすれば、知識と意識は持ち運び可能になる。他の地域を探検するときも使うことができるわけだ。

風向きの読みをさらに洗練させるためには、目を閉じてみることをお勧めしたい。私たちの視覚はとても強力で、他の感覚を鈍麻させてしまう危険があるからだ。私が使うテクニックとは、近所でもっとも高い所にある開けた場所に行き、目を閉じ、両頬に同じ強さの風を感じる、ないし（風が強い場合には）両耳に入ってくる音が同じ強さになる顔の向きを探る、というもの。次に手を高く上げ、ゆっくりと空手チョップの動作をして、てのひらの両側が同程度に冷える向きを探す。その時点で初めて目を開き、その顔の向きで遠くに見える目印を探すのだ。

　このテクニックを使えば、風の大まかな方向に見える遠くの目印に視線がロックしてしまうのを予防できる。その目印を使いたくなる気持ちはわかるが、風向きと完全に一致するとは限らない。実際には、目印のすこし横から風が吹いてくることも多いだろう。そんな場合、私はこぶしを作って目印に重ね、声に出して言うことにしている。「山の頂上からゲンコツ3つぶん右」。それを聞いて妙な顔をする人もいるだろうが、むしろ変わり者と思ってもらったことを私は誇りに思う。

　このようにして育てる風向きへの意識は、風と天気の大きな傾向を把握するのにとても役立つ。さて、焦点を低い所に移していくことにしよう。

向きがずれる風

　空を見上げると、すこし高さの違う所にある雲が、それぞれ微妙に違う方向に流れていくのに気づくことも多い。ヘンに思われるかもしれないが、低気圧へどのように風が流れ込むか、高度によってそれがどう変化するかを理解すれば納得できるだろう。

　１５００メートルを超える高度で吹いているメインウインドは、地形の影響を受けないが、それよりも下になると摩擦によってバック風となり速度が落ちる。高度が低いほど、バックの度合いが高まるので反時計回りになってくる。

　シンクの栓と思えばわかりやすいだろう。穴に流れ込む水は渦を巻こうとするが、何かが水流を遅く

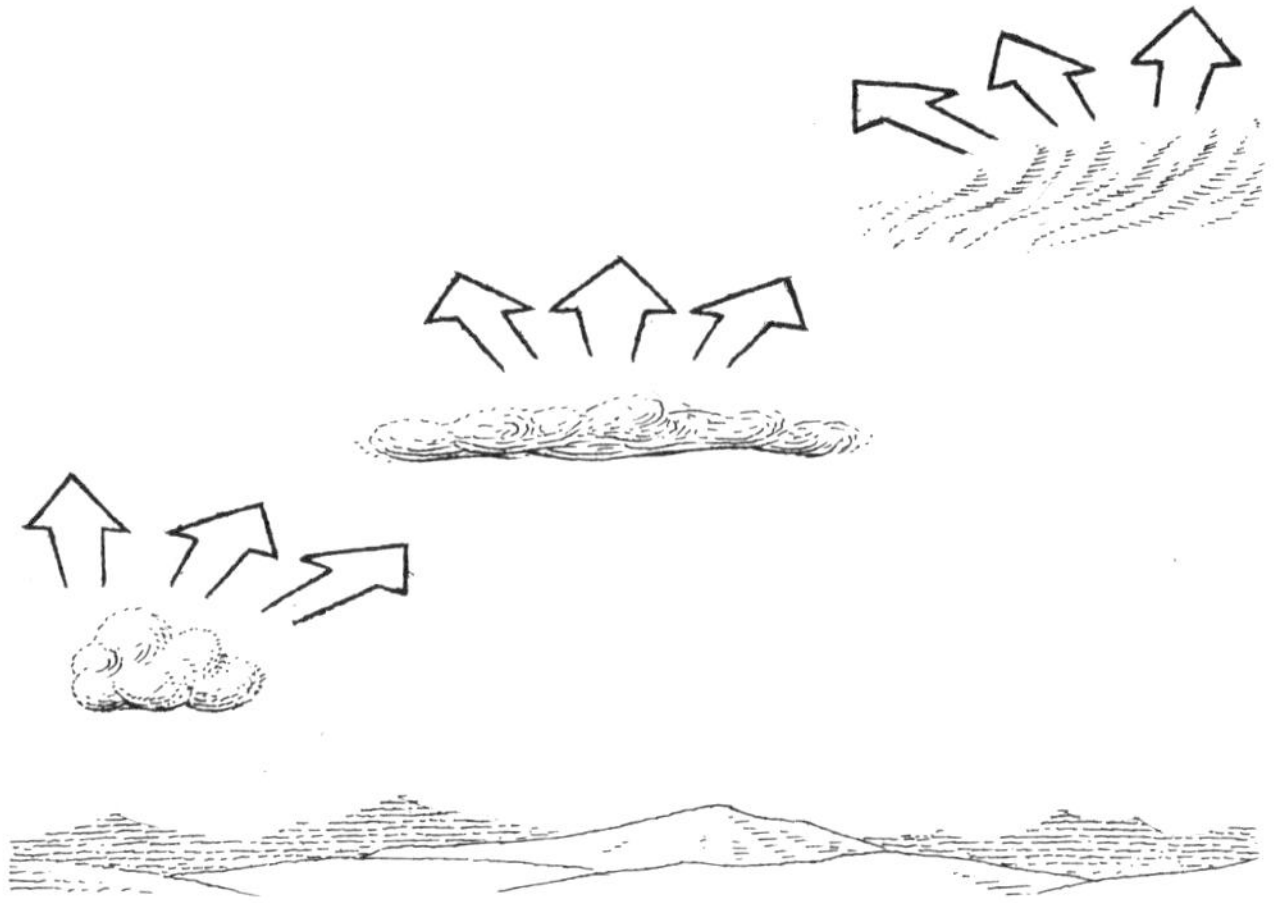

すると、水は穴にまっすぐ入っていきたがる。低気圧に吹き込む風は北半球では反時計回りだが、摩擦によって速度が遅くなると、低気圧にまっすぐ入っていこうとする。中心に向かって左曲がり、すなわちバックするのである。

高度の低い雲と中程度の高さにある雲の動きが微妙に異なるのは、そういった効果による。より低い所にある雲は、地表との摩擦により速度が落ち、方向が曲げられた風によって運ばれる。

一定か乱れているか？

浜に打ち寄せる波は、白い泡を立てて砕けたあと、滑らかになって砂を這いあがる。しかし、それが小石などの障害物に当たると、水面がまた荒れてカオスとなることにお気づきだろうか？

気体や液体の流れを研究する科学者たちは、その世界を2つの大きな挙動に分ける。すなわち層流と乱流である。液体が滑らかに一定方向に動いているとき、その流れは層流であるという。渦を巻いたり逆流したりしていれば乱流である。

風にも、それら2つの世界があると考えよう。木や建物のはるか上では、風は高気圧や低気圧によってのみ作られ、単純な層流をなす。しかし低くなってくると、よじれ、曲がり、あらゆる乱れ方をするのだ。上空のメインウインドはおもに層流であるが、グラウンドウインドは乱流である可能性が高い。

いささか抽象的な理論であるので、しばらくは消化を試みることをやめ、私たちの主目的に戻ってみよう。探すべき手がかりを知ることである。こんど街に出る、あるいは木に囲まれた場所に入る機会があって、頭上にいくつか雲が通り過ぎてゆくようなら、それらがどちらからやってくるかを心に刻んでみよう。かなり長い間、その向きに変わりはないだろう。次に、街中なら通りをぐるっと回り込む、郊外なら木立の反対側に行ってからもう一度空を見上げてみると、風の強さと向きがずいぶん違うことに気がつくと思う。先ほど見たのは、雲の高さを流れる層流モードの風、いま感じているのは障害物の上を流れる乱流モードの風というわけだ。

積雲は突風のサイン

さて、私たちはこれで、見えない障害物に当たって跳ねかえる風を見る準備が整った。安定した微風が吹く晴天の朝、木や建物でごちゃついていない広い場所を見つけよう。先ほど説明した方法を使って現在の風向きを判定してほしいのだが、その際には強さと特徴も銘記しよう。どれくらい安定して吹いているか感じよう。風は一定の強さで吹いているだろうか、それとも変動しているだろうか？　午後3時頃にも同じことをやってみよう。違いはどうだろう？

午後の風は、より強かっただろうか？　総合的な強さにあまり変化はなかったかもしれないが、朝よりもずっと風速が安定していなかったはずだ。そのわけを理解するためには、対流をおさらいしなければならない。

朝の太陽はまだ地面を温めていないので、オープンな場所を吹く風はおもに気圧差によって生まれるものだ。しかし午後に入ってくると太陽によって地面の温度が上がり、上昇気流が生まれる。この空気の柱は建物と同じような効果を持ち、風はまっすぐ突き抜けて吹くことができなくなる。上昇気流の柱に当たって曲がるから、風速と向きが変化する突風が生まれるわけだ。

関連性がある2つの事実を合わせ、それぞれの手がかりとして使うことができる。上昇気流はもくもくとした積雲を作り出し、突風に近い風を吹かせる。つまり晴れた日の積雲は、突風が吹きはじめる予兆。晴れた日に突風が吹きはじめたら、どこかに積雲があると想定できる、というわけだ。

積雲は上昇気流に乗るのでまっすぐに立ち上がっていくが、地上にいる私たちの所を吹く風の向きは変化する。

砂とサンドイッチ

突風の脈動について知ったついでに、もう1つ頭に入れておきたいことがある。風は、砂やほこり、雪、乾いて砕けた木の葉などの上を吹き抜けるとき、それらを巻き上げて運んでゆくことも、まったくそうならない場合もある。もちろん、風が弱すぎると何も巻き上げはしないので、風速は大きな条件だ。それに加えて、脈動性も大きな要因となる。速度はあまりないが脈動する風は、それよりずっと強いが安定している層流の風よりも、地面のものを巻き上げる力が強い。街のかたすみに積もったほこり、森の中の落ち葉、夏の浜の砂などで、私はそれを確認してきた。サンドイッチをジャリジャリさせるのは、安定した強風ではなく弱い乱流の風なのだ。

タオルをどこに敷こうかとビーチで考えているときには、覚えておくと良い。砂が飛んでくるのは風速のせいばかりと考えている人が多いが、それは私たちの力の及ぶところではない。しかし、できるだけ乱流が起きない場所なら選ぶことができるし、ちょっと場所を変えただけで風の乱れ方は大きく違うのだ。風上側の砂地の形は、大きな影響を作る。ほんの1メートル移動しただけで、風速は同じだけれど砂が飛んでこない場所が見つかるかもしれない。風がスムーズに抜ける場所を探すことで、サンドイッチをおいしく食べることができるだろう。

夏の市街地におきる強風

風に関しては、強さ、向き、温度、音などに加えて「乱流度」、別の言い方をすれば脈動性にも注目するべきことは前に説明した。

夏の暑い日、市街地においては、あまり強くない風も突風的な特徴を持つことにお気づきだろうか？空気の対流と建造物の存在が組み合わさり、乱流度の高い風が発生する。そのような突風は、平均風速の2倍以上にも達する。夏の突風は都市独自の特徴だ。他のどのような場所でも、これと同じ雰囲気に出会うことはないだろう。

地上風の中に

数週間前、私は木のてっぺんのずっと上を流れる、雲を運ぶ風の向きが変化したのに気づいた。バック風となり、90度近くも向きが変わったのだ。前線が通過しようとしている。雨がやってくる。

その変化を察知してすぐ、私はナショナル・トラストに所属するレンジャー、ハンナ・トンプソンに会った。私の住むウエストサセックスの近くにある森の再生プロジェクト「ザ・ライズ・オブ・ノースウッド」が行われている場所をいっしょに歩くためだ。外側に保護用のカラーと木の支柱を伴い、新しく植えられた苗木は1万3000本近いが、それらのいくつかを目にした。ハンナは、理にはかなっているのに私がまったく気づかなかったことを教えてくれた。支柱は木の風上側、すなわち英国においては南西側に立てられているのである。私たちの周りには、コンパスとして使えるものだらけなのだ！

2つの古い森の間を歩いていた私たちは、道のわきの地面にちいさな鳴き鳥であるノビタキのつがいを見た。風は背中側から吹いていたが、向きはころころと変わり、一度は顔に吹きつけた。ハンナは鹿よけ柵に設けた金属の扉を開け、私たちは植林地へと入った。上空を舞うチョウゲンボウは急降下と旋回を繰り返し、ノスリを追い払おうとする。若い木は樹齢数年といったところだが、1カ所を除いては、よく定着していた。

ゆるやかな丘を登った所に、植えた苗が枯れてしまった所があった。支柱とカラーに支えられながら、しなびて縮んだ、寂しそうな木が立っている。土中に石が多い、じめじめしすぎているなどの場所には定着しないのだそうだ。しかし私が見たところ、そこは湿地でも石がごろごろしているわけでもなかった。苗木がきちんと成長している場所との違いがわからないが、あきらかに失敗の絵柄だった。何歩か

前に出ると、冷たい風が私の首の後ろを撫で、謎を吹き飛ばした。

私たち2人が立っていたのは、2つの森の中間地点。風はこの場所をめがけるかのように吹き下ろし、地面をこすって、北側の森をまた駆け上がっていく。枯れ木を見ようと顔を近づけると、風にさらされた葉が原因を語ってくれている気がした。そのとき、首を撫でた風の感触と土地の形、そして古い森と新しい苗木が1つになった。

風の強い日、森に挟まれたちょっとした広場にいることがあるなら、実験してみてほしい。森の風下側ぎりぎりに立つと、ほぼ風を感じることはないはずだ。続いて、広場の真ん中のほうに歩いて行き、風の強さを感じてみよう。この短い旅の間、風向きは興味深い変わり方をすると思うが、それに関してはまたあとで。いまのところは風速だけに意識を向けておく。広場の真ん中あたりがいちばん強く、かつ安定しており、反対側の森に近づくと再び弱くなってくると実感できるだろう。バリアの風上側、すなわち2番目の風陰に入ったことになるのだ。現場でこれに気づく人も、存在を想像できる人も多くはないが、天気体験の重要な一部になっている。

　その日の残りは、丘をあちこちさまよい、ノースウッドの再生について考え、雲が形を変えて通り過ぎるのを眺めて過ごした。歩いていると、農道が交わる所に出た。農地のかどには入口がある。

　入口近くにまで作られた垣根が、じょうごのように風を集めていた。切れ目から吹き出す強風は、私を押し戻すほどだった。左に何歩かずれると、風は農道に添った向きに変わって弱くなった。右に少しずれると、高い垣根に沿って道なりにそよそよと吹いている風しかなくなる。入口から農場に入ると、風は弱くなり、向きはまた変わった。

　私たちが感じる風は、場によって形作られる。しかし、ノースウッドの枯れた苗木の件でわかるとおり、風が場を形作ることもあるのだ。これら地上風は、上空にある風がパイロットとなって操縦している。高い所を吹く風には、大変化の予兆を期待しても良い。しかしながら、人が暮らす高さで吹く風を親しく知ることで、私たちの生活はずっと豊かになる。

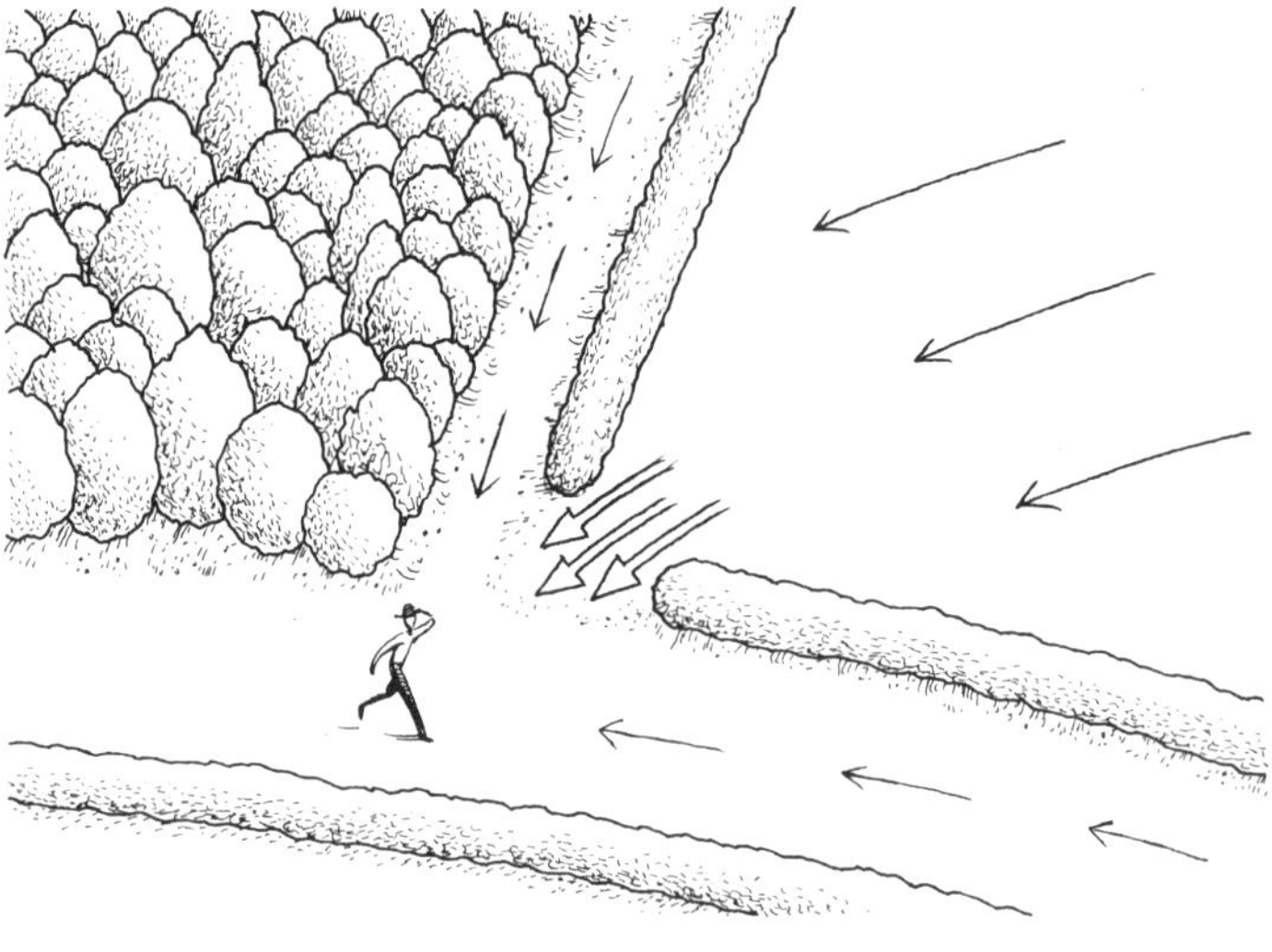

6

露と霜

光の中で散歩／ギデオンの羊毛／ロマンチックな神話／湿気と殺人／霜

長い間、私は露について複雑な感情を抱いていた。皆さんも同じかもしれない。晴れた星空の下、テントで眠り、生地を透かして太陽が昇るのを見る。ひとつ伸びをして、キャンプにおける2つの悦楽、すなわち暖かさと乾燥を期待してテントのジッパーを開けると、地面に露がおりている。たしかにきれいではあるが、濡れていることに変わりはない。テントの外に置いていた物も濡れている。しかし、すべてではない。奇妙なことに、乾いたままの物もあるのだ。私が露の読み方を知ったとき、それに対する複雑な気持ちは好意へと変わった。

私たちは、露のことを知っているとも、知らないとも言える。誰しも露という現象は認識するが、意味を求める人はほとんどいない。いつどこに1粒の露滴が出現するか予測することは科学者でも難しいが、なぜその場所にびっしりと露がついているのか、その理由を理解するのははるかに簡単だ。露の「ブランケット」にはパターンがあり、パターンは意味を伴っている。

空気中の水蒸気が飽和し、水となって凝結しはじめる温度すなわち「露点」は覚えていらっしゃると思う。大気の下層部には水蒸気が含まれるので、地表がじゅうぶん低温ならば露がおりる可能性はつねにある。

気温が露点まで降下すると、空中に水滴ができて霧が発生する。しかし、その前に地面は空気よりも早く冷えているはずなので、地面に触れる水蒸気は凝結し、おなじみの水滴が生まれる。したがって露は霧が遠くないことを告げる予兆であり、その順番はつねに露が先である。露がおりて霧が出ないことはあるが、露なしの霧というものはない。

露がおりる理想的な状況は、湿った空気と冷たい地面の組み合わせである。地面は、晴れた夜に大量の熱を失う。これが第1の変化であり手がかり、かつ季節的なものだ。地表付近には大量の水分が必要だが、晴天は乾いた空気のサイン。地面は冷たく、大気の最下層は湿潤ながら上層は乾燥しているという状況は、秋にもっとも多い。

露は、地面に大量の水分があるときに生まれやすい。最近まったく雨が降っていない乾燥地域では、まれである。それまでの乾燥した天気が終わり、季節の降雨で地面が濡れはじめるのが秋だ。気温はまだ高めなので空気中には大量の水蒸気を抱えることができ、かつ空には雲がなく、夜間には大量の熱が大気中に放散される。晴天、下層の湿った空気、湿った地面、急速に冷える暖かい空気、地面の低温。完璧な夜露カクテルのレシピだ。

露には、風のない夜が必要である。地表は冷える必要があるが、風が強いならそれは難しい。風は地表近くの空気をかき混ぜてしまうからだ。露がおりるためには、地表付近の空気にじゅうぶん熱を放散させ、この冷たくなった薄い層をそのまま放置しておきたい。風が起きると、地面と接触していない暖気が吹き込んでしまうだろう。

露のおりた早朝、私は露よりほんのすこし上に手をかざし、空気の温度を測ってみる。次に頭上よりも高く手を上げてみる。わずかな高さの違いだが、温度差が感じられることは多い。

太陽が昇り地表を温めはじめると、露は蒸発するが、それによって冷却作用が起こる。露のおりた場所は、そうでない所よりも温度の低い状態が長く続くのだ。正午近くでも、地表付近の気温が低いことを感じられるケースもある。

クモの巣についた露に陽光が当たる美しい風景を見たことがあると思う。それは、いくつかの好条件が揃った証拠だ。晴れた朝（すなわち晴れた夜の延長）と静かな風（クモの巣が壊れずに残る程度）である。糸についた水滴は、それを振り落とす突風が吹いていないことも示している。

水滴の1つに注意を集中すると、その中に原色が見えてくるだろう。水滴のほうに足を進め、こんどは遠ざかってみて、色を見てみよう。青から緑、黄、橙、赤へと移り変わるのが見えるかもしれない。虹の色と同じ並びである。露の水滴の色は、虹の色と同じ理由で出現する。白い太陽光が当たると、屈折して波長ごとに分光が起きる。水滴に向かってゆっくり歩くとその色が変化するのは、小さなそれぞれの光の路を横切っているからだ。

露は、もう1つのすばらしい光学効果ももたらしてくれる。朝の日差しと露は、とても相性の良いパートナーであるから、朝露のおりた芝生に自分の影が落ちているのが見えたなら、頭の周りを注意深く観察してみよう。神から祝福されたような気持ちになるかもしれない。頭部の影の周りに光の輪が見えることが珍しくないからだ。これは「ハイリゲンシャイン」（ドイツ語で光背の意）と呼ばれる効果である。太陽を背に受けると、反射光はあらゆる向きから目に入ってくるが、太陽の正反対に視線を向けると、その効果がより強調される。頭部の影を見るのは、まさに太陽の正反対に視線をやるということなのだ。

光の中で散歩

すこし脱線をしてみたいと思う。自然の普遍的な法則の1つだが、あまり知られていないものが出てきたからだ。天気の手がかりを求める際、私たちの思考から遠くない所にある「太陽」に関する法則である。足元にできた1滴の草露から巨大な月にいたるあらゆるスケールで、太陽の正反対に位置するものに目をやると、飛び抜けた明るさに気づく。私がそれを知ったのは、満月の判定法について調べたときだった。満月はつねに太陽の正反対に位置し、大量の光線を反射するので明るさが急上昇する。1日前や1日後の月よりも、満月ははるかに明るいのだ。そして露と満月の間にあるさまざまなスケールの、予期しない所にこの効果は顔を出し、明るさを生み出す。

　数週間前、自然の手がかりだけを使ってスコットランドの高地を歩いていたとき、私はそれまで気づきもしなかったものを目にした。私は、ちょっとした山の北側、峰の影の中にいた。目の前の丘に落ちた影を参考に方向感覚を調整しようと、北を見た。すると反対側の山にある森に、とても明るい部分がある。最初は木の種類が違うのかとも思ったが同じマツ、しかしごく狭い帯状の場所だけとても明るく見える。これは太陽のせいで、正反対に位置する部分だけが飛び抜けて明るく見えるのだとわかるまでにたっぷり1分間ほどかかっただろうか。すこし左右にずれた位置では、その輝きはない。以来、私は機会があれば細かく観察するようにしているが、低い太陽が、切り立った面、たとえば木立の側面などを照らすときに起きる現象とわかった。それと気づかずに人生の半分ほどを過ごしてきたシンプルな手がかりを突然見つけ出す喜びは、ことばでは表現しにくいものだ。

　太陽の正反対に来ているものは、私たちの目に反射した光線を届ける。空気すらも輝いて見える。晴れた日の日の出か日の入り時、自分の影の延長線上にある地平線に目をやれば、空が明るく見えるだろう。エアライトという光の散乱現象である。

ギデオンの羊毛

朝露がおりるほど地面が冷えるためには、地表から上空へと熱が放散されなければならない。雲のない空が前提で、地表近くに熱を閉じ込める何かがあってもいけない。地表から宇宙空間まで、熱が一直線に逃げていけるときに露は生まれる。遮蔽物の下には生まれず、ほんのすこしだけ木の枝が被さっているだけでも駄目だ。草にびっしりと露がついているのを見つけたら、立木や遮蔽物の下まで地面をたどってみると良い。近づくに従って薄くなり、真下では露が消えてしまうだろう。露のない地面とその上の空気は、他より何度か暖かいのだ。風のない早朝には、その線を超えたときに温度差を感じられると思う。

露がおりるのは上空が開けた場所で、遮蔽物の下ではおりないことを知ったが、上空が開けた場所でもまったく降りない所があるのはなぜだろう？　私たちが取り組むべき、新しい謎である。家の庭でも、芝の葉先にはびっしりと露がついているのに、花壇にはまったくないと気づくこともあるだろう。野原でも同じことが起きる。地表近くの植物の葉には朝露がつくが、その近くの地面や石にはつかない。いったいなぜなのだ？

露は、私たちの周りにある地面のことを教えようとしている。ギデオンの羊毛を考えれば、地面も読めるようになるだろう。

ギデオンは神に言った。

「もしあなたが言われたとおり、私の手によってイスラエルを救おうとされるのなら、ご覧ください。私は刈り取った一匹分の羊の毛を打ち場に置きます。もしその羊の毛だけに露がおりていて、土全体が乾いていたら、あなたが言われたとおり、私の手によって、あなたがイスラエルをお救いになると私にわかります」

すると、そのようになった。ギデオンが翌日朝早く、羊の毛を押しつけて、その羊の毛から露を絞り出すと、鉢は水でいっぱいになった。（士師記6：36－8）

彼は、羊毛が朝露でぐっしょりと濡れていながら、近くの地面は乾いていることに気づいた。彼はサインを神に求めたのだろうか、あるいは露のことを熟知しており、そうなると予想できたのか？　議論は別の機会にゆずるとして、ギデオンの羊毛は、地表における露の秘密をその中に隠している。朝露ができるには、地表の温度が露点以下になることが必要だが、その冷却作用には2つの要素がある。大気中に熱がどれほど速く放散されるかだけでなく、どれほど速く下から補われるかも関係してくるのだ。

地表において、熱はつねに上方に逃げてゆくが、熱は地中でも上方に伝わる。上がってきて地表まで到達する熱の量は、地面の熱伝導性に影響される。土や砂といったものは熱を比較的よく伝える。植物の葉などは、熱をあまりよく伝えない。熱は、あらゆるオープンエリアから空中へ放散されるのだが、地中の熱がそのぶんを補ってくれる所と、そうでない所がある。地面は冷えるが、下から温かさが補われるので露ができない場所が存在するのだ。葉は大量の熱を失うが、植物は熱をあまりよく通さないので、下から補われる量は知れたものだ。結果として、葉は近くの地面よりもずっと低温になる。葉の温度は露点を下回り、朝露がつく。地面にはつかない。

ギデオンの羊毛とその周りの地面は、夜のうちに熱を失った。地面は下から熱を補われるが、羊毛は自然界最高の断熱材の1つに数えられるものだ。私たちがウールの服を着るのは、体熱を放散させる機能が低いからである。それによって熱は服の中に封じ込められ、暖かさが感じられる。ギデオンの羊毛は、地面の熱を遮断した。羊毛のいちばん上部は低温なので露ができ、それは次々に下へ染みこんでいって、全体がびしょ濡れになったのだ。

私の息子たちも、庭で遊んだあとは、ギデオンの羊毛の別バージョンを定期的に行う。遊びの途中で脱ぎ、芝生の上に置きっぱなしにされたシャツは、夜に雨が降らなくても、翌朝回収されるとき、ぐっしょりと露に濡れて重い。

ロマンチックな神話

朝露を集めれば池ができ、雨水と同じように動植物の渇きをいやすことができると信じている人がいる。しかし、大気の最下層に含まれる水の量はたいしたことはない。たしかに、いくつかの砂漠植物、特殊なコケやマツなどが露だけに頼って生育できることは事実だが、温帯域の植物に対して露が果たす役割は小さい。

サウスダウンズ地方では、よく「露溜め池」と呼び習わされているものに出くわす。農民たちが乾いた石灰岩の丘陵に穴を掘って内側を粘土で固め、ヒツジの水飲み場とするものだ。しかしこの池の名前は正確ではない。朝露をヒツジが飲むことはない。池に溜まっているのは朝露ではなく雨水である。

湿気と殺人

いっさいの手がかりを残さずに朝露のおりた芝生を歩き回れる生き物がいるとしたら、私はディナール金貨を１０００枚用意しよう！　あなたも試してみると良い、絶対に無理なのだ。露とは、被疑者が立ち入る前から現場に振りまかれた、指紋検出用の白い粉である。

動物の足跡を細部まで残す媒体は、いろいろとある。積もった雪は、鳥が飛び立った場所を教えてくれる。私は最近たっぷり15分をかけて湿った砂の上のサギの足跡をたどり、私が見た挙動と付き合わせる作業を楽しんだ。しかし朝露は、雪や砂とはまったく違う。クリスマスパーティで飲み過ぎた叔母さんにも似て、すべてを覚えているが詳細はぼやけている。何百万もの水滴と、低いが光の強い太陽により、何かが地面を歩いたことはぜったいにわかるが、細かくは語られない。露の話は思わせぶりだが、じらされるような語り口であり、殺人事件を解決する証拠としてはあまり使われない。

１９８６年のある8月の朝、ペンシルバニアの警察署は、１人の男から緊急電話を受けた。警察官がグレンとベティー・ウォルシエファーの家に到着したとき、ベティーは主寝室で撲殺された状態で見つかった。グレンの話によると、彼も侵入してきた男に後ろから襲われ、ケガをしたという。

警察は家の外にはしごを発見。グレンは、侵入者はそれを使って２階の窓から入ってきたのだろうと言う。しかし彼の推測にはいくつか不審な点があり、そのうち２つは朝露に関係することだった。事件が起こったのは冷え込んだ晴天の夜であり、窓に到達する前に通過せざるをえない屋根には露がおりていたが、足跡がない。また車寄せにはグレンとベティー用の車が1台ずつあったが、露がおりていたのは1台だけ。

露がついていたベティーの車は、一晩じゅうそこにあったことが推定できた。グレンは午前2時半ごろ外出から帰り、それからおもてには出ていないという。しかし彼の車には露がついていない。警察は気象学者の助けを借り、露がおりはじめたころ、すなわち午前2時半をはるかに回る時刻にグレンは外出したと結論を出した。エンジンの熱と風が、露を蒸発させたのだ。

グレンは同時に複数の女性と不倫関係にあった。彼は殺人罪で刑務所行きになった。のちに、この話を映像化した「デュー・プロセス」というドキュメンタリーも作られた。

霜

露は、霜という冷たい親戚を持つ。私たちが目にする霜のほとんどは露と同じでき方をするが、空気が低温であれば水蒸気が凍結して氷の結晶となる。「白霜」と呼ばれるタイプだ。

白霜は凍結した露だが、凍る瞬間が大事である。木の葉などの表面に水が凝結したと同時に凍るなら、それは名前のとおり白い氷の結晶をなす。拡大すると、尖った形をした氷だ。それに対して露が凝結し、そのあとで気温が低下して凍った場合は、すこし異なったパターンになる。白さがあまり目立たず、見つけにくいこともある。ガラス窓などの平らな面で、美しいシダの葉のような形を作るのは、ゆっくりと凍るこのタイプの霜だ。

白霜は露と同じでき方をするので条件も同じであり、風のない晴れた夜に続く朝、開けた場所にある熱伝導性の良くない面に生まれ、木の枝などの遮蔽物の下にはできない。木の下の地面から草地へと歩みを進めると、白い霜がどんどん成長していくかのように思えることがある。木の下にはまったくないが、何歩か歩くと部分的にできはじめ、草の上には毛布のように、あざみの枝には厚い層をなして見つかるかもしれない。

霧氷

霜と同一視されることが多い一般的なものだが、でき方は異なる。過冷却された水滴が、低温の面に吹き付けられた刺激で瞬時に凍結してできるものが霧氷だ。風によって生まれるので、わかりやすい非対称性を持つ。風上側がつねに厚く、重く結氷するのだ。時にそれは剣や羽根の形を取り、風上に向かって伸びる。たいへん厚く成長して、芯になっている物体を損傷させる場合もある。ナチュラリストのW・P・ホッジキンソンは１９４６年に以下のとおり記している。

> 木の葉、草、小枝などは氷の円筒に包み込まれる。木はわずかな風でも大きく揺れ、ガラスのシャンデリアにも似た音を立てる。現実離れした、記憶に刻み込まれる風景だ。木の多くは上部が氷で重くなり、たわんで地面に達する枝もある。

霧氷は、低温の湿った風によってできるので、だいたいは霧を伴う。細長く成長した氷の向きは、すこし場所が変わってもあまり変化はないので、コンパスの代わりに使うことができる。視界が悪い場合に、方向を見定められるのだ。大きな枝からは何百もの氷の指が伸び、方向を指し示してくれる。

雨氷

水が地面で凍ると、目視しにくい透明な板状の氷ができることがある。道路のそれは「ブラックアイス」といわれるが、その黒さは氷ではなく路面の色によるものだ。「雨氷」ないし「グレーズドアイス」とも呼ばれる。

霧氷の地図

霧氷はとても美しいもので、霜はすべて芸術作品の趣があるのだが、私たちはいまのところ、とても興味深い手がかりを秘めている白霜に集中しよう。露と霜が生まれやすい、晴天と風のない夜は、真夏とは違う高気圧が支配する日に多い。

白霜は、地面におなじみの地図を描く。地中から熱が自由に上がってこない場所にしかできないのだ。2月のある朝、スコットランドのインバネスを歩いていた私は、白霜をあちこちに認めた。ネス川に沿って街外れまで出て、川の対岸にある工場の煙突から出る水蒸気をよく見ようと、公園を横切った。

白い煙は見えない天井に当たり、何百メートルかそれに沿って流れたあとで消えていく。典型的な逆転層だ。低温な空気の上に温暖な層がのっている場合、上昇してきた水蒸気はその境目で止まり、水平方向に広がる。夜間に地面から大量の熱が放射されたので、地面近くの空気は上空の空気よりもずっと低温になっているわけである。冷え込んだ晴天の朝、気温逆転が起こっていると思われたなら、地面ぎりぎりまで手を伸ばし、次に上方いっぱいまで伸び上がって温度を感じてみると良い。そのような短距離でも、驚くほど違う可能性がある。

霜が多くおりる日の逆転層はとても強固なので、果樹農家たちはそれを温室の天井として使うことがある。霜が予報されたら、果樹の間に小型ヒーターを入れ、気温を上げると、温められた空気は逆転層の境界で上昇を止める。真冬であれば、地表からわずか10メートルにその境界が生まれる場合もある。目に見えないこの天井が暖気を閉じ込めるので、果物は霜害を受けないというわけだ。

インバネスにある老人ホーム前の歩道のかどは、草や苔の間に玉石を置いた石畳になっている。植物の上は真っ白に霜がおりているが、石は地中からの熱をよく放散するのできれいに乾いたままだ。

公園の真ん中では、最近できた（おそらく違法な）焚き火の跡を通り過ぎた。いろいろな廃材が燃やされたようで、焦げた木や黒く変色した金具が散乱している。燃えかすや灰から証拠を集めようと思ったが、犯人探しの面では失敗した。しかし足を止めた価値はあった。じっくりと現場を見たおかげで、草一面におりた霜が多くのメッセージを含んでいることに気づいたからだ。

暗色の、むき出しの地面には霜がおりていない。熱が、地中から自由に流れたからだ。木の葉や木材の燃えかすの上は、地面から離れた場所には霜がおりていたが、地表近くにはない。「ヘリコプター種子」とも言われる、羽根を持つトネリコの翅果《しか》も、上部には霜。金具類にはおおむね霜がおりていない。時間が経った焚き火の跡は、私に集中するべき所を教え、見る場所すべてから小さなパターンが出現しはじめた。そばに落ちていた茶色のしなびたハシバミの葉は、上側に霜がおりていたが、その下には鮮やかな緑の、暖かそうな草があった。枯れ葉は、この小さなベッドの毛布となったのだ。

チャンネルをうまく合わせさえすれば、昨日までは見えなかったパターンが見えてくる。それらがあちこちに出現しはじめたら、私たちが先達の仲間入りをしたことがわかる。もはや現世から旅立ってしまった人も多い「解読者たちの結社」である。ギルバート・ホワイトは、古典『セルボーンの博物誌』

でこう書いている。

　地中に埋もれ木がある場所は、霜が消えるのが周りよりもずっと遅いからわかると、年老いた人々は自信満々に言う。これは思い込みなどではなく、真理に基づくものであろう。ヘイルズ博士はこう述べている。「地下にある熱が、気温の変化とともに霜の融解を促進することは明白である。1731年11月29日の観察にはこう書いてある。夜にすこし降った雪は、翌朝11時までにはだいたい解けてしまったが、ブッシー公園内の数カ所には残っていた。その地中には排水溝が設置されているのだ。水が通っている所もそうでない場所も、地上に雪は残っていた。ニレ材で作った埋設水道管のある所も同じだ。排水溝は地面から4フィートを超える場所に設置されているのだが、地中にあるこれらの間隙が、深い場所にある熱の上昇を妨げ、その形どおりに雪を残したのである。また、藁葺き屋根、タイル、壁の上などにも雪は残った」。この観察内容は、居宅の周りにおいては古い排水溝や古井戸の発見、古代ローマの駐屯地や要塞跡においては舗装道、浴場、墓地、その他の興味深い史跡の発掘に適用できないだろうか？　（引用部新訳）

　日の下に新しきものなし、だがそれを見つけようと腰を据える人は少ない。

　地面は、その種類によって霜のおり方が違う。草地は野原に比べてずっと低温になり霜もよくおりるが、ヒースの生えた野、乾燥した芦原、排水処理をした泥炭湿地などは夜間に超低温になることが知られている。ほんのすこし離れた他の地面より5℃低くなることもまれではない。

足を止めてよく目をこらせば、霜が高さに敏感であるとわかるだろう。植物で確認するのはたやすい。地面から数十センチ以上高い部分は霜がないのに、地面に近い根出葉《こんしゅつよう》にはたっぷりと白い霜がつくという場合がある。角度も大事だ。草の細長い葉でも、地面と水平をなすものには霜がつき、垂直に立ち上がるものにはつきにくい。水平の葉のほうが、熱放散の効率が良いのである。太陽が昇ると、高い位置にある場所から光が当たりはじめ、霜は解けて水滴になる。下のほうの葉は、太陽がずっと高くなるまで霜をまとったままだ。「霜解け戻り」すなわち暖かい陽の光で霜が解け落ちて、重く垂れていた葉がもとの位置に跳ね返る現象が目に入るようになってきたら、あなたは繊細に描かれた霜地図を理解しはじめたということなのだ。

白い地形

小さな規模においては、露と白霜は似たような場所にできるものといえるが、すこし引いて広く見渡すと、霜は独自の好みを持つことがわかる。秋にたっぷりと朝露がつく場所の中でも、冬には硬い霜がおりる場所とほとんどおりない場所に分かれる。それらが隣接している場合、上空のひらけ方、土壌や植生まで同じことがあるが、霜地図は大きく違うのだ。なぜだろう？　答えは、地形にある。

　土地が完璧に平坦であることはまずなく、地形的な特徴が霜の発生に大きな影響を及ぼす。霜は丘などの盛り上がった地形を好まず、谷をはじめとする窪地を好む。それにはおもに2つの理由がある。丘を吹き抜ける風は地面を乾燥させ、地表付近の冷えた空気と上空の冷えていない空気を混合するから、霜がおりにくいのが第1の理由。しかしそれよりも大きな第2の理由は、密度の高い冷たい空気は、たとえるなら蜜のように、下方へ流れてゆくからなのだ。

星のよく光る寒い夜の、丘に隣接する谷を想像してみよう。どちらからも、似たような具合で熱は放散される。丘の上も谷の上も、冷やされた空気の層が生まれるだろう。しかし重力により、冷たく密度の高い空気は下方に引っ張られる。丘の上に冷気はなくなり、谷に流れ込んだ冷気は他に行く所がないからそこに留まる。この運動は、２つの効果を持つ。丘の上はより暖かい空気に置換され、谷底では冷気のサンドイッチができあがる。「霜穴」「フロストホロー」などと呼び習わされる、冷気が流れ込み霜のおりやすい場所がそこだ。晴天の朝、丘の上が谷底よりもずっと暖かいことがあるのも、冷気の流れが理由。谷底はそこから３００メートル上がった場所よりも寒いことがある。サバイバル的な極限状況に出くわす可能性がある人は、知っておくと良いだろう。

ちょっとした行動の違いが生命にかかわるわけではない状況なら、冷え込んだ冬の朝、寒い谷底からスタートし、丘を登るにつれて気温が上がってゆくという逆転的な楽しみを味わうこともできる。

霜についてさらに学ぶためには、両極端を見なければならない。まずは、まったく霜がおりない場所から始めよう。海が空気を温めるから、小島や海岸線の地はほとんど霜を知らない。小規模ながらも似たような現象は、川沿いに見られることもあるだろう。インバネスでの散歩でも、私はネス川のすぐ近くに、白い霜に取り囲まれて朝露に輝く、何メートルかの草地を発見した。

各地には、その地域内で最低気温を記録するような霜穴がある。世界各地において特徴は共通で、内陸の谷地に生まれる。ロンドンからおよそ１時間の距離にある丘陵地、チルターン地区にも、有名な所が１つある。そのあたりのもっとも高い山でも３００メートル以下であるから、極端なことは起こりそうもない。しかし、そんな場所で極端な天候現象が実際に起きているのなら、多くのことが学べるだろ

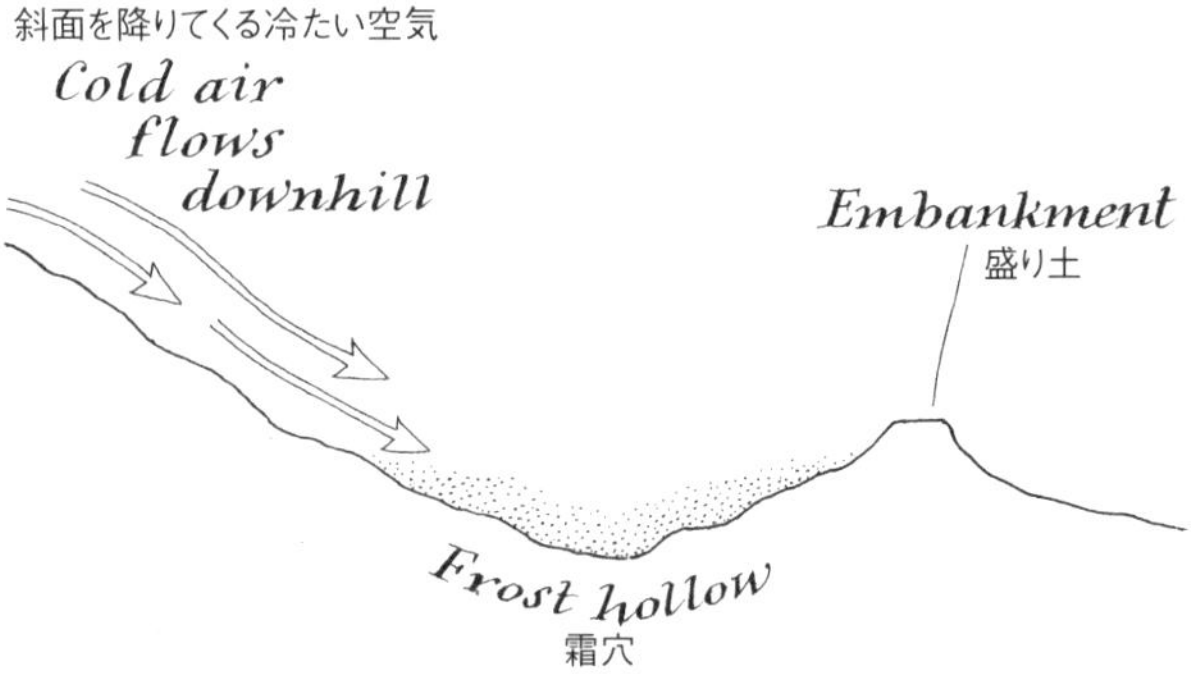

う。

チルターン地区の霜穴は、リックマンズワースに存在する。内陸の谷にある場所だが、谷底というわけではない。この地特有なのは、谷に沿って降りていく冷気が、集落の反対側にある鉄道の盛り土で止まるというところ。小さな盛り上がりが冷気を蓄える効果を持つことは、それが蜜のように流れていく姿を想像するとわかりやすい。

このような現象は、ずっと小さなスケールでも起きている。今朝の話だが、地面に霜がおりていたので、本書の執筆をしている森の小屋に来る途中、私は足を止めた。すこし窪んだ農地のほうが、高い場所より霜が多かったのだが、足元近くにはさらに繊細なパターンが見つかった。アザミの大きな葉には霜が厚くついており、この棘だらけの植物がギデオンの羊毛に似た働きをしていることを知った。地面からすこしだけ上のほうに広がる葉が、地面からの熱を遮断していたのだ。近くの地面には、ほとんど霜がおりていなかった。

小さな芝生には緩やかなうねりがあるのだが、霜は高い場所を完全に避け、境界線ちかくの低い場所を選んだ。我が家の芝生の幅は20メートルほど、高低差は1メートルもないが、霜は選り好みをした。芝生と家の間は石を敷いており、これも完璧に平らではない。前日の雨で敷石のへこみにできた浅い水溜まりは、夜の間に凍結していた。まったく透明だったので凍っていないと思っていたのだが、試しにのせてみたブーツのつま先がつるりと滑ったのでブラックアイスだとわかった。

このような小さい場所の中でも大きな違いがあることを、自分の目で見ないと信じない、という人もいるだろう。ちょっとした対照実験の結果を示せば、納得してもらえるだろうか。わずか縦横1メートルの発泡スチロール箱でも、驚くほど異なる微気象を生み出すという結果が得られている。10夜にわたり、内側の気温は外気より7℃近くも低かったのだ。この箱はミニチュアの谷として、そして地面との断熱材として機能した。夜明け時の箱の外側と中は、わずか数十センチの違いで6月と11月ほどの気温差があったのだ。気候学者たちが谷底に観測機器を設置しない理由はそれだ。たしかに合理的だが、私たちをとり囲む豊かな多様性を隠してしまう側面を持つ習慣でもある。

霜は植物に対して壊滅的な影響を与えることがあるので、農民たちはそれを熟知する。場所によって、霜はいさかいを引き起こす。パプアニューギニアのウォラ語を話す人たちと隣接して住む別の集団とで摩擦が起きることがあり、苛烈な争いの文化ができあがっている。ライバル集団に不運が降りかかると祝いの儀式を行うのだが、その中には霜穴の地に生活しなければならない状況が含まれる。寒い場所に住まざるを得ないライバルたちの不幸を喜ぶウォラの人たちの習慣は「リイワカイ」という名前すらつけられている。私たちの文化からは遠く離れているように思えるが、そうでもないかもしれない。英国には、品評会で入賞するほど質の高い作物を作る人たちがいるが、予想しなかった霜害によってライバルの畑が全滅したというニュースで嬉しそうに踊り出してしまう人の姿は想像できる。

丘の上に生えている植物のほうが、谷底のものよりも早く芽吹く理由は、霜穴の現象によって説明が可能だ。高い場所にあるので晩霜の被害を受けないことを理解しないと、理屈に合わないように思えるだろう。とくに冷気が溜まりやすい霜穴では、芽が完全に枯死してしまう場合もある。晴天の寒い夜に野営する場合も、霜穴となる可能性がある谷の底からほんの数十センチだけ上に寝床を探すだけで、極端な冷え込みを避けることができるかもしれない。

融霜

霜と陽光はセットである。地面を冷却した雲のない夜空に続いて訪れるのは、白くなった土地を照らし出す太陽。その光により、私たちは予測可能な場所におりた霜、およびこんな所にと驚かされる霜を目にすることができる。太陽が地面に色を取り戻させていっても、丘の西面、木、建物の陰などでは霜が長く残り、北面では終日見ることができるかもしれない。

　温度を引き上げる太陽光線であるが、面によって反射の起こり方と量は異なる。霜は光をよく反射し、すばらしい朝の眺めを作り出す。黒い地面は太陽光をよく吸収し、隣接した霜を解かす。私たちが目にするこのパターンは、分単位で変わっていく。

　あらゆる組み合わせを分析する必要はないが、どこから真っ先に霜が消え、どこに最後まで残っているか、さまざまなスケールで見てみることを勧めたい。谷底にはしつこく残っていると思うが、すこし上がった所でも、木や岩の北側には午後遅くまであるかもしれない。解け残りの部分はほんのわずかになってしまっていても、その小さな島にうまく意識をズームインすれば、標高や太陽の軌跡や光線の方向、風、地形、そして地面の色など、さまざまな手がかりを読み取ることができるだろう。

7 雨

鳥雨／形・パターン・時／ごつごつした雲の底／雨の幽霊／地雨とにわか雨／地形性降雨／ネットでシミュレーション／丘に降る2種類の雨／雨陰とフェーン／陸と海／季節の側面／雨粒の分析／街・森・断崖が作るにわか雨——繊細な技術へ

雨をヒーロー扱いしている本はほとんどないが、私は悪役扱いしようとも思わない。手がかりさえ知っておけば、雨は私たちの好奇心を刺激してくれるし、首筋に当たるしずくもあまり不快にはならない。雨に関しては、2つの大きな特徴に加え、小さく微妙な数多くの特徴を手がかりにすることができる。感覚を研ぎ澄ませ、準備ができ次第、それらを見てゆくことにしよう。

私たちが出会う雨の1滴は、長い旅の終了間際にある。雨の多くは、私たちのはるか上空で、雪や氷としてその一生を始める。雨滴は下に落ちてくるに従って大気中の浮遊粒子を拾い集め、独自のフレーバーを持つようになる。雨は、味が違うのだ。古代ギリシアの哲学者テオフラストスは、ギリシアの海岸に降る雨、とくに南風に乗ってくるものに塩味が含まれることを記している。コロラドのロッキー山脈で実施された調査によると、悲しいことに雨水サンプルの9割にマイクロプラスチックが含まれているという。高地ですら、この微細な汚染物質から逃れられないようだ。乾いた時期が長く続いたあとの雨は、地表の油脂分や土壌のバクテリアと混ざり、どこか懐かしい独自のにおいを感じさせる。これには「ペトリコール」という名前がついている。

雨音は、地表のタイプによって変わってくる。苔に当たる雨音は、石のそれとはまったく異なり、水溜まりに落ちる音よりもはるかに静かだ。石灰岩などの軟らかい岩は、花崗岩などと比べて柔らかい雨音を生む。傾斜度も雨音に関係する。斜面が急であればそれだけ音もソフトになるが、細流ができはじめると急に音量は上がる。降り続く雨は、音も変化する。耳を澄ましていれば、乾いた地面に落ちはじめた雨の音も、本降りになるとほんの2、3分で変わってゆくのがわかるだろう。

木に当たる雨音は種類によって異なり、時間帯でも変わってゆく。広葉樹は、もちろん季節によって違う雨音を生むが、降りはじめと降り終わりでもまったく異なる。針葉樹は、どんなタイプの降りはじめであっても静かに雨を受けるが、広葉樹の葉は大きな音を立てる。

私が気に入っている雨音マップは、単独で立つ木の所で見つかる。大きく密に枝を広げた針葉樹、たとえばイチイなどの下に立ち、降りはじめの雨音を聞くのが好きだ。この手の木は、上からの雨も雨音も遮り、衣服を濡らさないので、近くの地面に落ちる雨粒の音がずっと聞きやすくなる。私の自宅のそばにある森の地面は、茶色の枯れ葉がじゅうたんを作り、ところどころにシダ、イバラ、ツタなどの葉が緑色をちりばめる。大きな雨粒が落ちてきたときにいちばん音を立てるのは枯れ葉。打楽器をパタパタと叩くようだ。シダは弱々しくささやくだけである。

葉の生え方も、地面の傾斜と同じく音に影響を与える。イバラの葉は下向きに生え、柔らかに垂れるので、かすかな雨音しか立てない。軽く閉じた唇を、息を通して開くときの小さな音に似ている。森の地面を這うツタの葉は、ほぼ水平の向きに生え、かつ質感も硬いので、ブナの枯れ葉とイバラの葉の中間的なポジション。ブナの枯れ葉に当たる雨音は新聞紙、それも届きたてのピンとしたものではなくて幾度も読まれバラバラになった新聞に、落とした鉛筆の先が当たるような感じである。ツタの葉は、光沢のある本の表紙に指先が当たるような音を立てる。

私は、さまざまな植物が混生する（種類と構成はその時々による）場所を探し、目を閉じて雨音を聞くのが習慣になっている。それから目を開け、耳と目が拾ったものを突き合わせるのだ。それからさらに歩き、音の傘を提供してくれる同じような針葉樹を見つけ、これを繰り返すのだが、今度は到着したらすばやく目を閉じて、何が見えるはずか耳に質問し、それから目を開く。

鳥雨

雨のあとで森を歩くと、必ず不意の雨に出会うことになる。木の上に溜まっていた水が落ちてくるからだ。風の音がすると水が落ちてくるのだが、それとは音も感覚も違う、より繊細な二次にわか雨もある。出会ったら、上を見よう。

雨が上がった時点で、木に溜まった水は微妙な均衡状態にある。葉の表面には一定量の水がのり、先端から垂れ落ちそうな水滴があり、ぎりぎりの状態だ。そのまま乾燥するか、落ちるまで均衡状態は継続するのだが、この絶妙なバランス下では、ほんの小さな振動で水滴は落ちてしまう。

モリバトが大げさに羽ばたいて枝から飛び立ったあと、頭に降ってくる大粒の雨が、飛び立つ鳥と二次にわか雨の関係を教えてくれた。騒々しいこの鳥が起こす降雨のことを知ってから、風が起こしたにしてはあまりに局地的、小規模、繊細なにわか雨もわかるようになった。ぱらっと雨粒が落ちてきたので見上げると、キツツキやカケス、あるいはさらに小さな鳴き鳥たちが枝に止まった、あるいは飛び立ったのが見えることがある。

広葉樹に出くわしたら、葉の先端の形を見てみてほしい。先端が尖っていれば、その地域には雨が多いと言える。葉に当たった雨をうまく排出するためそのような形に進化したのだ。熱帯雨林は、先の尖った葉を生やした木であふれている。

雨は泥や砂、シルト、雪などの軟らかい地表を点刻し、くぼみを作る。そんなくぼみは、雨の激しさや長さといった特徴を教えてくれる。間隔が大きく開いていれば、それだけ降った時間は短かったわけだ。泥や砂に跡がついている場合、雨本体がつけた規則正しく浅いくぼみと、不規則でずっと深い二次的にわか雨のくぼみを区別できるようになりたい。不完全で粗っぽい雨滴の跡は、風や鳥などによって大きなしずくが落ちてきたことを示す。１時間ほど前、カラスが頭上15メートルの枝から飛び立ったが、私の足元に残されたそのストーリーはまだ新鮮なまま残っている。

雨滴の跡は、ストーリーにおける時間の刻印としても使える。最近降った雨の履歴を覚えているなら、その跡は動物や人間のタイムカードとなる。にわか雨のしるしは、その前に通った動物の足跡の上につき、そのあとで通る動物の足跡によって消されるというわけだ。

動物の足跡を見失い、もう手がかりが消え失せたと思っても、密生した樹冠の下というケースがある。頭を使って推測を行えば、動物が樹冠の下から出て、雨が当たって軟らかい泥の上に足跡がまたついているのを見つけられるかもしれない。

雨に関するストーリーの多くは、すぐに消えてしまうはかないものだが、時間旅行を楽しむような気持ちになった体験をお伝えしておこう。シュロップシャーにあるシュルーズベリー博物館には、２億年以上昔の彼の地にどのような雨が降ったかを語る、小さな化石が展示されている。5分前の雨のことを教えてくれる、泥に刻まれたこの形は、太古のストーリーも伝えられるのだ。頭がくらくらする気がした。

ごつごつした雲の底

雨、降りますか？　ほんとうによく聞かれる質問だ。数日間にまたがる長期的な見通しであれば、雲や前線のことを学んだ章を参照してほしいが、私たちはしばしば、特定の雲が私たちの上に雨を降らせるかどうか知りたいと思うものだ。

小さな積雲から雨が降ってくることはほとんどない。高さよりも幅のほうがあるようなら、まず雨にはつながらないだろう。もっと突っ込んで調べたいなら、雲の下側を見ると良い。これまで学んだように、あらゆる雲の底は大気中の水蒸気が凝結しはじめる、すなわち露点にいたる高さを示している。この高さは比較的安定しているので、雲の底はもっぱら平らになる。それと違って荒れた雲の底は、何かを伝えようとしているわけだ。

私たちは、雲が雨をもたらすという考えに慣れてしまっており、雨が雲を作るということは、あまり知られていない。雨が降るとき、それは雲の直下の空気を冷やす。冷えるとさらに凝結現象が起き、主体である雲の下に不定形の雲を生み出す。それによってしわが寄ったような、荒れた見かけの底になるのだ。つまり、底部が平らな積雲は雨を降らせておらず、底が荒れた雲は雨を降らせている。積雲の下側にできるぼろぼろとした雲の断片は付随雲の一種であり、正式な気象用語ではパンヌスあるいはちぎれ雲と呼ぶ。ちぎれ雲は雨の足跡であり、雨を降らせるあらゆる雲の下に出現する。
ある雲がどれほど暗い顔つきをしていても、底が平らで下を遠くまで見通すことができるなら、雨を降らせるものではない。

雨の幽霊

しばしば、雲の底部から伸びる細い筋が見えることがある。尾流雲《びりゅううん》と呼ばれるものだ。地面に到達する前に蒸発してしまう雨で、目には入るが雨として感じられることはない。尾流雲は、落下する重量まで成長したが、乾燥した空気を通って地表にたどりつくほどのボリュームがない氷の結晶や雨滴の集合だ。雲の高さで強風が吹いていれば、尾を引いて落ちる雨の軌跡が目視できることもある。暑く乾燥した場所でもっとも一般的ではあるが、世界各地で発生する。

尾流雲は、中間状態のサインだ。雨が降る環境としてほぼ整っているが、まだ空気中の水分が不足しているということ。他の数多くの手がかりと同じく、これも傾向を知るために使うのが良い。強い雨に続く尾流雲も一般的だが、それは天気が良くなっていくことを示している。晴れに続いて出現する尾流雲は、雨がそう遠くないことを警告する。

母雲から長く伸びる雨の跡を見ると、ふわふわと浮かぶ漫画のオバケを思い出す。雨雲であるともないとも言えない尾流雲のことを、私は雨の幽霊とみなすようになった。

地雨とにわか雨

霧雨、細雨《さいう》、こぬか雨……表現はいろいろあるが、もっぱらそれらは雨滴の大きさと視界の違いを表現しようとするようだ。ある定義によると霧雨とは、0・51ミリ未満の大きさで、視界によって「弱い」「中くらい」「激しい」の段階があるとされている。

あなたが専門的な報告書をまとめている場合、あるいは難しい用語が好きなタイプであればそのような定義も必要だろうが、知ったところで私たちが目にするもの、意味することが変わるわけではない。天気の手がかりを読み解く者として、私たちは難しい名称にとらわれることなく、シンプルさを心がけたい。最重要な事実を忘れないようにしたいものだ。私たちがまず知っておくべきなのは、雨は大別して2種類しか存在しないということ。すなわち地雨（ブランケットレイン）とにわか雨（シャワー）である。地雨は広い地域に降るもので、比較的長時間続く。にわか雨はその逆だ。

どちらの名前も、雨の強さに関する含みはない。ふつう「にわか雨」と言うときは小雨を含意するが、実際のところはきわめて詳細な定義が可能だ。にわか雨は土砂降りの場合も、フロントガラスに生まれる微細な点のこともあるが、いずれにせよ短時間しか続かない。1時間続くならば、にわか雨ではない。

なぜ地雨とにわか雨の区別がとても大事なのだろうか？　雲には、毛布のように空を覆うもの（層雲の仲間）と、上昇気流によって高く立ち上がるもの（積雲の仲間）があることを覚えていらっしゃると思う。これらの違いが雨の降り方の違いをもたらしているわけだ。雨の種類を特定し、それを生んだ雲を知れば、雨のでき方とこれまでについて情報が得られ、これからの予測をうまく立てられる。

地雨とにわか雨のシンプルな分類は、似たような2種類の生物を区別するようなものだ。これはかなり良いたとえだと思う。動物のことをよく知らない人が私の地元の森を歩いているとき、茶色の四足歩行動物がぴょんと遠くに逃げていったとしたらこう言うかもしれない。「あっ、シカだ。また出てこないかな？」。しかしここにいるのはノロジカかダマジカだけ。見分け方を知っているなら「ごらん、ノロジカだ。仲間は？　近くにいるはずなんだけど……」となるだろう。ノロジカが群れで生活する種で、単独行動はきわめてまれと知っているなら、近くに他の個体もいると推定できる。このようなアプローチは、雨雲にも適用が可能だ。

視覚で、感覚で、あるいは知識によって、雨が迫っていることが確実ないし推定される場合は、地雨とにわか雨のどちらになるかを予測するだけだ。地雨なら長時間続き、降りの強さは中程度まで。にわか雨なら短時間だが、とても激しい降りにいたる可能性もある。層雲が見えるなら地雨の可能性が高い。青空と高く立ち上がる雲の組み合わせが見えるなら、にわか雨になるだろう。どちらの場合も、雲の深さと色が私たちの予報に肉づけをしてくれる。

近くににわか雨が降っていると思うなら、一定の時間をおいて積雲をチェックしよう。その数、形、大きさはどんどん変化するが、一般則として、青空の部分よりも積雲の部分が多くなったらにわか雨がやってくる。

雨を降らせる層雲に関しては、雨をはらんだ層がやってくると雲がどんどん低くなり、他の雲が見えなくなってくるだろう。そうなったら層の中にある色と質感の違いに注目することになるが、より大きな天気パターンとその動向に関しては、風向きに注意を払い、前線のことを理解しておく必要がある。

ある日私は、撮影クルーといっしょに丘の上に来ていた。コロナウイルス禍によるロックダウン中でも学べるオンライン・コース教材を作るためだ。私は朝からずっと、高く成長する積雲から目を離さないようにしており、午後の天気にどんな可能性があるかは見当がついていた。丘の頂上近くで土砂降りの雨に襲われたのも、特段の驚きではなかった。乾いていた窪地には水が溜まりはじめ、雨音は秒ごとに変わった。

　とうぜんカメラマンは撮影機材を心配したので、私たちも傘を使ってできるだけ雨がかからないようにしたが、突風も伴う本降りになってきたので、あまり役に立っていなかった。とうとう傘が折れ、カメラマンは苦い顔をした。激しいにわか雨につかまったら、それがきわめて局地的であると思い出したほうが良い。

　皆はそうしたくないようだったが、私は歩き続けるように言った。すると1分もしないうちに、にわか雨から抜け出すことができた。太陽の光の中で、私たちはさっきまでいた場所がびっしょりと濡れるのを目にした。雨の境目はきわめてくっきりしていて、そこまで歩いてゆきさえすれば、広げた両手の片方が雨を、もう片方が太陽を受けるようにすることもできたはずだ。

地形性降雨

　私たちはこれで、地雨とにわか雨の区別がうまくつくようになり、雨に出会ったなら継続時間と強さがおおむね想像できるようになったわけだ。ジグソーパズルの次の大ピースは、雨が環境とどう関係してくるかである。

　降雨に対して環境がもたらす最大の影響は、地形面にある。湿った空気が高い場所まで強制的に押し上げられると、膨張して冷え、水蒸気が凝結して水滴が生まれる。このプロセスが雨を生むとき、それは地形性降雨と呼ばれる。

あまり水蒸気量が多くない空気は、高い山に出会わないと雲を作らないだろうが、水蒸気飽和状態に近い空気は、ほんのすこし盛り上がっただけの地形でも雲を作る。まったく完全に乾燥した空気というものは存在しないので、地形の盛り上がりが雨雲を作る可能性はつねにある。

物理法則は世界のどこに行っても同じであり、あちこちで似たようなパターンが見られる。高い丘の頂上と風上側はつねに風下側よりも雨が多い。スコットランドのハイランド地方では、風上になる西側の地が、風下の東側と比べて6倍の降水量を記録する場所もある。

昨日の午後、私はサセックス地方の丘を駆け上がる風によって小さな積雲が生まれて膨らみ、風下側に到達してしぼんでしまうのを1時間ほどかけて楽しく観察した。雲はもっとも標高の高い場所を過ぎるまで成長を続け、縮んでいく。わずか数分間の間にも形の変化を見ることができた。この場合、空気はじゅうぶんな水分を含んでいず、また丘もあまり高くなかったので雨にはいたらなかった。しかしその丘がさらに１５０メートルほど高かったり、もう少し湿った空気であれば、異なった天気になっていただろう。

ネットでシミュレーション

地形性降雨の理解を進めるためには、テクノロジーを使うというちょっとずるい方法もある。私たちは、世界各地の雨雲レーダー画像をオンラインで見ることができる。降雨を含む数多くの天気現象をダイナミックに示すもので、数分おきにアップデートされる場合もある。雨はレーダーの電波をよく反射するので、降雨の激しさによって異なった色で表示される。

私がよく使うレーダーシステムでは、時間当たりの降雨量が0・5ミリ以下という弱い雨はブルー、2ミリから8ミリになるとイエローからオレンジ、16から32ミリになるとマゼンタになるという色分けをしてある。ネットで見ていると、雨雲が丘にさしかかって最高地点あたりで雨が本降りになり、それを越えると小降りになるさまが、色の変化でよくわかる。乾いた暖かい場所で雨の降り方を見るのは、なかなか楽しい。これを書いているいま、私の小屋のあたりに雨の気配はないが、サマセットにあるメンディップ丘陵の一部はかなり降っている。レーダー画像で、風上にあたる南西側はオレンジになっているが、北東側はブルーがちらほらとあるだけ。

数ヶ月間で何度かこれを試してみれば、降雨マップにおいて、せり上がった地形がもたらす、時として圧倒的な、時としてほとんどわからないほど繊細な影響のことがわかりはじめるだろう。もちろん高い山は低い丘陵よりも大きな影響を持つのだが、空気が湿ってさえいれば、ちょっとした盛り上がりでも雨を降らせることがある。

丘に降る2種類の雨

2つの大きなピースを合わせる準備は整った。地雨とにわか雨の2種類を、ここで復習しておこう。層雲とそこから落ちてくる雨は、大規模な気象条件と前線によって生まれるもので、何百キロメートルにもわたって広がる場合がある。積雲の発生はローカル現象で、狭い範囲に存在する違いが生み出す。わずか数百メートルの間にある相違すらも反映する。

地雨は、土地を大きく撫でていく。この巨大なシステムにおいて、数十メートルの高低差の影響はほとんどない。風上側にはより多くの雨が降るだろうが差異は小さく、ほんのすこし激しい降りがちょっと長く続く程度のはずだ。

にわか雨になると話はまったく違い、盛り上がった地形の影響は決定的とも言える重要性を帯びる。積雲はつねに、空が不安定ですよと私たちに話しかけてくる。大気は、降雨プロセス起動のきっかけを待っている。地面の局所的な温まり方の違いが雲の成長のきっかけとなることを学んだが、盛り上がりに沿って動く空気も雲を成長させる。

高く立ち上がる雲が丘にさしかかると、さらに成長を始める。丘の上は、激しいにわか雨や雷雨になる可能性が高い。にわか雨はささいな地形変化からも影響を受けるが、地雨に大きく影響するのは山脈をはじめとする大規模な地形的特徴だけである。

丘を通る雨雲を定期的に観察できる場所を見つけられたなら、その丘に起こる地雨とにわか雨の違いをすぐ理解できるだろう。丘に近づくにわか雨の雲ははっきりとわかるだろうが、地雨をもたらす層雲の中に違いを探すのは難しい。

訓練を積むと、緩やかな丘の上にかかる層雲の色の違いがわかるようになるかもしれないし、雲の質感や形の変化を察知する能力が養える可能性もある。しかしそのずっと前に、ちょっとした丘の風上側でにわか雨の雲が数を増し、巨大化してゆくのを捉えられるようになる。さらに細かく観察すると、雲の底の色は丘の頂上あたりがもっとも暗く、木が生えていればさらに黒く見えることがわかる。そのときこそ雲の下に手がかりを求めるときだ。でこぼこした底の下にあるちぎれ雲、尾流雲、そして雨だ。

雨陰とフェーン

山の風上側は、風下側よりもずっと大量の雨が降るのだが、それにはある現象が伴う。降水量のコントラストにより、その地域の自然環境に大きな影響を与える「雨陰《ういん》」現象だ。英国のペナイン山脈、ヨーロッパのアルプス、北米のロッキー山脈やシエラネバダ山脈などは、いずれも東側地域に雨陰を作る。

私たちはいま雨のことを中心に学んでいるわけだが、地形性降雨に密接な関係がある風の種類が1つあるので紹介しておこう。山に当たって雨を降らせた空気は風下側に下降していくが、水分を放出したので乾燥状態にある。下降した風は、大気圧によって圧縮されるので温度が上がる。山の東側にある低地には、暖かく乾いた風が吹くので雨陰ができるのだ。この暖かく乾いた風は「フェーン」と呼ばれる。この現象がよく起きる地域では、ニックネームがつけられている。ロッキー山脈の東側では「シヌック」ないし「雪食い」。リビアでは「ギブリ」、アンデス山脈の東では「ソンダ」。カンブリア地方の「ヘルム風」もフェーン現象に由来するものであり、ローカルな風として英国で唯一名前がつけられたものである。

フェーンの空気は、山の風上側の空気よりもずっと乾燥しているので、空を覆う雲も部分的に消し去ってしまうほどだ。このようにできた山頂の風下側にある青い穴を「フェーンギャップ」と呼ぶ。

地形性降雨にとって理想的な条件なのにそれが起きない場合、風上側に高い丘がないかチェックしてみよう。もしあるとしたなら、高温の乾燥した風が吹き込んでいるわけで、あなたが立っているのはフェーンギャップの中である。

フェーン現象はマイルドなもののように聞こえるかもしれないが、実際はそうではない。山火事の大原因で、米国において記録された24時間最大気温差を引き起こしたのもフェーンだ。１９７２年１月15日、モンタナの気温はマイナス48℃から９℃にまで上昇した。

陸と海

ローカルに発生する雨雲の引き金となる大きな要因の２つは、太陽光での温まり方の局所的な違いと、湿潤な空気を上昇させる地面である。陸地はつねに海よりも短時間で温まり、つねに海よりも高い位置にある。その組み合わせで、最大かつ最高にシンプルな鉄則が得られる。つまり、海よりも陸地のほうに大量の雨が降る。

地中海ににわか雨が降るのはとても珍しいが、それに接する陸地にはよく降る。私の自宅に近いサセックスのビーチでは、海に浮かぶヨットは日差しを浴びているのに、ワイト島、ヘイリング島、そして私たちのバーベキューの上にはにわか雨が降るのをしばしば体験する。

季節の側面

雨には、季節的側面もある。ほとんどの場所で夏よりも冬のほうが降水量は多いと思うが、夏ににわか雨がひんぱんに降るのは、上昇気流を生み出す地表の加温があり、その一方で、冬は空気が低温なので含まれる水蒸気量が少ないからということも理由になると知って驚く人もいるかもしれない。冬ににわか雨をもたらす雲は、夏のそびえ立つ雲と比べると厚みがなく、水をあまり含まない。

多くの場所で、にわか雨と地雨の違いは、雨の季節的特徴に起因する。月別の降水量の値だけを見て、その地域の「雨の降りやすさ」を推定するのは危険だ。たとえば、Aという場所がBに比べて8月の降水量が半分というデータがあれば、バケーション地は絶対Aと思い込んでしまうかもしれない。しかし、Bでは雨の日がAの半分しかないとしたら？　土砂降り5分間の降水量は、しとしと雨であれば何時間ぶんだ。一部の高地、木の生えた丘、海岸線に近い街などは、いつ終わるともしれない霧雨で有名であり、降水量だけに頼った判断は間違ってしまう可能性がある。マイアミの降水量はシアトルの1・5倍。しかし日照時間もシアトルの1・5倍近いのだ。

熱帯地方は、ざっと降るにわか雨と晴天のコントラストで有名だ。旅行業界で、雨季の最初と最後がお買い得シーズンというのはよく知られている。1時間か2時間ほどにわか雨が降る以外は一日じゅう暑い晴天というパターンに問題がなければ、お買い得な旅ができるのだ。降水量データだけを見ると心がどんよりしてしまうだろうが、現場での体験は数値とまったく違う。

雨粒の分析

層雲と積雲において、雨粒が大きければ、それだけ雲も厚くなる。これらの雲の中における雨のでき方は異なる。層雲では「暖かい雨＝暖雨」のプロセスが進行する。大きな雨粒が生まれるためには、何百万もの微細な雨滴が互いに衝突してくっつかなければならないので、雲の厚みが必要なのだ。積乱雲をはじめとする高さを持つ積雲では、雨粒は凍った「冷たい雨＝氷晶雨」として生まれる。氷の結晶は、その周りの多くの微細な水滴を急速に凝結させて成長する。

もっとも激しい雨は、積乱雲が作る。水が凍結する高さまで立ち上がった雲の中では、浮遊している微粒子（凝結核）を中心に小さな氷の粒が生まれ、それを芯として大きな氷粒ができる。最大級に重い雨粒がびっくりするほど冷たいのは、つい先ほどまで氷だったからだ。高く立ち上がる、こうした過程なしで土砂降りの雨になることは、熱帯地方を除いてはまずない。

雨粒には、物理的に可能な最大寸法というものがある。科学者たちは、私たちが知る必要もない複雑な式を操り、直径6・2ミリを超えると雨粒は分裂してしまうことを発見した。雨粒の大きさに関する、まったく科学的でない私の定義とは「額を湿らせて冷やす」大きさから「鼻の先から垂れる一滴」の大きさまで、というものだ。

大きな雨粒は、たしかにパワーを持っている。物理の原則に照らせば、雨粒の質量と空気との摩擦の比が大きくなればそれだけ終端速度も上がる。わかりやすく言うと、建物の屋上から同じサイズの石球と発泡スチロール球を落とせば、石球のほうがより高速になる。より大きな雨粒は、前述の比が大きいので、速度も上がる。ある雨粒と、それよりも2倍大きい雨粒は、後者の速度が大きくなるので、それがあなたに到達すると、大きく重いものが当たったという実感を持つだろう。たしかにそうなのだが、速度も上がっているので実感は増幅される。大きな雨粒はパンチ力を秘めている。

街・森・断崖が作るにわか雨――繊細な技術へ

雨を大きく2種類に区別し、地形の盛り上がりとの関係を理解したなら、よりニッチなにわか雨のことを知りたくなるだろう。郊外の開けた野原よりも、街や森の真上やほんの少し風下側に、にわか雨は降りやすい。

空気が湿って不安定なら、太陽によって温まった市街地や森はにわか雨の雲を作る。風がなければ雨は街や森に降るだろうが、すこし吹けば風下側に流される。

市街地のにわか雨は、森のそれと類似点も相違点もある。太陽光は、周りの野原と比べて街のアスファルトをより温めるが、都市生活が生み出す熱も追加される。周辺部よりも高温な「アーバン・ヒートアイランド」現象は、太陽光による温度上昇だけでは生まれない。これに関しては、第17章で詳しく取り上げよう。

市街地や森に降るにわか雨には、土地の向きも関係してくる。にわか雨を作るのは、太陽光によって温度が高くなり上昇する空気なので、じゅうぶん地面が温まった午後に降る可能性が高い。丘が多い地方であれば、午後にたっぷりと陽が当たる南から西向き斜面ににわか雨が多いと推定できる。森林と市街地のどちらに関しても、上空では古い雲が消え、同じ場所で新しい雲ができていく。

崖の上も、にわか雨に見舞われることがある。なだらかな丘と違い、崖の面は風を急上昇させ、垂直方向の渦を作る。この渦の最上部で、雲が生まれてにわか雨が起きるのだ。しばしば風は狭

太陽が空港のアスファルトを温め、強い上昇気流を作り出して積雲を生んだ。雲の底部が低いのは高い湿度を示しており、雲の形が空気の不安定さを語る。このあとすぐ、にわか雨が降り出した

い所に押し込まれ、崖や海食洞、海食柱などの地形に沿って吹き上がる。各地にある独自の地形により、特定の場所で雲と雨が生まれる。

これまで説明してきたテクニックを使うなら、初めて訪れる土地でもにわか雨予想を立てることができる。とはいえ、私たちが完全には検知不可能な湿度などをはじめとする変動要因の影響を受け、予想が外れる場合もあるだろう。その風景の中で時を過ごし、関係するローカルな各要素をじっくり観察することで、予想の精度は上がってくる。

この技術をほんとうに磨きたいならば、定期的に訪れることができる、比較的標高の高い場所を探す。四方すべてを見渡すことができるなら、なお良い。私にとってのそんな場所はウエストサセックスのハルネーカー風車あたりで、丘や街、森、島、海岸線などを含む周囲20キロメートルほどを見渡せる。私がこの場所に立って得た、雲やにわか雨の生まれ方に関する知識は、他のすべての場所での学びをしのぐほどだ。

土地の形状と特徴、風、気温、空気の感じなどを考慮に入れて、予報をしてみよう。そして実際に何が起こるか、楽しみながら確認するのだ。ある方向から湿った暖かい風が吹いてきたら、かならずにわか雨が降る場所があることに気づくだろう。にわか雨がまれな場所、気まぐれにやってくる場所も見つかるだろう。指標的なにわか雨があることにも気づくはずだ。ある特定の場所でざっと降っていれば、類似の他所でも同じことが起きていると推定できるパターンである。

8

森を行く探偵

真実の館／林冠の風／救助犬のこと／煙の六形態

トラッキング（動物追跡術）のエキスパート、ジョン・ライダーと落ち合ったのは丘のふもとだった。林における風の動きについて、意見を聞きたいというので連絡してきた人だ。ジョンは、ある謎に取り組んでいた。

私たちは、トラッキングの演習で彼が使うサウスダウンズの、起伏のある林に入っていった。ジョンは、2つある尾根のうちの片方にだけ、ノロジカが横たわって休むことに気づいていた。シカが好む場所も知っていたが、その特定場所を寝床として選ぶ理由はなんだろうと思ったのだ。きっと風に関係があるだろう、とジョンは睨んだ。

鈍い灰色の層雲が空を覆っており、風は弱い。世界じゅうどこであろうが、グレイの空の下、そよ風しか吹いていない林でナチュラル・ナビゲーションを行うのは難しく、繊細な手がかりを求めて神経を集中させなければならない。自分のいる場所を確かめるため、私は立ち止まった。木の色をコンパスとして使えそうだ。せいぜい樹齢50歳ほどの、若いブナが立ち並ぶ林の中に、私たちは立っていた。北と南にある木とのコントラストを際立たせるのにじゅうぶんな光が差し込んでいた。

南を向くと、木はとても緑色が濃く、北を向くと木は「クリーン」な感じに見えた。木の北面は、南から当たる光の陰になるので日中でもすこし湿っており、そこに藻類が繁殖する。木の南面は、色の薄い地衣類がちりばめられるおかげでクリーンな外見になる。

信頼できるコンパス情報を入手できた私は、次に林冠の隙間から雲を見上げた。均一な灰色をした毛布でも、じっくり見ていると違いがわかってくる。つねにちょっとした差異や色合いのずれがあり、線でざっくりと分かれる2色のグレイ、上下で色の違う雲とでも言おうか。見つかったパターンは、雲が流れる方向を推定するのにじゅうぶんだった。

雲の形はぎざついており、下側が不均一なので雨が降りそうだと思った。四方に広がるライトグレイは、降るにしても霧雨程度だろうと教えてくれる。雲の高さを確認し、それに変化がないか観察してみようと思った。木立の中では難しそうだったが、奥深く分け入る前、遠くのなだらかな丘の上に雲の下側が見えた。

道は林の奥深くまで続いており、私とジョンは嵐で倒れた木を乗り越えて進んだ。最近の突風で倒れたこの木は、巨大な方位磁針だった。この地域にある他の倒木と同じく、根元が南西、先が北東を向いている。英国で嵐が吹くのはこの向きだ。林道は曲がり、枝分かれしているので、私はひんぱんに後ろを振り返った。道が曲がったら、そこで振り返るのは良い考えである。ルートを別の見地から把握でき、頭の中で整理がつく。科学的な根拠があるかどうかわからないが、いま何が起こっているのかを脳のまったく別の部分で認識させることができる気がするのだ。前方の道すなわち未来と、後方すなわち過去は、脳によってへだてられているだけかもしれない。人生という旅において、ほんとうに大事なのは未来と現在である、と賢人は言う。しかしナチュラル・ナビゲーションにおいて、良き未来を望むなら、過去を完全に忘れてしまわないほうが良いのである。

真実の館

私たちは林道を外れ、丘の急斜面を登った。やがて出てきたのは、私がなかば本気で「真実の館」と呼ぶ場所。目はあちこちに誘われたが、まずは枝の形を読むことにした。シラカバの木の、上のほうについた枝が南のほうにぐいっと曲がっているのに、下のほうは曲がっていないという対比に着目。土地が光に影響するという、興味深い実例だ。私たちはいま、高い木が生えた北向きの急斜面にいる。木の高い所は、南から光が当たるので、枝もそちら側を向く。同じ木の下のほうは、枝がつねに陰になっているので、この傾向は示さない。

高い位置の枝から枝へ、私の目がオランウータンのように跳ね回っているとき、ジョンの視線は足元に貼りついていた。彼は、アナグマが葉をのけ、エサを求めて地面を掘った場所を指さした。このあからさまな形跡の近くには、もっと可愛いサインもあった。ジョンは体をかがめ、地面の色が微妙に変わっている場所を示した。薄茶をしたシラカバの枯葉には、スモモほどの大きさの暗色部ができていた。シカの足跡だ。その近くには、丘を下ったその動物のたどった道があった。

数多く存在するその他のサインと同様、言われてみればはっきりとわかるが、高い枝と雲ばかり見ていた私は、足跡を見逃していたことだろう。軟らかい泥についたシカの足跡は、話しかけてくるようなもので、集中していなくても見つかるが、ジョンは私がそれまで意識していなかったことを教えてくれた。体重がありながら足の小さい動物、たとえばシカは、葉を踏んでその向きを変える。シカの踏み跡は葉が立って空を向くが、重力は決してこのような形を作らない。自然に落ちた葉は、立ちはしないのだ。数多くの手がかりと同じく、この理屈は単純で議論の余地がない。私の周りに積もった落ち葉の間から、輝くような足跡が見えてきた気がした。ピンクのペンキでつけられた足跡のようだった。

　数分の間、私とジョンは自分たちのお気に入りのサイン、論理的な妥当性を持ちながら大きく異なる記号に集中した。異分野の専門家といっしょに歩くとき、幾度も起こってきた気持ちが再燃した。見つけ出し、意味を探れるサインがまだこれほど存在するとは、という感動。また、私がどれほどのものを見逃してきただろうという恐怖！

　その感動と恐怖を受け入れるため、私は「真実の館」という考え方をしている。自然界の知恵と真実は、大邸宅にある巨大なテーブルに広げられている。私たちは、邸宅に入ることを許されない。私たちは自然の中に出て行くとき、テーブルの上に何がのっているのか見定めようとする。邸宅の近くまで忍び寄り、窓を見つける。テーブルはとても遠いが、手前にあるものくらいは見える。いったん引き、家の反対側に回ってまた窓から覗く。同じものを別の角度から確認できるが、新しいものもいくつか発見できる。テーブルを完全に見渡すことができる窓はないが、それぞれ異なった窓から何かを学ぶことができ、次第にテーブルの上にのせられたものの関係性がわかってくる。これは巨大な三次元ジグソーパズルであり、運が良ければ私たちはさまざまなものを目にして、全体像が推定できるようになるだろう。

　光、風、雲、木の形、葉の角度、アナグマの挙動、シカの足跡……これらは、私たちふたりがその日、いくつかの窓から覗いたテーブルの上にあったものだ。

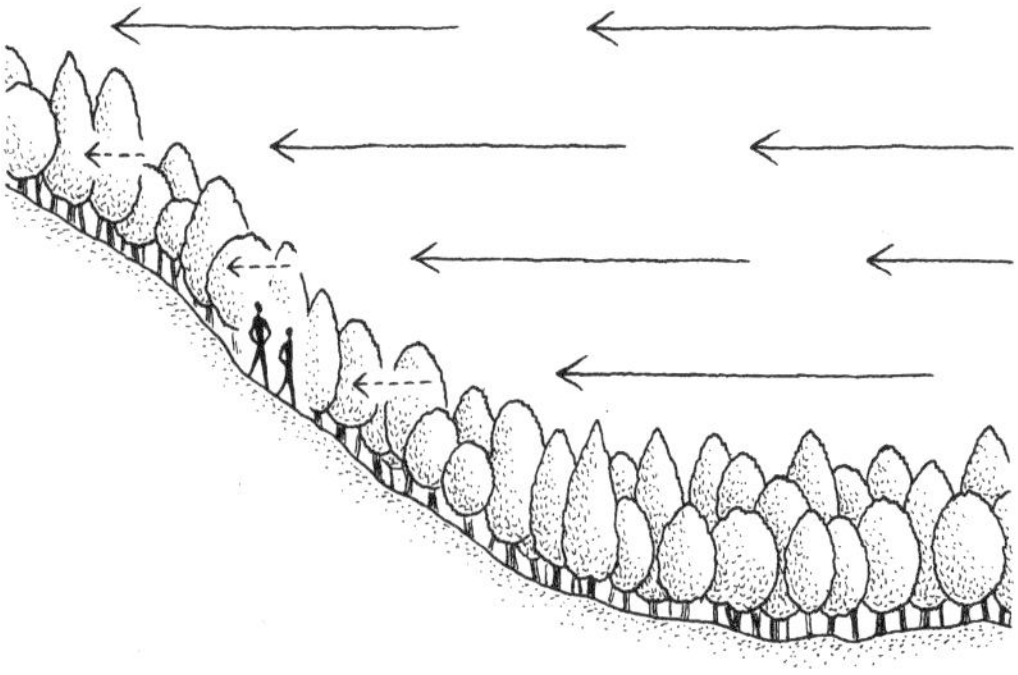

林冠の風

林冠の風

丘のふもと、風裏になっている場所では、まったく空気の動きを感じないことがあった。実際に動いていないのではなく、私たちに感じられないだけだ。広大なサバンナで動物を追跡するトラッカーであれば、粉や灰をそっと吹いて空気の動きを観察しただろう。仮に私とジョンがそれを行ったとしたら、空気はつねに動いているという事実を追認できたはずである。

斜面を登り、大きなイチイの木が威嚇するかのように暗く枝を広げている所を通りすぎると、とたんに微風を感じた。心地よい感覚だ。厚い雲の下で森を行くとき、安定して吹く風はナチュラル・ナビゲーターにとって肩を抱いてくれる友のようなもの。足を止めて感覚を研ぎ澄ませ、と伝えてくる。そうすればまた別の腕が伸びてきて、長い指で行き先を示してくれるだろう。

ジョンに風を感じるか聞いてみると、もちろんと言う。私たちは、心の中に持つマップの重要パーツである空気の動きにとても敏感である。上りと下りを繰り返す歩きの中で、私は風の向きと特徴、強さを観察し、それを作り出しているものを見つけた。

高度が上がると、地表との抵抗が減少するので風は強くなるのが理屈だ。しかし、私が急に微風を感じるようになった事実には、それ以外の理由がありそうだ。風景の中にある何かとつながった理由。微風が出現したまさにその場所に立ち、広く見渡して風のマップを確認する。いまや私たちは、主要な植生部より高い所に来ていた。風がやってくる北東の向きを見ると、たしかにイチイやシラカバの木がところどころ突出してはいるが、私たちの立ち位置はすでに林冠の上。だから風が私たちに当たったのであり、偶然などではない。私たちは、別の風域に入ったのである。

最初のシカを目にしたのも、それからあまり時間は経っていなかったときだ。大きな群れだった。知らぬ間に何十頭ものダマジカがこちらを見ており、下生えの中を散らばって逃げていくときはひづめが枝を折る音が聞こえた。しかし1頭の雄は自分の位置から退かず、数分間にわたって私たちのほうを見つめていた。私たちが彫像のような静止ポーズをやめると、その雄はイチイの下を通って森に溶けるように逃げていった。

なぜ尾根のその場所を食事場所に選んだのか、理由がわかるかもしれないと思い、シカがいた場所まで行ってみた。大好きなキイチゴの葉を食べていたようで、かじった跡がそこらじゅうにある。太陽の光がよく当たる伐採地にキイチゴはよく生えるが、コタニワタリというシダの一種も、何十株という単位で育っていた。ワラビなどをはじめとするシダ類は、通常ちいさく枝分かれした葉を持つのだが、コタニワタリは細長い単葉が特徴だ。石灰岩の丘の頂上で、ブナに囲まれて生えているのはちょっと奇妙だ。かつて森林だった場所をはじめとして湿った土壌を好む植物だが、この丘の上はそれにあてはまらない。謎は解けないが、ナチュラル・ナビゲーションに使うことができると思い出したのは良かった。太陽がよく当たる場所では薄い黄緑だが、日陰では色が濃くなる。つまり南向き斜面では色が薄く、北向き斜面では色が濃いのだ。

再び枝が折れる音が聞こえ、伐採地の反対側で6頭ほどのダマジカが姿を見せた。私たちふたりは、くさびを打ち込むように大きな群れを割ってしまったようだ。シカは私たちを遠巻きにし、仲間たちと合流するだろう。どっちで？　彼らは風に向かって駆けていった。

　シダとキイチゴの中に立つ私たちは、シカがそこを選んだ理由をまだ考えていた。パズルの大きなピースは、すでにはまっていた。森に囲まれた丘にある伐採地は、食事の場所としては良いものだが、それはジョンもすでに知っていたこと。なぜこの丘が選ばれたのだろうか？　私が思いつく唯一の理由は、駐車場の風下側に位置していること。人やイヌのにおいは、同じ高さを流れる風に乗って、伐採地にいるシカの所まで運ばれるのだ。シカの体は高さがあり、脅威をなす動物（人やイヌ）のにおいに敏感である。しかし私たちは、それが本当の原因かどうかわからなかった。邸宅のテーブルを覗く窓は、もっとたくさんあるのだ。

救助犬のこと

　人やイヌのにおいがシカのもとまで届くことについて私たちは意見を交わしたが、その流れで、救難隊員と救助犬のすばらしい能力について話が出た。ジョンは、聞いた覚えがあるが奇妙にも思える話をしてくれた。救助犬の使い方と天気の手がかりの求め方には、類似したところがあるという。

　救助犬のハンドラーとしてエキスパートと言える人たちは、とても微細な風や天気の手がかりも拾い上げようとする。雲やごく弱い風の読み方ひとつで、人の命が左右されるかもしれないからだ。救助犬がたどる、見えないにおいの道のことを想像できるなら、風やたなびく煙の見方が大きく変わってくるはずである。

救助犬ハンドラーの状況の読み方は、私たちがこれまで見てきたものとあまり変わらない。放熱、加温、冷却、逆転層、層流、乱流、上昇気流、反転気流などを考慮する。救助犬の検知感度と能力は私たち人類のそれを大きくしのぐので、救助犬ハンドラーの行動をそのまま採用することはできないが、まずは基本から見てみよう。状況にもよるが、鼻の利かない我ら人類にも活用することができるかもしれない。

遭難者が出たと仮定してみよう。丘の中腹で、意識を失った状態にある。向きの安定した風が吹いているとするなら、遭難者のにおいを拾うためには風下側に位置しなければならない。具体的には？　救助犬もハンドラーも、具体的にどの位置に行けばにおいが流れてくるかは予想がつかない。風下へイヌを誘導するのは意味がないが、風上にまっすぐ歩かせるのもあまり有効ではない。においの流れと平行に歩くと、拾い上げられない可能性があるからだ。唯一論理的な方法は、風向きと直角に歩いて探すことである。

砂漠は乾燥した苛烈な環境で、においの量がとても少ない。強いにおいであればどんなものでも突出し、人間でもかなり拾うことができる。どのような砂漠であっても、風と直角に歩けば、どこかで煙のにおいを拾うことができるはずだ。その位置から風に逆らって歩けば、焚き火の前に座っている人を見つけ出せる。

ここまではわかりやすいだろう。しかし、正しい位置に到達した救助犬でも、遭難者のにおいを簡単に拾える場合と、まったくできない場合がある。人間は、1分間に4万個もの微細な皮膚片をまき散らすらしく、それは手がかりとしてすばらしい。その皮膚片の一部は地面に落ちるが、風に乗るものも多い。そして救助犬の嗅覚をもってすれば、その皮膚片のにおいを嗅ぎ分けるのは簡単だ。人により、そのにおいは違う。最高の感度を持ったイヌは、一卵性双生児の違いを嗅ぎ分け、症状が出る前に病気のことがわかるという。

遭難者のにおいを運ぶ空気が救助犬の鼻に入ったなら、もう大丈夫。頭の中にある大きなネオンサインが点灯し、遭難者へたどりつくだろう。しかし、空気が鼻に入らないとしたら、手がかりは皆無だ。救助犬は、においの流れを見つけ出すまで、風を横切る方向に進まなければならない。

三次元性のことも頭に入れておかなければならない。においは、時に地面を這うように流れて救助犬の鼻に到達する。しかし、高く巻き上げられてイヌの鼻に入らないこともあるだろう。においの流れを見つけ出し、たどっているとそれが突然なくなり、また出現するという繰り返しもあり得る。ハンドラーは何が起きるか予測を立て、においが途切れた場合は救助犬をどこに導いて探させるのか、判断しなければならない。

芸術と呼べるほどの洗練度で、太陽、土地、雲、風を読むのだ。ハンドラーの技術を理解し、まねようと思うなら、嗅覚ではなく、私たちが備えるもっとも強力な感覚、すなわち視覚を活用しなければならない。煙は、空中を漂う人間の皮膚片と同じような動きを示す視覚的マーカーとして活用できるので、肉眼で空気のひそやかな動きを追うことが可能になる。

煙の六形態

もっとも単純で、示唆に富んだパターンから見ていこう。風は微風、大気の大きな動きもない。煙は風下側へ、安定して四方に広がりながら流れるだろう。このパターンを「錘型」（コーニング）の流れと呼ぶ。錘型の煙は何を意味するか？　大気が安定した状態でしか生まれず、上昇気流で乱されていないということは局所的な地面の加温も起きていない。また、夜間に放射冷却で極端に地面が冷えたということもない。錘型の流れは、おもにべた曇りの空で、昼夜を問わずに発生する。救助犬が活動するにはすばらしい条件だ。

この段階で、雲に切れ目ができて太陽が覗いたとしよう。次に何が起こるかを想像するのは難しくないだろう。局所的な温度上昇が起こり、上昇気流が発生し、大気が不安定になる。空気が上昇する場所と下降する場所ができてくる。煙はジェットコースターのようにあおられ、「ループ型」（ルーピング）の流れができる。

逆に、大気がすばらしく安定していることもあるだろう。冷気の上に暖気がのる、温度逆転が生まれた場合などだ。逆転層に当たった煙は上昇も下降もせず、その高さで上から見ると三角形に広がっていく。これを「扇型」（ファニング）の流れと呼び、晴れた夜の翌朝などに起こりやすい。扇型に流れるにおいは、その発生元よりも低い位置にいる場合、鋭い嗅覚の救助犬も拾い上げることはできない。

朝の温度逆転状態は、ふつう長くは続かない。太陽が地面を温めると空気の対流が始まって風が起こり、各層が混ざって、しばしばループ型の空気の流れができるが、日の出のあと、扇型とループ型の間のおもしろい現象が起きることがある。低い太陽は地面をゆっくりとしか温められないので、地表近くは若干の不安定さが生まれるが高い位置では安定したままだ。つまり大気の最下層で部分的なかくはんが起きるのみ。煙は上昇することができないが、地表近くまで沈み込んで混ざることはできる。逆転層が作る「見えない天井」と地面にサンドイッチされ、下降して均等に広がる。これを「いぶし型」（フューミゲイティング）の流れと呼ぶ。救助犬もにおいを拾いやすいが、とても広く拡散しているのでそ

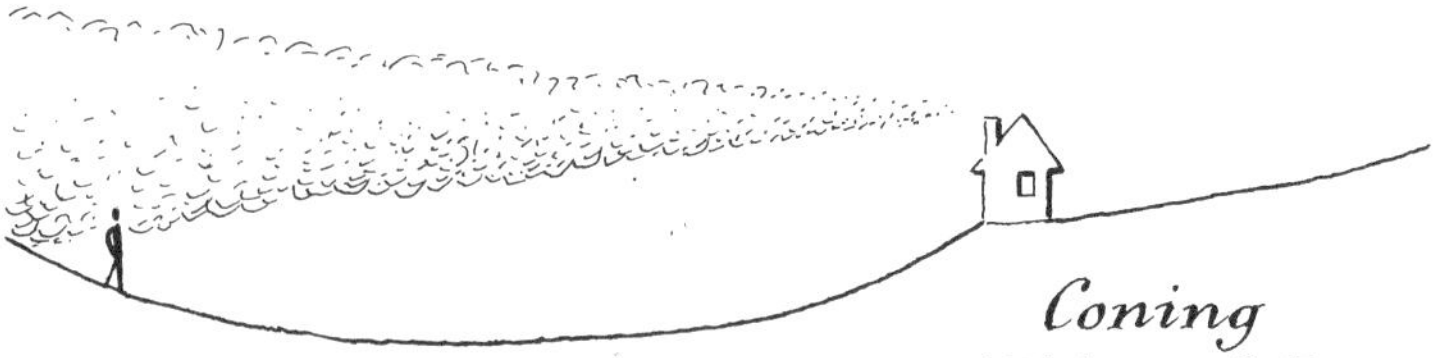

Coning
錘型（コーニング）煙

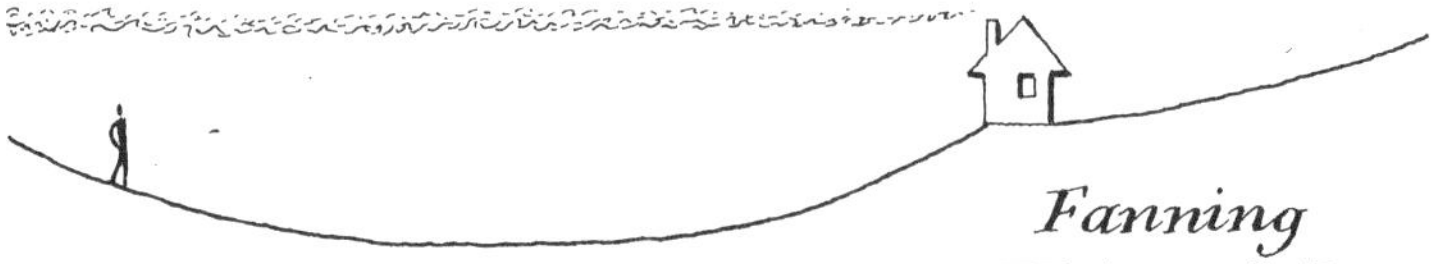

Fanning
扇型（ファニング）煙

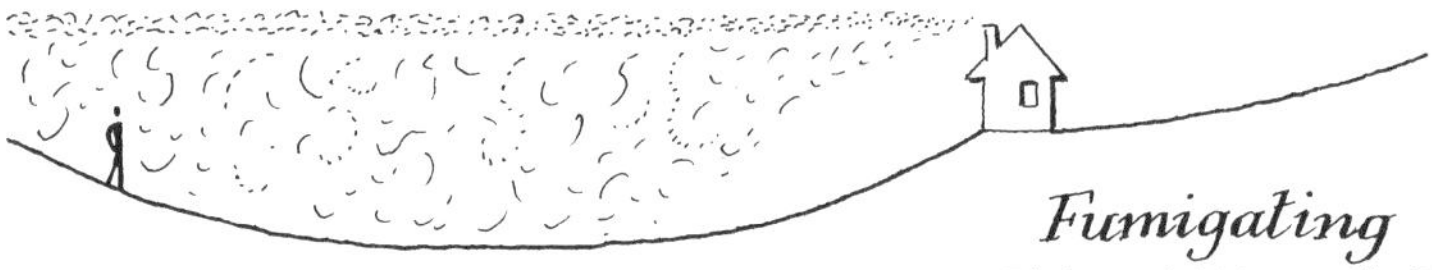

Fumigating
いぶし型（フューミゲイティング）煙

Looping
ループ型（ルーピング）煙

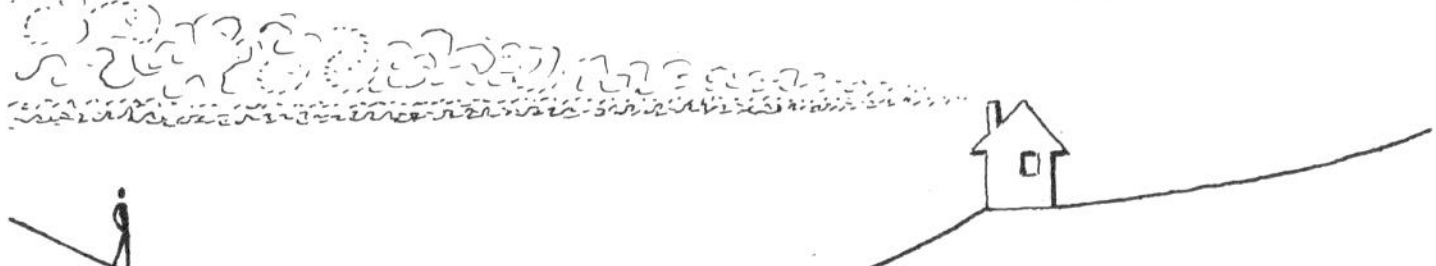

Lofting
屋根型（ロフティング）煙

Pooling
溜まり型（プーリング）煙

の源を特定するのは難しい。

晴天の日没後は地面から熱が放散し、地表近くに低温の安定した空気層を作るが、その上の空気層は上昇傾向を保つ。これにより生まれるのが「屋根型」（ロフティング）の流れであり、「いぶし型」の逆。煙は立ち上がって広がるが、見えない床に当たった後は降下できない。この状況下で救助犬がにおいを追うためには、高い位置を保たなければならない。

雲があまりない日中、太陽は上昇気流の発生ボタンを押すので、大気は安定状態から不安定状態に移行していくことが想像できる。変遷は煙の流れるパターンにも反映され、最初は扇形、つぎにいぶし型、ループ型へといたり、最終的には屋根型に落ち着くのである。

ほぼ無風状態の場合、煙は地形の中のもっとも低い場所へと流れ込むことがある。これを「溜まり型」（プーリング）の流れと呼ぶ。におい追跡のためには使えないものだ。救助犬はにおいの存在を察知するかもしれないが、風がないことにはソースとのリンクが切れてしまうのだ。

煙の流れは、空気の大きな動きがもたらす影響とともに、きわめて局地的な影響ももちろん受けることになる。障害物に当たると反転流が生まれ、木や建物を通り過ぎると持ち上がり、強烈な上昇気流に接触すると跳ね上がる。

私とジョンが森を歩いたときは、錘型の煙ができる条件だった。ダマジカたちが私たちのにおいを察知するのはまったく簡単で、彼らが駐車場の風下側にある尾根を選んだのも納得できた。反対に、風上側にいる人間のにおいを拾い上げにくい条件もあり、そんな日は手で触れるほど近づけることもあるのだ。

私たちは、右頬に風を受けながら斜面を下り、車へと戻った。これから皆さんも、においや煙を認識したら、自分の中にあるイヌの嗅覚を呼び覚ますことができるだろう。

9

雹と雪

長続きしない降り／晴天の雪／雪の結晶／降雪の保証／気温上昇のサイン／積雪の法則／反抗雪丘／スノーライン

空から降ってくる雨、雪、霙《みぞれ》、雹《ひょう》などは、私たちに話しかけようとする。中でも雹はわかりやすい。すべて積乱雲由来である。雹が降ってきたり目に入ったりしたなら、嵐の雲が頭上にあり、大気はとても不安定で、落雷の可能性がある。

雹は、雨粒が持ち上げられ低温になって凍ったものだ。最初に小さな氷の粒ができ、次第に成長し、重力によって落ちる。もし下降の途中にまた持ち上げられることがなければ、ゆっくりとした地面への旅の途中で解け、水に戻るだろう。しかし積乱雲の中では気流によって下降が中断され、もういちど高く持ち上げられて徐々に成長することがある。こうして、雹の子供が誕生するのだ。以前よりすこし重くなった塊はまた落ちはじめるが、上昇気流の強さによって、落下が継続するか、再び上昇して、このサイクルを繰り返し大きく成長するかが分かれる。

つまり、雹の大きさはこのストーリーの重要な点なのだ。大きければそれだけ、積乱雲の中の上昇気流が強いこと、大気が不安定なこと、雷を伴う嵐が続きそうなことを知らせてくれる。重さ約1キログラム、直径20センチメートルにまで成長することがあるが、そんな巨大なものは、上空の積乱雲がとても強力である証だ。塊の大きさに驚いて屋根の下に駆け込む人がほとんどだろうが、頑張って外に居つづけても、じきにやってくる嵐には耐えられまい。

雹の色にもストーリーが封じ込められている。積乱雲エスカレーターに乗っていたということは、上部の冷たい場所から底部の暖かい場所まで下り、また上がるというサイクルを繰り返したわけだ。積乱雲の頂点付近では、氷の中に空気が封じ込められるため乳白色の層が生まれる。雹が雲の中を下って底部にいたると、周りに水がついて、やがて凍結する。この氷はほぼ透明だ。これを繰り返して付着し大きく成長した雹は、断面がタマネギのような層状をなす。それは、雲内の旅を記録したものである。

雹はかなり形が揃っているが、地面に落ちたものを見てみると奇妙な形のものも混ざっているだろう。観察してみると、２つないしそれ以上の雹が合わさって独自の形にいたったことがわかる。

長続きしない降り

ついこの間、親子クリケット試合のお膳立てを手伝った。私の息子と友達連中がチームを作り、父親軍団と対戦するのだ。８月末の話である。天気予報はとても悪かったので、試合は中止だと思った人も多かった。しかし私たちは、予約したクリケット場ではなく、ビーチで試合を強行した。

冷たい突風が吹き抜け、雹もときどき降ってくる中、私たちは3時間にわたってゲームができた。砂浜に雹がぼたぼたと落ちると、子供と父親たちはあたりを見回し、誰かに「ゲーム中止！」と言ってほしいようだった。しかし私は「すぐにやむから大丈夫！」と言い続けた。

雷は心配だったので警戒を怠ることはなかったが、雹だけであれば短時間の現象なので逃げる必要もないとわかっていた。

喜ばしいことに、私たちは無事ゲームを終えることができた。雹によっておしゃかにされなかった、楽しい日だった。13歳の少年たちの父親は、クリケットで勝てるのはこれが最後だとわかっていたから、何ものにも代えがたい記念である。

雹を作るのは積乱雲だけであり、それは独立した存在。つまり決して長く降らない。見渡す限り一面の雹ということはないのだ。地面にきれいな氷の球が落ちてきたなと思ったら、もうやんでいる場合も多い。一日のうちに何度か雹に襲われることはあるかもしれないが、積乱雲は基本的に単独行動だ。もしあなたが荒天を避けられる軒下にいるとして、雹の降る中を駆け出していくべきか数分間待つか、どちらにしようと思っているなら、後者が賢明だ。

雹が降るとき、積乱雲の周辺では天気状況が大きく変化する。塔にも似た黒雲が頭上に迫ると、光量は落ち、突風が吹き、視界も急に悪化する。20分後、氷のペレットで覆われた地面に立つあなたは、戻ってきた日差しの中で、黒い怪物が風下へと冷たい荷物を運んでいくのを目にする。雹は、芝居がかった天気現象と言えるだろう。

去っていく雲を見送ったら、反対に目をやるのもよい考えである。雹を降らせる積乱雲が1つ通ったということは、他にもできていると思ったほうが良く、それを俯瞰できるのはすきまにいるときだけである。高く成長する雲のすきま時間は、状況を見渡し、こちらに向かってくるモンスターがいないか確認するタイミングである。

晴天の雪

頭上は青空なのに雪が降ってきて、驚いた経験が皆さんにもあるかもしれない。あたりの地面にも雪が落ちてきているが、見上げると雲はあるものの頭上にはゼロ。

大きな雨粒は小さなものと比べ、質量と空気抵抗の比が大きくなるので、終端速度は上がる。軽くて空気抵抗が大きな雪の結晶はその逆だ。水分でできた羽根のようなもので、落下の旅は長時間かかるため、それを生み出した雲がはるか遠くに流れ去ってしまってから地面に到達することがある。

雪は、風によって長距離を飛ばされることもあり、山岳地帯の強風域では数キロメートルにいたるほどだ。また、雪が地面に到達する前に消えてしまう雲もある。青空が雪を作り出すことはないが、青空の下にいる私たちの頭上に雪が降ることはある。雪を作った雲が舞台から立ち去ったと考えれば良い。

雪の結晶

雨と同じく雪も、層雲からはさらさらと、積雲からはどっと降る。後者の場合、ほとんどが積乱雲由来だ。にわか雪は強く降ることが多いが、間に晴天がはさまる。

雪の大きさは、気温の手がかりだ。大ざっぱに言うと、結晶が大きければそれだけ気温も高い。難しくない理屈だ。低温の空気でできる雪はすべて氷の結晶からできており、べたつかない。それに対し、表面に水が薄くついた氷の結晶はべたつく。気温が高くなって結晶の末端に水ができると、それが接着剤の役割を果たして雪がまとまってしまう。１つの雪が大きく成長するのだ。

降る雪が小さくなっていくのは、気温が下がっていくサインだ。大きくなっていくのは気温が上がっていることを示し、降雪もじき終わると予想できる。広域で降る雪のほとんどにあてはまることだが、にわか雪に関しては例外としなければならない。積乱雲から降る雪は重力によって仕分けを受け、雨と同じく、相対的抵抗が小さな重い雪のほうが先に落ちてくる。つまりにわか雪の場合、徐々に雪が小さくなってからやむのである。

雪の形は肉眼では確認しにくいものだが、均一性の美がある。天気には、顕微鏡レベルに始まる全スケールにおいてパターンと意味が存在するとわかれば心安まることもあるかと思うので、ここでも簡単に触れておきたい。

雪の形は、気温と大気中の湿度によって細かな影響を受ける。そのいずれかが変化すれば、結晶のでき方も変わり、生じる雪もずいぶんと違ったものになる。たとえば、気温は安定していても湿度が上昇した場合、結晶は六角柱から中空柱に、そして針状になる。湿度が一定で温度が低下したら、針状結晶は樹枝状結晶となる。

きわめて複雑に入りくんだ美しい結晶は、狭い湿度帯・温度帯でしか生まれない。雲のある部分でシンプルな形が作られ、その結晶が条件の異なる別の場所に移動して新しい形が追加される、ということもある。細い柱状結晶の両端に、幅のある「帽子」がつけ加えられる、などだ。低温の部屋で顕微鏡の助けを借りるという前提だが、理論的には、一片の雪を構成する異なる結晶をこまかく分析し、雲の中における旅をたどることさえ可能である。

降雪の保証

雪はもちろん夏より冬に降りやすいものだが、２つの理由により、真冬よりも初春のほうが降雪の可能性は高くなる。まず、海も陸地も、真冬よりも晩冬や初春のほうが冷えていること。次に、降雪は暦よりも空気塊の性質によるところが大きく、冷え切った大陸の上を通過して寒気がやってくるのは初春に多い。冷たい空気塊がやってくれば6月でも降雪はあり得るが、暖かい空気塊の中で雪が降ることはない。

雪が降るかどうか、降るならいつなのか、正確に予測するのは困難だ。雨の条件がすべて整っていることに加え、温度面の要求も厳しい。雪はほんとうに温度に敏感で、何度か違うだけで降雪の可能性、量そしてタイプが異なってくる。標高が１００メートル違うだけでまったく状況が変わるのだ。正直に言うと、広い範囲で降る均一な雪か、にわか雪かを予測するくらいが限界の場合も多い。想像できるとおり、広域の雪は何時間も続く可能性が高く、にわか雪は断続的でどさっと降る場合もある。いずれのタイプも雨と同じく、雲の山の越え方に大きな影響を受ける。

雪が温度に大きく左右される事実は、別の側面からも確認できる。多くの場所において、まさにそこに雪が降るかどうかを予測するのは困難を極める。温度が1度高すぎる、あるいは低すぎるだけで変動するからだ。しかし山岳地帯ではそれを逆手に取ることもできる。そこには、標高に連動した温度差があるからだ。あなたがいま立っている場所は、降雪にはやや高温なので雨になったとしても、標高が１００メートル高い地点では雪が降るし、その逆もある。低地では、ジグソーパズルのピースが雪を示すかどうか、私たちは確かめようとする。しかし高地では、降水が迫ってきているとわかったなら、雪は必ずどこかに降る。標高差だけの問題なのだ。

気温上昇のサイン

極寒の気温と降雪は、ふつう同時に起こらない。前述のとおり、厳しい冷え込みは、高気圧圏内で空に雲がない夜から明け方に起きる。完全に晴れた空から雪が降ることはない。

冬、冷え込みのあとに気温が上がると、雪がやってくる可能性が高い。英国に伝わる古いことわざ「氷風がぬくもると雪嵐に用心」も、同じことを言っている。理屈から外れているように思えるかもしれないが、天気の踏み石をたどっていけば見えてくるだろう。気温が上がるのは地上に雲があるとき。晴れから曇りになるのは前線の到来を予告。前線は雨を降らせる。冬の雨は雪に変わる可能性を秘めている。あらゆる前線の場合と同じく、雲の種類の変化と風向きの移り変わりに注目しておけば、雪嵐への心構えもできるというものだ。

積雪の法則

積もった雪は、降る雪とは違うものとなっているわけだが、そこにもパターンの世界が顔を覗かせている。雪はなぜここに積もっていて、あそこにはないのだろう？　雪が地表に積もるには、そこがじゅうぶん低温に保たれていなければならない。前に見たように、地面はいくつかのやり方で（おもに上からと下から）温められる。雪は温度に敏感であり、多くの面で霜と似ているが、独自の特徴をも備えている。

雪は土よりも草の上に積もりやすいが、それは土のほうがより高性能な熱伝導体で、下からの熱をよく伝えるからである。舗装面はさらに良い伝導体なので、雪には厳しい。橋や高架は、地面からの熱が伝わらないから、近くの地道よりも雪が積もりやすい。橋の手前に「凍結注意」との標識があるのは、そういったわけだ。また、陸上にある高架よりも川に架かる橋に雪が積もりにくいのは、川の上にある空気が水によって温められ、上昇して橋を加温することが理由である。

暗い色の路面は、曇りの日ですら、草や土より太陽熱をよく吸収する。走行する自動車も路面の温度を上げる。より色の薄い歩道のほうが、自動車の通る道路より早く雪が積もりはじめるのはそれが理由で、橋の上ならなおさらだ。

雪が積もりやすい場所には順番があり、車道に雪が積もりはじめたなら、その両側はすでに厚い層ができていると思われる。

雪の大きさは、積もったあとのふるまいにも影響する。端に水の部分を持つ大きな雪はべたつくので、地面に積もれば他と一体化しようとする。地面がじゅうぶん低温なら、そこに留まるだろう。小さな雪は乾いており、べたつかないので降り積もったあとにも風で吹き飛ばされることがある。皆さんも、ちょっとした風で動き回る、発泡スチロールくずのような雪に遭遇したことがあるだろう。

反抗雪丘

風が強く、乾いた雪が積もっている状況なら、風景の中に新しいパターンが生まれはじめる。風が乾いた雪を動かし、障壁に当たると、そこに吹きだまりができる。

吹きだまりを読むにはテクニックが必要だが、探すべき形状を知っておけばやりやすくなる。私の著書を読んでくれている人なら、1つの形に関する知識を持っているだろう。風は、波、砂丘、雪などに

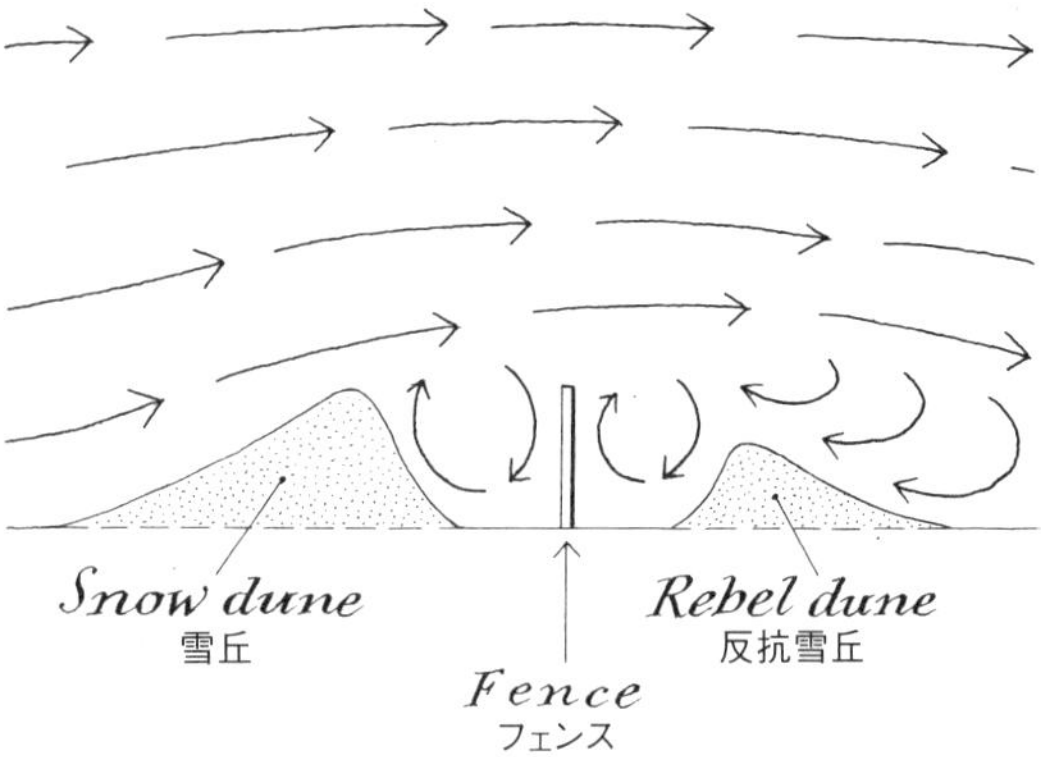

同じような形を刻む。いずれの場合にも、緩斜面と急斜面を持つ丘ができるだろう。風上側が緩斜面、風下側が急斜面だ。砂や雪の場合、丘の高さは数センチから数百メートルないしそれ以上にまで成長することがある。

　そのような丘を見つけられたら、セットとなっているものがないか探してみよう。フェンスや生け垣など、陸から垂直に立ち上がる障害物があれば、私が「反抗丘」と呼んでいるものが生まれるのだ。

　風景の中を吹き抜ける風は法則どおりに、風上側が緩斜面、風下側が急斜面となる丘を作る。その風がフェンスなどの障害物に当たると、一部の向きが変わる。障害物の風下側には、風の本体と逆に吹く反転流が生まれるのだ。この反抗的な風は飛ばされた雪を集め、独自の丘すなわち「反抗雪丘」を形成しはじめるだろう。その向きは、障害物の風上側にできる「雪丘」とは逆。どんな場合にそれができるか納得できれば、まず大きなものが見えてくるだろうが、忍耐深く探せばずっと小さなものも目に入ってくる。私はいままでに、小石、わだち、凍った馬糞などの風下側に、ごく小さな反抗雪丘を見つけたことがある。

　山岳地帯の雪は、つねに動いている。吹きさらしの所と風から守られている所が急な斜面に混在する環境だ。吹きさらしの場所に降った雪は風によって運ばれ、重力によって落ちながら風裏に積もる。雪が解け、再凍結して氷となり、氷河に成長して谷底にへばりついたとしても、動きは止まらない。

冬季、高地で風が通りぬける場所では、岩や地面の盛り上がり、やぶなどの風下側に雪の吹きだまりができる。春になればそれは解け、地面が湿る。山岳地帯は乾燥している場合も多いが、吹きだまりが作る湿ったポケットは、春の草花によって活用されるのだ。

スノーライン

雪が積もっている場所と積もっていない場所の境界であるスノーラインは、うねるように山を取り巻く。斜面の向き、季節、気候などによって形作られるものだ。たとえば南斜面では同じ山でもスノーラインが上がるし、温帯と熱帯の山を比べると後者のスノーラインははるかに高くなる。南極大陸ではスノーラインが海に接しているが、熱帯地域では何日も山を登らないと雪に出会えない。また、微気象にも左右される。温度の高い風が地形によって絞り込まれるような場所では、雪が解けてスノーラインに深い刻みが入る。

北欧のラップランドなど、雪が多く遮蔽物の少ない場所に生えるパインなどの木は、通常と異なる枝の生え方が雪と木の関係を物語る。雪より上にある枝よりも、雪に埋もれた枝のほうがずっと恵まれていると言えるのは、前者が冬の強風と吹きつける氷の厳しさに耐えなければならないから。夏に見ると、1本の木にくっきりとした層状の違いが生まれているのがわかり、太く健康な下方の枝が雪の深さを教えてくれる。

木の皮や岩に色を加える有機体が、雪の深さを知る手がかりとなる場合もある。山の人たちは何世紀にもわたって、木の表面に生える地衣類がスノーラインを厳密に守ることを知っている。そんな地衣類でもっとも有名なのが、ヨーロッパダケカンバの樹皮に生えるもの（*Parmelia olivacea*）だ。これは科学者たちが注目しはじめて１００年ほどになるが、山の人たちはずっと前からその特徴を理解している。

　山に自生する植物の多くが、雪の毛布を活用する。雪は熱の放射を防ぎ、表面近くに蓄える。「雪の下のトウモロコシは、毛皮のマントを着た年寄りのように幸せだ」とロシア人たちは言う。ポーランドとベラルーシの国境にある壮大な原生林、ビャウォヴィエジャの森では、木の幹に巻きつくツタが雪の平均的な深さを伝える。ライチョウやノウサギといった動物たち、そして時には恐れ知らずの人間が、生存のために暖かい雪の毛布の下で眠る。

　雪の毛布がどきっとするような、時には生命にかかわる状況に私たちを導くこともある。厳冬期、歩いて渡れるほどの厚い氷が張った池や湖では、雪のある場所に注意しよう。暖かい雪の覆いの下では氷が解けて薄くなっている可能性があり、他より危険度が高いのだ。

　あらゆる植物は生存のスペシャリストであり、山岳地帯においては雪に対して異なる対応のしかたを体現する。ふもとの斜面では、ちょっと雪が降るだけで死に絶える植物がある一方、頂上付近では1年に3週間しか雪が消えないという厳しい気候に対応するコケもある。グレイシャー・バターカップ（キンポウゲの仲間）をはじめとする耐寒性の高い草は、雪の下でも育つように進化してきた。

　どのような植物であっても、雪のない一定の期間を必要とすることに変わりはなく、厳しい環境に生える植物は、あらゆる種が積雪期の手がかりを示している。たとえばある場所にドワーフウィロー（1株がわずか数枚の葉から構成されることもある高山性のヤナギ）が生えているなら、少なくとも毎年2ヶ月は雪のない期間が続くサインである。

10 霧

近くと遠くを確認／二大パターン／朝露を探す／水の地図／霧は予報／移流霧／滑昇霧／蒸気霧／もや／前線と視界

１９９０年12月11日。１台のハイウェイパトロールが米国テネシー州キャルフーン近くの国道75号線を走っていた。霧がよく発生することで知られた区間だが、そのときは気配もなかったので、視界の悪化を警告する点滅灯をつけることはしなかった。

1時間とすこし経過したとき、事故が起きた。濃霧にさしかかって減速した車に後続車が追突し、乗り上げたのだ。驚いたことにどちらのドライバーもけがをしておらず、車から這い出して損傷の具合を確かめようとした。その数秒後、停まっている2台に後続車がさらに追突。3台は炎に包まれ全焼した。反対側の車線でも、濃霧で減速した車両に後続が追突。さらに1台のトラックを含む3台が巻き込まれる多重事故となった。

その朝、テネシー州のその場所で事故を起こした車両の数は99台。死者12人、負傷者数は50人だった。このおぞましい事故はある結果をもたらした。あまりの惨劇だったので、入念な調査をするべきと判断されたのだ。これから事故を起こさないために原因の探究が求められた。あの日、なぜ数多くの人が死ななければならなかったのか？

調査官たちは、霧がパズルの中心にあることを知っていた。謎なのは、その区間ではたしかによく霧が発生するが、かつてこれほどの規模の事故は起きなかったこと。近くにある製紙工場が関係しているのではという疑念が浮かび上がった。工場の敷地には廃水を溜める池があり、事故現場近くで国道を挟む形になっているのだ。

さまざまな意見と可能な限りのデータを使い、徹底的な調査が行われた。エキスパートたちはコンピューターモデルと最新科学を使い、マシュマロのように白く濃い霧の発生原因を探った。裁判が行われ、製紙会社は池の1つを閉鎖することに同意したが、ある調査官によると、池が「霧発生の主原因」となったわけではないということだ。

あらゆる気象現象と同じく、霧もまた複雑さを持つ。しかし事故調査報告書にはっきりと記されたことがあった。国道の該当区間において霧はよく発生し、１９７４年と１９７９年には死亡事故3件を含む6件の大事故が起きている。これらの重大事故には共通点があった。暖かい日中と晴れた夜に続く風のない冷えた朝、大量の水がある地域で日の出直後に発生した霧が原因だったのだ。おなじみのレシピ、つまり空気と水と熱が、特定のやり方で混ざり合って生まれた気象現象である。

近くと遠くを確認

濃い霧に入ったときは誰でもすぐにそれとわかるが、完璧な視界とホワイトアウトの間には多くの段階がある。異なった距離にあるなじみの物の見え方を学ぶことで、段階の意識を養ってみよう。

眺めの良い場所にアクセスできるなら、さまざまな距離で目安となる物を選び、良好な視界、もやがかかった視界、そして不良視界のときの見え方を覚えておく。市街地であれば高い建造物から見渡すことができるはずだが、橋の中央部付近も使える。そのような場所がないなら、ディテールが豊かな目印を1つ、中距離に探してみる。長い道の反対側にいる人の顔や服の色が判別できるだろうか？　答えは、視界の程度によって変わってくるだろう。

情報も、積極的に活用してみよう。好天の期間が終わりに近づいているという予報が出たなら、遠くにある目印に注目。ディテールがだんだん見えなくなっていくのを観察してみよう。

二大パターン

空気が気体の水をこれ以上含めないとき、それは水蒸気の飽和状態にあるという。この状態からさらに水分が加えられる、ないし温度が低下すると、水蒸気は凝結し、微細な水滴が空中を漂いはじめる。水滴は光を散乱させて視界の妨げとなり、空気が白く見える。白さで視界が悪化する現象は「もや」「霧」と呼ばれる。

これらは同じ現象であり、霧は濃いもや。逆に言えば、もやは半煮えの霧というわけだ。えこひいきするわけではないが、以降は「霧」という呼び方を使うことにしよう。

雨と同じく、霧にも多様なニュアンスと地方独自の多くの呼び名がある。しかし主要な2つのタイプ、つまり放射現象によって生まれるものと移流によって生まれるものを理解しておけば、霧に関するほとんどをカバーできる。かいつまんで言うと、放射霧は陸地、移流霧は海上に発生する。また、朝早くに遭遇するものは放射霧、日中のものは移流霧の可能性が高い。大雑把な推測ができたなら、それが各条件にどうフィットしているかを確認し、役に立つ推測を導き出すこともできるだろう。

朝露を探す

放射霧はもっとも一般的、かつ私たちが圧倒的な時間を過ごす陸地に生まれるので、遭遇する可能性がとても高いものである。露と同じような気象条件とでき方なので、その類似性をまず探っていくのが良いと思う。

放射霧ができる所には、つねに露がある。露と同じく、地面から熱が放射されることによって放射霧は生まれる。地面に接した空気の層が冷やされ、その温度が露点を下回るのだ。典型的な高気圧圏内の天気、すなわち晴れた夜に続く朝、無風もしくは微風という条件が典型的で、秋に多い。放射霧は露と同じでき方と言ったが、じつは露よりも大量の水分を必要とする。とても湿った空気が必要なのだ。霧に遭遇したときに私たちの頭に浮かぶ問いは「なぜ空気がこれほど湿っているのだろう？」である。

水分の由来は、２タイプしかない。風がどこかから持ち込んだか、地面から上がってきたか。放射霧の場合、水分を持ち込む風はない。つまり、水分はすべて地面に由来するのである。

水の地図

大雨が降って地面がびしょ濡れになったとき、放射霧は起こりやすい。前線の通過で何時間も雨が降ったあとに晴天の夜がやってくると、舞台は整う。しかし、濡れた地面のせいにできない放射霧に遭遇することもある。つまり何か別のものから水分が供給されたのだ。放射霧は、川や湖、氾濫原などの存在を示す。乾燥した天気に続く早朝、霧が出てきたら、その近くに広い水面がある可能性が高い。

英国サセックス地方のアランデルという町からロンドンまで、私はよく鉄道を利用する。鉄道の線路というのは、絶妙なバランスの位置を選んで敷設されている。不必要に高いところは通さず、むしろ谷間が選ばれるのだが、低すぎて水害をこうむっては元も子もない。ほぼ川に隣り合わせの、盛り土の上を蛇行する鉄のリボンが線路である。冷え込んだ朝、川面は太った白い蛇のような霧ですっぽりと覆われ、水は見えない。入っては出る列車の動きで、くねる霧のカーテンが上下するのを観察するのは、とても楽しい。

霧は予報

放射霧はじめっとしているように見え、実際そう感じられるので、悪天候がやってくる兆候に思えるかもしれない。しかし放射霧は晴れた朝に発生し、好天の到来を告げるものだ。私たちの旧友、ギリシアのテオフラストスはこう書いている。「霧が出れば雨は降らないか、降ってもわずか」。朝霧の中に入ると、たった何メートルか上は晴天で、太陽が頭上で暖かく輝いていると信じられない気もする。しかしその瞬間も、凝結した水は水蒸気へと押し戻されているのだ。霧は、四方に火のついた紙のように外側から縮んでいく。霧の塊を横から見える所にいるなら、太陽が昇るにつれて厚みがなくなっていくので、見上げてみると良い。

霧が消えようとする最初の兆候の1つは、頭上に出てくる青空だ。谷を見下ろしたときに厚い霧が目に入ったなら、その中を想像してみよう。顔や首に当たる光の暖かさを感じながら、肌寒い下の谷ではお互いの姿が見えずにまごついている人たちがいるかもと思いをはせてみる。

放射霧の動きは、季節が大きな影響を与える。太陽は霧を消し去ってしまうので、夏は霧がさっとなくなるが、太陽が低く光線も弱い冬は霧が長時間にわたり残る。英国の言い習わしにもあるように「夏の霧は好天のサイン」で、ひんやりとして楽しい。それに対し「冬の霧は犬も凍らせる」

太陽がおおかたの霧を吹き飛ばしてしまうと、地面が温まりはじめる。地表すぐ上の空気も温度が上がり、膨張して上昇するので、霧もそれといっしょに持ち上がる。霧が上がってくるのは良い兆候だ。じきに太陽の暖かさを実感できるようになるだろう。

「谷霧」という言葉が使われることがあるが、これも放射霧の1タイプである。「霜穴」のことを思い出してほしい。冷気は谷に潜りこみ、露や霜、霧の原因となる。

朝の霧に出会ったら、それは時をまたぐサイン。近過去も近未来も好天というわけだ。前夜は晴れていたはずだし、これからしばらくは晴れだろう。次にその水分がどこから来たか考えてみよう。さいきん大雨は降っただろうか？　もしそうでなければ、近くに水面があるはずだ。

移流霧

日中に霧が発生し、風を感じることができるなら、それを引き起こした容疑者は移流現象だろう（移流とは地点間の熱や物質の移動のこと）。放射霧と同じく、移流霧も気温が露点以下に下がって発生するが、無風を必要とする前者と違い、後者は冷たい面に湿った空気が吹きつけられて生まれる。

2つの海流が交わる場所を想像してみよう。片方は暖かく、片方は冷たい。暖かいほうから冷たいほうに風が吹くなら、湿った空気が低温の海面に接触することになる。水蒸気は凝結し、大きく厚い霧の塊ができる。日本列島の東側で冷たい親潮と暖かい黒潮がぶつかる海域、カナダのニューファンドランド島沖で暖かいメキシコ湾流と冷たいラブラドール海流がぶつかる海域はいずれも、濃霧で有名だ。

海上にある暖かい空気が冷たい水の上に吹き流されても、まったく同じことが起きる。私自身も、フランスの沖に浮かぶチャンネル諸島近くでこれに遭遇したことがある。8月の強風の中、通常より高温の湿った空気が海によって冷やされて発生した濃霧の中を、私たちは帆走していた。とても荒れた天気だったので、仲間の1人がはめていたシグネットリングを海に落としてしまった。そのとき私は操船で手一杯で、彼におざなりな慰めのことばをかけることくらいしかできなかった。何年も経ったいま思い返すと、その大事な指輪は天気の神が要求した供物だったような気もしている。船を沈めようとする岩、速い潮、強風、最悪の視界、つまりとても危険な状況と闘いながら、私たちはヨットを操っていた。海に指輪を捧げなかったとしたら、どんな代価を払わなければならなかったことだろう?

沖から風が吹くとき陸に上がる海霧は、世界各地で知られている。たとえばイングランド北東岸ではハールという名がついており、米国太平洋岸でも同様の現象が起きる。内陸深くまで入り込むことはないが、乾燥しがちな沿岸地域に水をもたらし、乾燥地に住む生き物を養う。極端な場合、きわめて湿った空気がとても乾燥した陸地と出会う所に「霧砂漠」と呼ばれるユニークな生態系が生まれる場合もある。ナミブ砂漠、アタカマ砂漠、バハ・カリフォルニアに散在する砂漠などは、すべて霧砂漠の帯を伴っている。

温帯地方においても、霧は地面に多量の水分をもたらす。「霧滴」という言葉を聞いたことがあるかもしれない。霧によって葉の上に生み出され、ぽたりと下に落ちる水滴のことだ。

木は霧のふるまいを変える。林は霧を止めるので、海岸に出る霧が問題を引き起こす日本のような場所では、防霧保安林が活用される。霧は空気中の水分をとりまとめるが、空気中の微粒子は凝結を促進する核となる。もし風が弱いなら、森の風下側には霧のないポケットが生まれているかもしれない。完全に無風状態なら、涼しい木立の中は、外よりも霧が長く留まる。

滑昇霧

湿った空気が風により斜面を押し上げられると、凝結が起こって霧が出る。どんな山でも、条件さえ整えば風が当たっている斜面に生まれる可能性がある霧だ。たとえば、この世界にいっさい危険など存在しないかのように思える湿度の高い晴れた日、ハイキングをする人がいたとしよう。どこからともなく霧が這い上がってきて、おとぎ話の怪物のようにその人を呑み込むこともまれではない。

プロセスは、風が当たる丘の斜面や頂上に雲が発生する場合とほぼ同じであり、呼び名はあなたの立ち位置による。山の中腹で白いブランケットに囲まれた場合、あなたはそれを霧と呼ぶだろう。そのブランケットより下にいれば、雲と呼ぶはずだ。上にいる場合、霧とも雲とも呼んで良いだろう。

山に登ろうとしているなら、7つの雲パターンを含め、これまで学んできたあらゆるサインに注意を払おう。雲が下がってきたなら、湿度は上昇しており、霧が出る確率も上がっている。高い層にある雲が降りてくるのよりも早く、下からの霧に包まれるかもしれない。

蒸気霧

冷たく乾いた空気が暖かい海面の上にかぶさっている場合、海面から蒸発した水蒸気はその冷たい空気と混ざり合い、ただちに凝結して湯気となる。蒸気霧といわれるが、煙にも似て、上方にくねくねと立ちのぼるので、北極海煙という別名もある。低温の空気が水分を豊かに含むなら移流霧が発生するところだが、乾いているのでやがて消えてしまう。

あたりの海から一面に煙が立ちのぼっているような中を船に揺られて進むのは、ちょっと気味の悪いものだ。これを体験するために、海に出る必要はない。水面よりも空気のほうがよく冷える秋、池や湖、川などから湯気が立つのを見たことがあるだろう。寒い日、紅茶のカップから湯気が立ちのぼるのと同じ現象である。

もや

この言葉の定義は、文字どおり「もやっ」としている。人によって意味するところが違うのだ。もっとも一般的なのは、空気中に漂う乾燥した粒子によって視界が悪くなっている状態、というものだろう。たとえば煙、作物の収穫によって巻き上がったほこり、木などに由来する粒子だ。もやは風景をぼやけさせて色を鈍くし、茶、青、黄といった色調を加えることもある。実際にどのようなものになるかは、粒子の特徴、背景、太陽に対する観察者の立ち位置などによって異なる。気温が高く風も弱い夏にもっぱら起こる現象であり、温度逆転のサインともなる。

ステージ	視界
温暖前線の接近	最初は良好、次第に悪化
温暖前線の通過中	悪い
暖域内	とても悪い〜霧
寒冷前線の通過中	悪い
寒冷前線の通過後	すばらしく良好

前線と視界

温暖前線が近づいてくると、雲の底部が下がってきて、雨が落ちはじめる。空気が水蒸気飽和状態になると、私たちは雨、霧、風の3点セットを体験することになる。

霧が出ないとしても、前線はすべてジェットコースターのような視界の変化を見せてくれる。よく見られる変化は上のとおり。

寒冷前線が通過したあとの透明な空気は、私たちの気分をすっきりさせ、巨大な塔に似た雲、嵐の雲などが風下の地に迫るのを見せてくれる。

どのようなタイミングであれ、降雨は視界を悪化させるものだが、それが終わったあとは逆だ。雨はほこりや汚染物質、さまざまな粒子を洗い流す。この効果は、晩夏の暑い日に降る激しいにわか雨でもっともはっきりと感じられるだろう。熱波を和らげ、空気をきれいにしてくれる。雨が上がったあとも視界が悪いなら、その後ろに別のものが控えていると考えよう。

霧の多くが、ここまで述べてきたプロセスの混じり合いで生まれる。谷で生まれる放射霧は風によって運ばれ、稜線の上に出現することがある。サセックスの田舎において、このような迷い霧は「コールボーイ」と呼ばれたものだが、私は「X線霧」とあだ名をつけた。私の家がある丘陵地では、反対側にある谷を指し示す形で、このような霧が突然出現する。

霧に出会ったら、主な発生原因が放射現象なのか、移流なのか、前線なのかを考えてみよう。それから季節、風、土地の形、標高などを計算に入れることで、あなたの経験はさらに豊かになり、次に何が起こるか予想できるはずだ。

あなたが霧に遭遇したときに取るべき態度は、移動速度による。まったく立ち止まった状態であれば、霧は親しみが持てるパズルであり、持てるテクニックを活用して解決できるだろう。山に登っている、あるいは車で移動しているときは、細心の注意を払うべきだ。あらゆる霧は、感覚を研ぎ澄まして小さなミステリーを解決する機会を提供してくれる。

11

雲の秘密

巻雲を見る／巻雲のコンマ／馬尾雲／ジェット気流のロープ／クロスハッチング／寒冷前線の巻雲／「高さ」のテル／巻雲と友／飛行機雲／消散航跡／穴あき雲／2種類のサバ／雲列／レンズ雲／吊し雲／旗雲／スープの中に浮かぶ雲／重なった毛布――層積雲

2019年6月、私はノッティンガムシャーのイーストリークに新しくできた退役軍人リハビリテーション・センターを案内してもらっていた。VRシミュレーターをはじめとする最新の機器を備えたこのすばらしい施設は、負傷した軍人たちの回復を助けるものだ。

赤れんがを使った巨大な建物は、外から見ても圧倒的な存在感。5年前にアフガニスタンで簡易地雷を踏んでしまい片足をなくした、王立空軍のルーク・ウィグワン氏が案内役を引き受けてくれた。正直に言うと私は、けがを負ったときの状況、リハビリの話、最新技術という組み合わせに少々圧倒されてしまっていた。この施設のすばらしさ、入所している人たちの勇気と献身にはいささかの疑いもないが、精神的につらい。訪問者として病院の門をくぐるとき、私は落ち着かない気持ちになってしまうのだ。

私たちは外に出て、小道を外れ、刈り込まれた芝生へと進んだ。メンタルヘルスの維持と回復のため、緑の開放空間が必要かどうかルークに聞いてみた。実際に知りたかったことなのだが、なじみがある地べたの上を歩けるのも嬉しかった。彼は、郊外立地の利点を細かく説明してくれた。遠くに雲が見えた。私の世界につながるものを目にして、自然に笑みが生まれた。あちらに街がありますか、と私は聞いた。「ラフバラーでしょうかね」と答える彼は、すこし困惑していたようだった。小さな雲は風に乗って動いているのに、遠くの大きな積雲はまったく不動なので、下には強力な熱源があるに違いないです、私はそう言った。夏の午後で、ここは緑地とはいえ周辺は世界でもっとも人口が多い場所の1つ。雲の発生原因はかんたんに知れた。

ルークはとても礼儀正しい人だったが、実のところ彼が雲に興味を示してくれる期待などしてはいなかった。仮に興味を示してくれても、私のほうが乗らなかったと思う。しかし私にとって、建物の外に留まるためには雲の話をするのが唯一の選択肢だったのだ。

巻雲を見る

これまで着実に学んできたので、雲には大別して3種類しかないことは覚えていらっしゃると思う。立ち上がっている（積雲の仲間）、層になっている（層雲の仲間）、うっすらとしている（巻雲の仲間）のいずれかだ。どのような雲も、これら3種と組み合わせによるバリエーションに分けることができる。

層雲の仲間はなんらかのサインを内に秘めているのだが、広く覆い被さるような性質により、到来するものは均質であり、変化が訪れるにしても緩やかであることがほとんどだ。

雲を読む喜びは、積雲と巻雲を熟知することから始まる。積雲はこれまで大きく取り上げてきて、これから何度も登場すると思われるので、この章では巻雲を中心に見てゆきたいと思う。

3人のひとが、ウォーキングから帰ってきたとしよう。同じ経路を歩いても、各人の体験は違うはずだ。あるひとは、川沿いを蛇行するセクションが楽しいと思った。別のひとは、瀬が深い淵に流れ込む所を見つけ、暑い日に泳ぎに来ようと思った。

最後のひとは、太陽に雲がかかりそうだと気づき、虫が水に落ちると予想した。瀬の流れは速いが、淵に近づくと遅くなり、突出した岩をよけるかのように、適切な速さになる所があるのに気づく。泡が集まり、落水した虫もそれに捕らえられる。マスが水面まで泳ぎ上がって食事をするのもそんな場所だ。ほら出た！　マスが昆虫を呑み込んでできる、水面の「キスマーク」だ。見るべきものは、じつにたくさんある。

私たちは空を見る。何人かは、高い所にあるかすかな雲を見いだす。私たちは最後のひとになろう。巻雲は言わば、青空にできたマスの口づけ。豊かなストーリーを垣間見させてくれる、繊細な手がかりなのだ。

巻雲のコンマ

水面のさざ波にも似た巻雲は、形やパターンがとても多いので、視覚ノイズに近いランダムな現象と思われがちである。しかしそれらはまったくランダムではない。あらゆる筋、すべての形に理由がある。ほとんどの雲と同じく、巻雲は海上よりも陸上に出やすい。つまり論理的に考えれば、私たちから６０００メートル上に浮かぶうっすらとした髪の毛のようなこれらの雲も、なんらかの方法で地形によって形作られているということになる。しかし、ずっと低い所にできる積雲と違い、地形的な特徴と個別の巻雲を厳密にリンクさせることはできない。山脈の上にかかることはよくあるが、巻雲を使って土地をマッピングしようとするのはやめたほうが良い。高い所にできる巻雲は、空気の湿り具合と風のふるまいをうかがい知るために使おう。そのためには、あらゆる筋、すべての線に理由があることを念頭に置きたい。巻雲の筆跡を知るためには、まずシンプルな形である「コンマ」から。

巻雲はだいたい氷の結晶からできている。高度があるので、水は液体のままでいられないのだ。コンマの「頭部」においては、氷が何百万という単位で生まれ、雲ができる。結晶になるとそれは落下を始め、軌跡を残す。頭部と軌跡を合わせれば、空に浮かんだ薄い白のコンマに見えるだろう。つぶれ、ねじれ、逆向きになることすらある。空は、テンやマルのこまかな書き方にあまりこだわらない。

この雲の正式名は *Cirrus uncinus* つまり「かぎ状」巻雲ということになる。これを見つけ出す手がかりは、太く濃い雲の塊から細い毛のようなものがたなびく形である。何週間かを費やして巻雲だけを観察してみれば、きっと空のコンマにも遭遇することだろう。いったん形を理解してしまえば見間違いようがない、ふつうに出現する雲である。

空にコンマを見つけたら、その中にサインを探す。氷の結晶は、頭部から空中を落下しはじめ、地面に到達するはるか以前に蒸発してしまうのだが、その前に、目に見える線形を残す。白く見えるこの軌跡を「降水条」と呼ぶ。

巻雲の層において、下側の空気が頭部と同じ速度で流れていれば、完璧に直線の、地面と垂直な降水条ができる。ただしこれはまれなこと。風速と風向きは、高度によって変わるのがふつうなのだ。つまり降水条は、もっとも高い場所にある部分（コンマの頭）とその下との、風速と風向きの違いを示すものになる。

かぎ状巻雲を見つけ、頭部と降水条を区別することができたら、上空で何が起きているかという謎が解けるだろう。

コンマは、上空でどちらのほうに風が吹いているか教えてくれる。これは、いろいろな意味で有用な

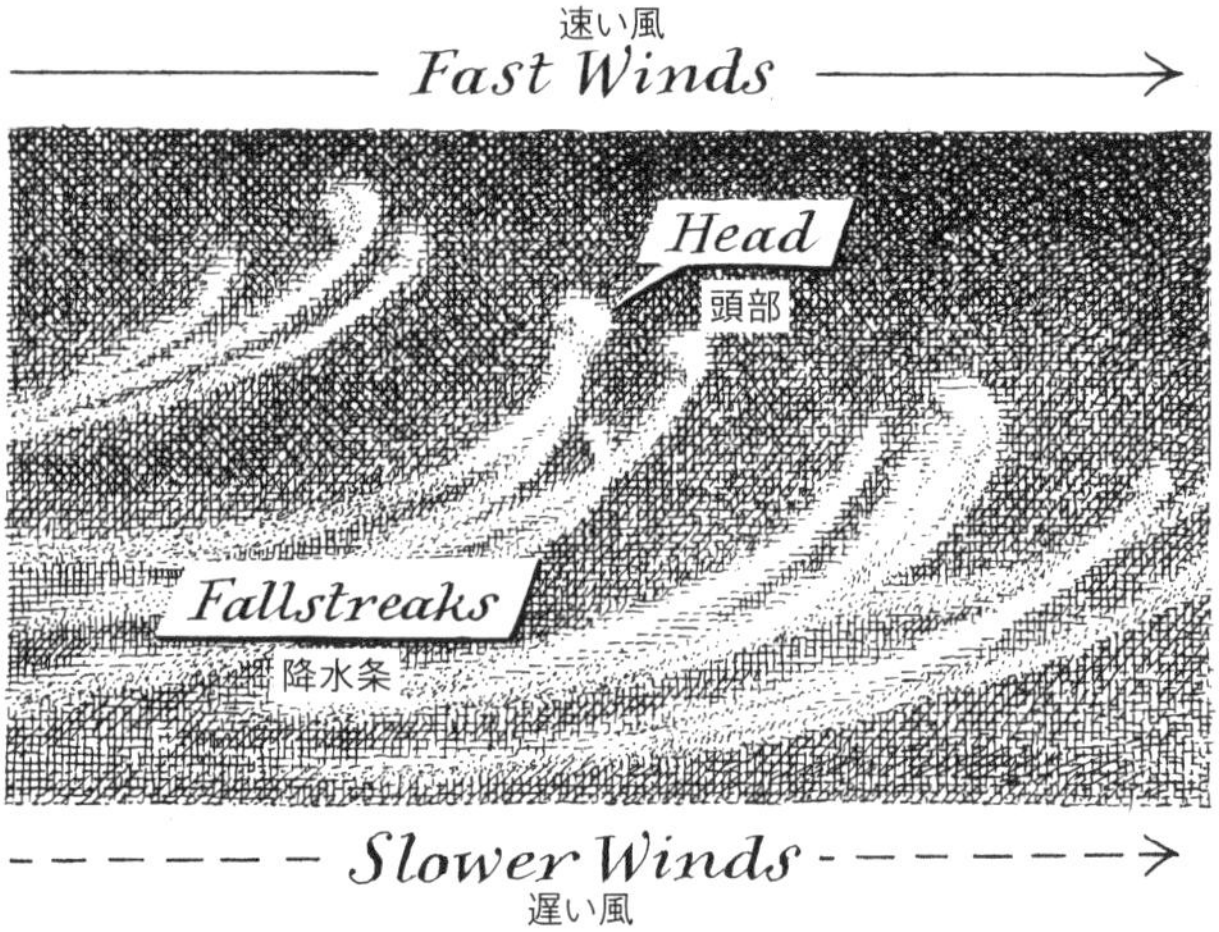

情報だ。上空の風はナビゲーションに使える。たとえば木の密生した谷に深く入り込んだ場合などは、太陽をはじめとする目印が使えないこともあるので、高層雲を手がかりにする。高い所を吹く風は、コンパスとしては精密ではないが、低い場所にできる雲や風よりも傾向が安定している。朝、高層の雲が西から東に動いているとするなら、夕方もそのトレンドが続くことが多いのである。

馬尾雲

巻雲のコンマをもとに、とてもシンプルな天気予報を行うことも可能だ。先ほども述べたように、降水条が垂直に近いなら、さまざまな高度における風速と風向きの差はあまりない。コンマ頭部の動く方向と降水条の向きが揃っていて、わずかにカーブしている程度なら、好天が続くサインだ。

逆にコンマが急角度でゆがんでいるなら、頭部のほんのすこし下で風速と風向きが大きく変わっていることになる。これはウインドシアと呼ばれ、悪天候が迫っていると教えてくれる。鋭く折れ曲がった巻雲は「馬尾雲」と呼ばれ、昔から天候悪化の前ぶれとされているのだ。

コンマの形を見て、巻雲ができる層とそれより下層の風向きを比べることもできる。上層の風と下層のおもな風向きが同じなら、好天は続く。上層の風と下層のおもな風向きが大きく異なっているなら、変化がやってくる。

　巻雲のコンマは、単体ではその場所の風の状態を伝えてくるだけだが、よじれたコンマがいくつか目に入り、次第に増えていくなら、ウインドシアが起きていて、大気の上層部で湿度が上がっていると想像できる。低気圧が近づいており、16時間ほど経つと悪天候が到来するだろう。

ジェット気流のロープ

　１９４７年８月。旅客機にまだ個別の名前がつけられていた時代、アルゼンチンのブエノスアイレスから離陸した「スターダスト」号は、チリのサンチアゴへと向かっていた。アンデス山脈を越える航路だ。

　ＧＰＳが登場するはるか以前、ハイカー、船乗り、パイロットたちは進路を定めるために推測航法（デッドレコニング）と呼ばれる方法を使っていた。移動速度、移動方向および移動時間を把握していれば、スタート地点に対する現在の位置を計算できるというシンプルな理論である。自宅を出てから毎時３マイルで北に歩けば、１時間後には家の北３マイルにいると推定できる、といった具合だ。

　この単純な方法は１０００年以上にわたり、目印のない土地を行く際に使うさまざまな航法の基礎となってきた。アイルランドを出て西に、毎時５ノットで３週間航海すれば、アメリカ大陸に近づく。始点、方向、速度、時間。間違いを起こしてしまう要素はどこに潜んでいるだろうか？　船乗りを大慌てさせる、一見ささいな要素は海流だ。南方向にわずか１ノットで流れる海流であっても、所定の向きから10度のコースずれを引き起こす可能性があり、大西洋を横断する場合は到達点が５００マイルほども南にずれてしまう。

同じことが空の旅にも言えるが、その場合に関係してくるのは風だ。スターダスト号の操縦を担当した3人は、第二次世界大戦で戦闘任務についた経験がある円熟のパイロットたちだった。実際の飛行前に、彼らはプロの仕事をこなした。つまり飛行の方向、速度、所要時間を計画し、予報されている風向を計算に入れて離陸した。

その数時間後、スターダスト号は連絡を絶ち、以来何十年も手がかりはなかった。陰謀論者たちはあれこれと推測を楽しんだ。ミステリアスな蒸発の背景に、なんらかの悪の力が働いたと考えるのも無理はなかった。

そして50年以上が経過した１９９８年、アンデス山脈の標高４５００メートルを超える地点にある氷河に取りついていたアルゼンチンの登山家２人が、氷から突き出している飛行機のエンジンを見つけた。スターダスト号の残骸だった。陰謀論者たちは再び、墜落原因に関してさまざまな説を唱えた。しかし現在は事故時に何が起きたのか、ほぼコンセンサスができあがっている。当時はほぼ知られていなかった風、すなわちジェット気流の影響だったのである。

当時、ジェット気流はようやく研究が開始された段階であり、パイロットたちは飛行計画にそれを勘案しなかった。しかし向かい風は、推定よりもずっと強かった。厚い雲があり自機の位置を目視できなかったが、それは通常事態の範囲内だったので、彼らはこれまで何百回もやってきたように推測航法を使った。計算によると、アンデス山脈をぶじ通過したという値が出たので、彼らはサンチアゴへ向けて降下を開始。しかし不運なことに、ジェット気流のせいでスターダスト号は推定よりもはるか手前だった。山脈の頂きはまだ先だというのに高度を下げた結果、アンデスのアルゼンチン側に突っ込んでしまったのである。

ジェット気流は、高速で蛇行して流れる高高度の風である。もっぱら西から東へと吹き、空中の大河にもたとえられる。幅広く、浅く、両岸よりも中央部のほうが速い。ジェット気流ができるのは、冷気塊と暖気塊の境目である。北半球には、寒帯ジェット気流と亜熱帯ジェット気流の2つがある。

ジェット気流の各部は細かく、動きも複雑なので私たちが立ち入る必要はあまりない。実際のところ、現代科学ではまだ解明されていない点も多く、気象学者たちはいまだに細部に関して論争を続けている。月は、それに大きな影響を与えているだろうか？　可能性は否定できない。しかしここでは詳細にこだわりすぎないようにしておこう。ジェット気流の大枠はかなり理解が進んでおり、私たちはそれを押さえておくだけでじゅうぶんだ。

ジェット気流は西から東に流れながら南北に蛇行する。南ないし南西から北ないし北東へ、あるいは北ないし北西から南ないし南東へと部分ごとの向きは変わるが、西から東へというおおまかな向きに変化はない。

北半球温帯地域において、ジェット気流の位置はつねに天気と関係してくる。これは、2つの異なる天気ゾーンの境界線と考えることができる。この線が私たちの頭上にあるなら、ゾーンの境界線に位置しているわけだ。天気は安定とはほど遠いだろう。したがって上空にジェット気流を発見できれば、低気圧とそれに伴う悪天候がやってくる手がかりになる。もっとも早期に見ることができる、天気悪化の予兆である。

ジェット気流は上空はるか高くで吹いており、あらゆる風と同じく目には見えないが、雲の形で手がかりを残す。独自の巻雲を作るのだ。ひとつひとつの巻雲は風向きを教えてくれるし、先ほど述べた巻雲のコンマは風速と風向きのローカルな変化を伝えてくる。しかしジェット気流が上空にやってくると、巻雲のタイプが大きく変わり、とても長い図形が空に出現する。私はこれを「ジェット気流のロープ」と呼ぶ。形を理解すれば認識は簡単だが、見のがしやすいものでもある。巻雲はとても高い層にあり、かつ薄いので、空の大部分を覆っていたとしても太陽は隠れず、地上に雲の影ができることもない。

時に全天をまたいで大きく横たわる長い線のような雲があれば、それはジェット気流が作る巻雲だ。線が本体ではあるが、さまざまなパターンが追加される。私のお気に入りは、魚の骨に似た形のものだ。背骨にあたるものは、１本の太い雲の場合もあるが、数本のことも、細い雲が何十本も横たわる場合もある。二次的なパターンがどのようなものであっても、主な特徴としては空に横たわる長い線である。

雲は頭からできていくので、コンマの形が大きく引き伸ばされて空いっぱいに広がることもある。かぎ状巻雲は、手を目一杯伸ばしたときに見えるこぶしほどの幅（およそ10度）を超えることはあまりないが、ジェット気流のロープは空の半分以上を覆うのが普通だ。ロープは完全な平行に並ぶとは限らないが、それを引っ張るのは高い層を高速で同じ向きに吹く風なので、おのずと揃ってくる。もっぱら西から東に並ぶが、風向き自体と同じく、部分的な向きは蛇行によって変わってくる。

巻雲の形や向きとともに、速さにも注目したい。どれもゆっくりと流れているように見えるが、それは遠さによる誤認かもしれない。時速１６０キロメートルで飛ばしている車でも、はるか彼方の山腹ならゆっくり走っているように思えるだろう。巻雲は、大気圏の高い場所を高速で吹く風に乗って動くが、風速は変動し、ジェット気流がやってきている場合はとくに速くなる。

雲だけを見ていると、その速さを推測することは難しい。比較のためには、動かない何かを探す必要があるだろう。巻雲はほぼ透明なので、雲の手前だけではなく後ろにも参照物を探すことができる。月や星は使えるが、太陽は明るすぎだろう。高い所にある太い木の枝（揺れる葉や小枝は不可）、送電線、市街地であれば高層ビルのかどなども使えるだろう。雲の中の、特定場所にフォーカスすることがとても大事だ。雲の大きな塊ぜんたいの動きを見るのではなく、その中の1カ所の形を追いかける。正確な推測を行うためには、それが唯一の方法だ。

　このように観察していると、コンマも含めたほとんどの巻雲は、一定方向にゆっくりと流れているように見えるだろう。しかし、この見せかけのゆっくりさに慣れれば、ジェット気流のロープは同じ位置にだらだらと留まっていないことがわかる。実際のところ、それらはもっとも高速で流れる雲であり、はるか彼方の山腹を飛ばす車にたとえられるものなので、私たちが決めた参照物を通り過ぎていくときはエンジンのうなりが聞こえる気もするほどだ。

　空に横たわるロープは、何を意味するのだろうか？　それは、ジェット気流がほぼ頭上を通っているという証だ。これから12時間で風は強くなり、低気圧や前線がそれに続いてやってくる。24時間後には温暖前線が通るだろう。ロープが北西から南東にかけて横たわるとき、その可能性はとても高い。

クロスハッチング

　巻雲の動きを観察し、速さを推測する練習をしていると、それが複数の層に出現しているケースに出会うだろう。これはすばらしい機会、異なった高度における風を理解するチャンスである。

それぞれの層における雲の動きは、前述の方法でかなり正確に知ることができる。しかし、一瞬のスナップショットも活用できるのだ。雲の線が平行しているか交差しているか、というチェックである。私たちの目は、交差した線をただちに拾い上げるが、それは層間で風向きが違っていることの証明となる。風向きが大きく異なっているなら、クロスハッチング（複数の細い線を交差させることで奥行や明暗を描く手法）のような絵柄が空に浮かぶ。

このサインは、巻雲のコンマよりもずっとクリーンでわかりやすい。風が各層で同一方向に吹いていれば、好天は継続するだろう。大きく違っているなら、悪天候がやってくる可能性が高い。船乗りが言うように「空にクロスハッチが出たら、甲板のハッチを閉めるときだ」。

寒冷前線の巻雲

嵐をもたらす雲の最上部は氷である。巨大な積乱雲が成熟し崩壊してゆくとき、最上部の氷が脱落して新たな巻雲を生み出すことがある。綿あめにも似たそれらは、ふつうの巻雲より高密度で、嵐の雲よりもしつこい。親となった雲が消滅したあともがんばり、嵐の本体から風下側にずっと離れた所まで流れることもある。

寒冷前線の特徴は、その荒々しさと不安定さである。嵐を生まないまでも、たいへん高い雲を作る条件が整う。雲は高ければそれだけ、水分が凍結して氷を生む可能性がある。寒冷前線が通過したあとで巻雲ができるケースも珍しくない。

前述のとおり巻雲は、何かの接近を告げる予兆ではなく、寒冷前線や嵐雲の航跡に生まれる場合もあることを覚えておきたい。より大きく古い雲の名残として認識できたなら、以前に通過した天気が生み出したものなのでこれから悪天がやってくるわけではないと安心できるだろう。寒冷前線が通過してゆく最終段階として理解するなら、晴れた涼しい天気がやってくることを告げてくれる雲なのだ。

「高さ」のテル

調子が良いとき、得意顔ができるゲームもある。モノポリーで、赤い豪華なプラスチックのホテルを自慢げに置くプレイヤーが思い出されるだろう。しかし、熟練したポーカープレイヤーは強い手を隠そうとする。あまり大した手ができていないと相手を信じ込ませてこそ、掛け金が釣り上がってゆくのだ。しかしどれほど熟達していてもしょせん人間なので、感情を完全に隠すのは難しい。抑えようとしても、無意識の動作やチック、くせなどが浮き上がってくる。ポーカーのプロは、平均的プレイヤーのくせをよく理解している。相手がチップをぞんざいに投げるような賭け方をしたら、良い手ができている証拠だから降りたほうが良い、などだ。ストイックな表情で隠そうとする真実を伝えてくる証拠を、彼らは「テル」と呼ぶ。

乱層雲は、何時間も雨の毛布を降らせる。他の雲に続いてやってくることが多いので、青空にくっきりと浮かび上がることはまずないが、ダークグレイの毛布の上に白の薄い巻雲がかかっているのが見えたなら、用心したほうが良い。その毛布の中には、高く不安定で嵐を巻き起こす可能性のある雲が隠れている。乱層雲じたいは均等な降雨だけを示唆し、極端な悪天候は伴わないのがふつうだが、上にかかった巻雲が本当の「手」を伝えてくる。とても激しい雨と強風がやってくるだろうし、雷雨や雹の可能性もある。巻雲が「テル」になるケースと言えよう。

巻雲と友

巻雲の中に見つかる形やパターンは、完璧な天気予報をもたらしてはくれないが、状況は教えてくれるので、次にやってくるものの手がかりにはなる。予兆とも表現できるだろう。馬尾雲やジェット気流の巻雲は低気圧の接近を告げ、これからどんな種類の雲が出てくるか、風向きはどう変わるか、注意を促す。前述したように、巻雲に巻層雲が続くと、温暖前線がやってくる。

新しい種類の雲が出現する前には、巻雲に予兆が現れる。他の雲の大部分と同じく、巻雲は空を広く覆い、悪天候がやってくる前には厚くなる。すこし低くなってくることもあるが、対流圏上層にできるものなので、その大きさや形などと比べ、高度は変化がわかりづらいだろう。

飛行機雲

旅客機は対流圏の中、巻雲が生まれる層を飛ぶ。ジェットエンジンの排気は大量の水蒸気とともに、凝縮の核となる微粒子も含んでいる。雲ができる最高の組み合わせだ。

高い空を飛ぶジェット機が、長く白い線を曳いているのを目にしたことがあるだろう。ジェットエンジンが作り出す飛行機雲だ。

飛行機雲は英語で「コンデンセーション・トレイル」すなわち凝結航跡を意味し、名前の中に手がかりが潜んでいる。航空機が飛ぶ高度はつねに雲を作り出す可能性を秘めており、飛行機雲の有無は空気の湿り具合と風速が作用した結果である。

飛行機雲を理解しようと思うなら、「できる／できない」ではなく、できたものがどれくらい長く残るかに注目したほうが良い。飛行機雲はあらゆる飛行機の後方に生まれるが、すぐに消えてしまう場合と長く残る場合がある。長く伸びる飛行機雲は空気が湿っていることを、すぐに消える飛行機雲は乾いていることを示している。飛行機雲がまったくない真っ青な空が一変し、頭上に白線が多くなってくるのは、大気中に水分が増えてきた証である。それはまさに、温暖前線が近づくサインであり、その前方に通常の巻雲ができてくる原理と同じ。ジェットエンジンの排気は触媒のような働きで、雲の生成プロセスを起動するのである。

条件が完璧に整っているなら、飛行機雲は30分ほども空に残る。それが時間の経過とともに幅広くなり、太ってきたなら、湿った天気がやってくる予兆だ。全天に飛行機雲が伸びるようであれば、どこかに巻雲がないか目をこらしてみよう。すでにできている可能性が濃厚だ。それは次第に数を増して空いっぱいに広がり、続いて薄い白のベールである巻層雲に引き継がれる。雨がやってくるだろう。

ほとんどの人が、飛行機雲を「あり／なし」で見分けようとする。青空に白い航跡が残っているか、ないかのどちらかだ。しかし、皆さんにはもっと繊細な見方をしてほしい。観察を続けていれば、短い飛行機雲が見えてくるだろう。その長さを測ってみよう。腕を目一杯に伸ばして突き出したこぶしは良い目安だ。もし飛行機雲が、1時間のうちにこぶし1つぶんから2つ、3つぶんまで成長してゆくなら、大気が入れ替わりつつある証拠。あなたは、皆がわかりやすい大きな雲が出てくる前に、それを察知できたことになる。

太い飛行機雲は、前線がやってくる１日前の警告となるが、もっと繊細に湿度の上昇を捉える飛行機雲の長さの変化は、その警告を36時間にまで前倒しできるだろう。

飛行機雲の形をよく観察しよう。２つとして同じものはない。できたばかりのときは２本の白線であるが、それは飛行機が２機のエンジンを積んでいるからではない。翼の先端部の後方に渦流が１つずつできるからだ。その渦が雲をまとめ、やがて一体化していく。

飛行機雲は最初、青い背景の上に白鉛筆と定規で引いたかのような、きっちりとした線として生まれるが、いつか崩れはじめる。直線として生まれた雲にはすばらしい価値があるが、それはほんのすこしの変形が生じても容易に気づくからだ。線形が維持されていたとしても、高高度のささいな気流の乱れを反映し、飛行機雲はゆがむ。翼の先端から生まれる渦流によってしわ感を持つが、それは城の胸壁の模様に似ていないこともない。

軍事用航空機を設計するデザイナーたちは、飛行機雲が嫌いである。最新のレーダー、熱感知システム、衛星、ステルス技術といった、敵の上を行くための最先端テクノロジーを開発している彼らにとって、何十億ドルもするジェット機が空に白い太線を描くのを見ていると、実にいらいらするらしい。

消散航跡

雲は繊細だ。発生するための条件がいろいろとあり、存在し続けるためにはそれらが保たれていないといけない。ジェット機が雲を突っ切るとき、機体の周りは混乱の中に投げ込まれる。乱流が渦巻き、エンジンから大量の熱が放出されるのだ。ほとんどの雲はこの大騒ぎをだまって耐えるが、繊細でデリケートな上層の雲はちぎれてしまう。これは逆飛行機雲とでも呼べるものだが、一般には「消散航跡」として知られる、雲の中にできた細い青の線である。飛行機雲と同じく、消散航跡も飛行機が通ったあとに生まれる。

飛行機が安定した高度を保っているとき、消散航跡は長く残る。もし上昇しているなら、上層の雲に穴を開けるような形になる。絹布に落としたたばこの灰が穴を開けてしまうようなこのタイプは、穴あき雲とも呼ばれる。

穴あき雲

雲に穴があいたときにちぎれた破片は、また集まって雲を作る。高積雲など、低温の水蒸気でできた雲は、飛行機が通過すると凍って氷の結晶が生まれ、落ちるので穴が開く。これは美しいパターンをなす。雲に青空の穴が生まれ、内側には羽根に似た巻雲の模様が見えるだろう。

2種類のサバ

「サバみたいな空、サバみたいな空、降ってもすぐやみ、降らない時間もすぐおしまい」。英国で聞かれるこの言い習わしは、断言を拒否しているようだ。サインというなら、天気が良くなるか悪くなるか、はっきりしないといけない。どっちつかずに、なんの価値があるだろうか？

サバ空の真相に取りかかる前に、このサインには2層の解釈が可能だと言っておかなければならない。

まずは基本的で、怖い所などない通常営業的な物言い。つまり、空の高い所にサバの模様にも似た雲が出現したら、天気はやがて変化するということ。

もう1つの解釈は、シートベルトをきつく締め、何がやってくるか準備しなければいけないというもの。まったく異なるでき方をした2種類の雲が、サバ模様のような空と表現されるのである。それぞれ種類が違うので、意味するところも異なってくる。

サバみたいな空という呼び名は、2種類のイメージを喚起する。シマウマの模様のような、波立つ平行線が空に現れるのを想起する人たちがいる一方、まだら模様の空を思う人もいる。サバの仲間には、それぞれの模様に該当する種類がいるので、どちらの連想も完全に正しい。そして、それら2種類のサバ空を区別することができれば、私たちはそのサインをうまく読み解くことができる。

巻積雲は、大気の上層で（*cirro-*）、上昇気流の雲（*-cumulus*）が多数集まってできる雲だ。それぞれの雲は指先よりも小さく、集まるとまだら模様に見える。巻雲と同じく、巻積雲は低層の雲よりも上にでき、私たちの注意を引くことが少ない。意識しないと見つからないのだ。巻雲と同じ多くのパターンがあるが、私たちがいま取り上げているのは波状をなしているもの。つまり、ぼこぼこと波だったように見える上層雲だ。この手の巻積雲は、前線が12時間後にやってくる予兆である。

悪天候がやってくる前に、壮観な日の出や日没を演出してくれるのが巻積雲だ。

私たちはまた、よりがっちりした外見の雲に波形状を見ることもある。これらはおそらく高積雲、白と青のストライプがサバに似ていると言える。しかし、巻積雲とは大きく異なる外見だ。見分けるためには、雲の大きさと形を手がかりにする。高積雲は、巻積雲よりもずっと質感がある。より大きく、がっちりしており、密度を感じるものだ。影の試験も役に立つだろう。雲に波形が見えたとしたら、確認してみるのだ。「この雲は、地面にちゃんとした影を落とすだろうか？」。別の言い方をすれば「この雲が太陽の前を横切ったら、光を遮るだろうか？」。もし答えがノーであれば、おそらくそのサバ雲は巻積雲だ。イエスであれば、高積雲の可能性が高い。

　巻積雲にある波形は、ウインドシアがあることを物語る。つまり変化を予告するものだが、それは好転と悪化の両方の可能性がある。この雲だけでは、どちらに転ぶかの判断は不可能だ。その他の雲を見なければならない。巻雲はあるだろうか？　風もチェックすること。

雲列

　高積雲や巻積雲が作るサバ模様の空は、積雲が連なる長い列とは異なる。積雲ができて空に縞が見えてきたとしても、とても低いので見間違うことはないだろう。迷ったら、雲列は風に沿って並び、サバ模様の雲はいずれも風の向きと直角にできることを思い出そう。後者は、海の波に似ているとも言える。

　雲列は、積雲を作り出す暖かい上昇気流と冷えて下降する気流が、規則正しく並ぶときに生まれる。これにより、温暖領域の風下側には雲が連なり、寒冷領域の風下側には青空が覗くのだ。すでに低温になっている地域の上に雲の影が落ちると、雲列は生まれやすい。温かい表面と冷たい表面の違いがさらに大きくなるからだ。

　もし雲列が目に入ったら、地上の風と同じ向きに進んでくるだろうが、それがやってくる方向に何があるか考えてみよう。海岸線をはじめ、空気の温度を上げるなんらかの要素が存在するはずだ。雲列間の広さは、だいたい高さの２倍から３倍になる。

レンズ雲

建物はたしかに建ち並んでいたが、私はそれらが存在しないかのように空を見ていたのを思い出す。スペイン南部にいる家族を訪ねる旅で、タリファという海沿いの街を探検してみたときだ。タリファは、風が強いことで有名である。世界じゅうからカイトサーファーたちが集結して空を彩る。彼らが使っている風を、私も顔に感じた。その理由はあとから見ていくが、タリファを思うときまず頭に浮かぶのは雲のことだ。浜を歩く私は首を回し、砂の色に塗られたリゾート建造物の上にそびえる、彫刻したような層状をなす雲を見た。昔なじみの友達のように、すぐわかる雲だ。その瞬間、建物は消え失せ、その後ろに控えているであろう丘の姿を私は想像した。

高い所を吹き抜ける風は、車でガタガタ道を走るときのように揺さぶられる。山頂まで駆け上がり、側面を回り込み、じょうごのような谷に集められて吹き下ろす。気流が山に沿って吹き上がり、反対側に吹き下ろすと、山岳波として知られるローラーコースター効果が発生する。もちろんこれは目に見えないが、空気が上に押し上げられて温度が下がると、雲はできやすくなる。

山岳波の頂点では最大の冷却が起こるので、そこにはレンズ雲（*Altocumulus lenticularis*）ができる可能性が高い。その名のとおりレンズ型のこともあるが、皿やＵＦＯ型に見える場合もある雲だ。形容の仕方はいくらでもあるが、滑らかで薄いドーム型は共通。地形の大きな盛り上がりをはっきりと示すサインである。私がレンズ雲を好きな理由は、わかりやすく大胆で明快、かつ美しいことだ。

レンズ雲は、山の頂きの風下側に発生する。風が作るものだが、それに乗って移動はしない。レンズ雲を生み出す山岳波は「定在波」に分類されるもので、空気は山頂を越えて流れるが、生まれる波形は

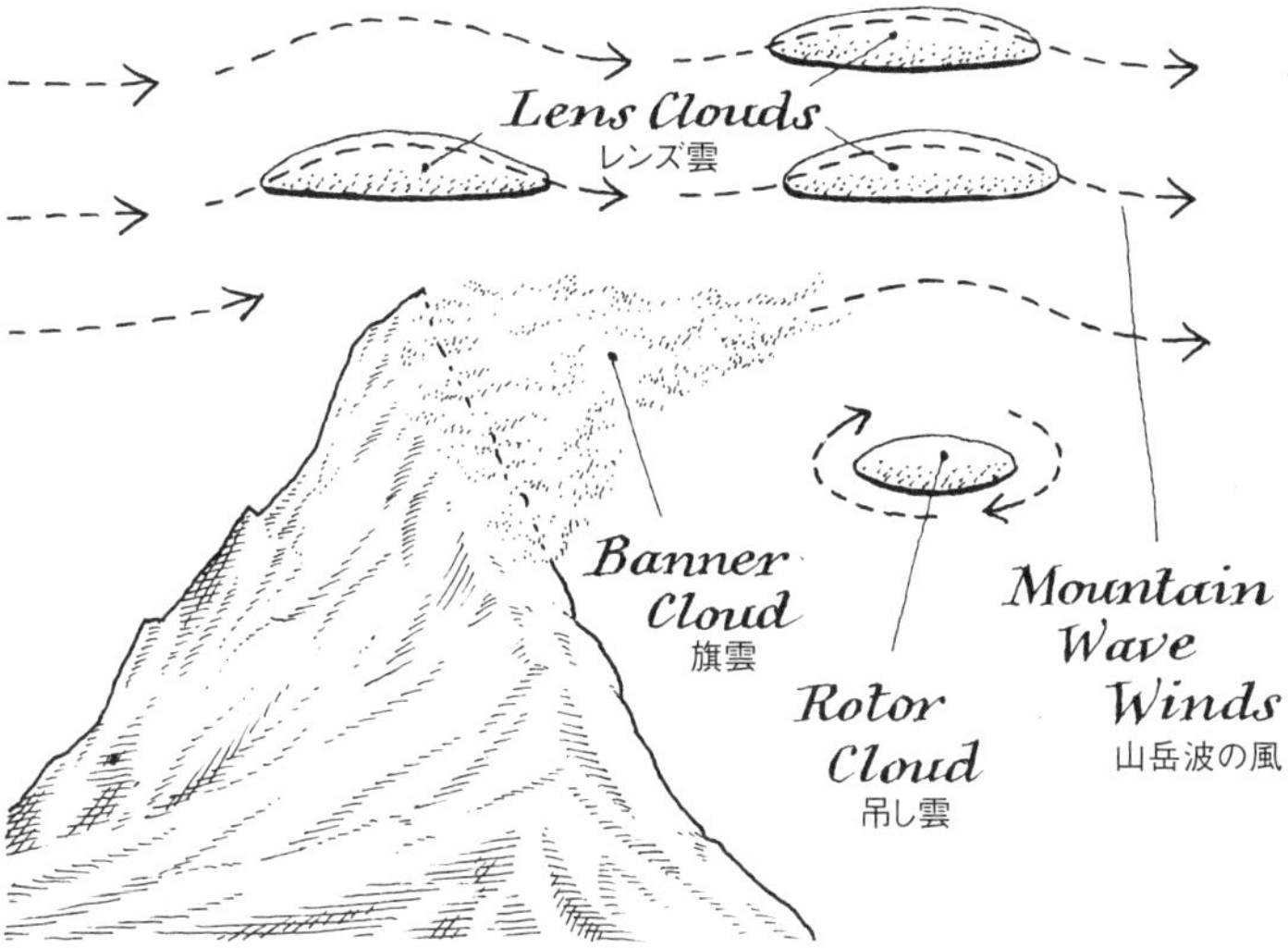

動かない。定在波は自然界でふつうに見られるものなので、すこし寄り道をしてみよう。

　底が小石でできたごく浅い川を眺めれば、それぞれの石の下流側に小さな波が多数生まれているのが見えるだろう。水量が一定であれば、波は同じ形で同じ位置に留まるが、川の水は流れ続けている。

　水の中に入り、小さな波の1つに視線を集中していると想像してみてほしい。その波の上流に、食紅を溶いた水をすこし流すとしよう。赤い水は石の上を流れ、波を通過し、下流側へと消えてゆく。波じたいは動かないが、赤い水は止まることなく流れ続ける。

　しかし、上流側に大きな岩を入れて流速を遅くしたなら、先ほどの波は消えてしまうだろう。定在波を作り出していた水流を変化させたからだ。レンズ雲が見える状況において、なぜこのことが大事なのだろうか？　それはレンズ雲が、空気の流れ方の変化にとても敏感な定在波の存在を示しているから。大きな天気の変化に先だっては、気流の変化が起きるものであるから、レンズ雲も形を変えるか消滅してしまう。

いくつか連なるレンズ雲は、山頂が連続する地形を反映するが、そうでないこともある。1つの山頂が、うねるような定在波を作り出すケースもあり、それぞれの波の頂点に雲が出現するのだ。

浅いドーム状のレンズ雲が縦方向に重なることも珍しくないが、定在波を生み出す山が縦に積み重なっているわけではない。重なるレンズ雲は、大気中に湿った空気と乾燥した空気が層になっているサインだ。湿った空気が1つめのレンズ雲を生み出し、その上にある乾燥した層が間隙となり、さらに上にある湿った空気が2つめのレンズ雲を作り、というわけだ。6つほどのレンズ雲が重なる光景は、珍しいが可能性としてはある。フランス人はこれをpile d'assiettes（重なった皿）と呼ぶ。

レンズ雲は、大気の状態が安定しており、風が安定して強いときにのみ発生する。山岳地帯では強風が吹くだろうが、天気は良好だ。最大級のレンズ雲は、わずかな雪や雨を降らせる可能性はあるが、ほんとうの悪天候がやってくるずっと前にレンズ雲は大きく崩れるか消滅する。

条件さえ整えば、レンズ雲は世界じゅうの山岳地帯で観察される。

吊し雲

液体や気体が障害物を乗り越えると、そこに乱流が生まれる。川面に上から枝が刺さっている所、水蒸気がケトルの口から出るとき、山頂の風下側で雲ができるとき。また第9章では、反抗雪丘の生成において乱流が果たす役割をご紹介した。

吊し雲は、乱流によって山側に風が吹き戻す風が生まれたときにできる。山の風下側にできる、回転する気流が可視化されたものだ。渦のどちら側が冷えて凝結するかによってさまざまな形を作るが、ゆがんだ積雲といった場合も多い。

山岳地帯で奇妙な形の雲を見つけたら、風上側に目をやると、その気流を生み出した山頂を見つけられるだろう。吊し雲は、航空機にとって危険な気流のサインだ。

旗雲

山岳地帯では、山の頂きから一方向にたなびく形の雲を目にすることがあるかもしれない。私が旗雲を初めて見たのは、アルプスでのことだった。私の脳は、目に入っているものが山頂でも雲でもないと判断を下した。岩でできた蒸気機関車に見えてしまったのだ。

湿った空気が山頂に吹きつけられて、岩壁に当たる。空気はその壁をただちに乗り越えることができないが、後ろからはさらに空気が押しかけてくる。すなわち風上側は圧縮が起きて空気圧が上がり、温度も上昇する。

山頂の風下側は空気が抜けるが、それを補う速度で補充はされないので圧力は下がり、膨張が起きて温度は低下する。つまり、風上側の空気はほんのすこしだけ高温、風下側はすこしだけ低温になるのだ。そして雲は、より低温な風下側にできやすい。できた雲は風によって引っ張られるので、細長い形を持つ。旗雲という名前の由来だ。

山頂の存在感が大きいほど、旗雲も立派になる。スイスのマッターホルンや、もちろんエベレストも、旗雲を従えることで有名だ。緩やかな丘の風下側に旗雲ができることはない。

旗雲は、その高さにおいて空気がほぼ水蒸気飽和の状態にあることを示すが、私たちにとってそのおもな意味は風向きの表示である。単純な意味を伝えてくる、単純な雲だ。

スープの中に浮かぶ雲

大気の最下層は、地表を温める太陽熱が大きな影響を及ぼす所だ。そして、実際に地面と接触している部分が最大の影響を受ける。上層部とはまったく違う挙動をするのである。これは大気境界層（プラネタリー・バウンダリー・レイヤー）として知られるもので、温度、湿度、局地風などが日ごとに大きく変化する。

ガスコンロの上に置かれたスープ鍋を想像してもらいたい。手でそれをかき混ぜる前、鍋の底近くは大混乱だ。表面は平らで静かに見えても、中の温度は急上昇し、水蒸気の泡ができはじめ、乱流が起きている。毎日地面を温める太陽は、ガスコンロの役割を果たしてスープの下層をかき乱す。しかし対流圏にある、より高い大気の層は、ほとんど乱されることがない。最下層はまた、夜間の放射冷却によって地面が熱を失うと、極端な温度低下を体験する。同じく鍋のたとえを使うなら、夜にコンロから下ろし、氷の上に置くようなものである。

私たちは、なぜそれを知る必要があるのだろうか？　地面に近い大気の層は、日ごと夜ごと、独自の法則に従うからである。気温、湿度、風向は、最下層とそのすこし上では異なる。その層は、太陽が昇ると厚くなり、一日の終わりには薄くなりはじめる。寒い夜のあとには１００メートルまで縮小し、暑い日中には2キロメートルまで肥大することもあるのだ。暖かい地域では厚くなる。熱帯地方では2キロメートル、北極では50メートルという可能性もある。その境界は目に見えないが、手がかりを探すことはできる。低層の雲の底は通常、その境界を示す。上が丸く、底が平らな低い積雲が空を移動している場合、その底が大気境界層の上端だ。

大気境界層で高度による温度変化の割合が変わり、空気が温まることがある。これまで見てきたように、冷たい空気の上に暖かい空気がのっていると安定状態が生まれ、逆転層と呼ばれるものを生み出す。この逆転層は、煙やほこり、水分などを最下層にとじこめ、脱出できなくする。高い場所から見下ろして、ほこりや煙、もやのようなものが地上にかかっていると思われたなら、あなたは大気境界層を目にしていることになる。この層に降りてくると、まるで違う気候の国に入ったような感覚に襲われるだろう。逆転層は朝方にもっともひんぱんに出現するが、それは夜間に地面から熱が放散し、それに接触している大気も急冷されるからである。

低い雲の底、煙ったような空気の層の上端を観察し、これがスープの表面であることを確認する機会を捉えるクセをつけておくと良い。これを境とした上下は、まったく違うふるまいを見せるからだ。大気境界層の内側から空を見上げるあなたは、もっとも低い雲ですら、地表近くで感じる風向きとはほんのすこし異なる向きに流れてゆくことが多いと知るだろう。

重なった毛布――層積雲

この章でご紹介する最後の雲は、層積雲だ。もっとも一般的な雲なのに、なぜここまで引っ張ったのだろう？　ちょっとだけ退屈で、わりと刺激に欠けたサインだからである。

層積雲は、白ないし灰色の大きな塊をなす低い雲である。その名前が示すとおり、積雲のパーツから成り、全天を覆うことがある。これは層雲のブランケットがちぎれてできる場合と、大量に湧き上がった積雲が安定した層に突き当たってできる場合がある。後者の場合、上昇しようとする雲は、はるかに乾燥した空気の層ないし逆転層に当たると、その高さで止まる。層積雲は空の半分以上を覆うこともあたりまえで、洋上においてもふつうに見られる。

この雲のやや困った点は、空一面を覆う毛布モデルにも、成長する積雲モデルにもぴったりとはまらないことだ。これが一般的な名前である理由は、類似の形をしたさまざまな雲に使うことができる、守備範囲の広い名前だから。大気の最下層に不安定な空気がたしかにあるが、安定した空気が重しとなっている。この雲が伝えてくるサインはシンプルだ。この毛布は、以後12時間は変化がない、安定した大気の状態と天気の到来を予告する。降水の確率はほぼなく、風も控えめだろう。

これらの雲を理解するためには、空を覆う毛布は、素材が大きなダマになっていても毛布であることを覚えておくこと。毛布は、急激な変化が訪れないことを示す。

毛布タイプの雲はすべて、気温に大きな影響をもたらす。ウールブランケットのように、夜間や冬季には保温を行い、夏の日々には熱を遮る。つまり層積雲は緩和作用を持つ雲で、天候のトゲを丸めてくれる。毛布タイプの雲が空を覆っているなら、霜や熱波は襲ってこないだろう。

層積雲が覆う空の下に立つ人から「天気はどうなりますかね?」と聞かれたとしたら、その答えは「たいして変わらないですよ」となるだろう。

飛行機が巻積雲の中に長い消散航跡を残した例。航跡の下には、氷の粒でできた巻雲が発生している

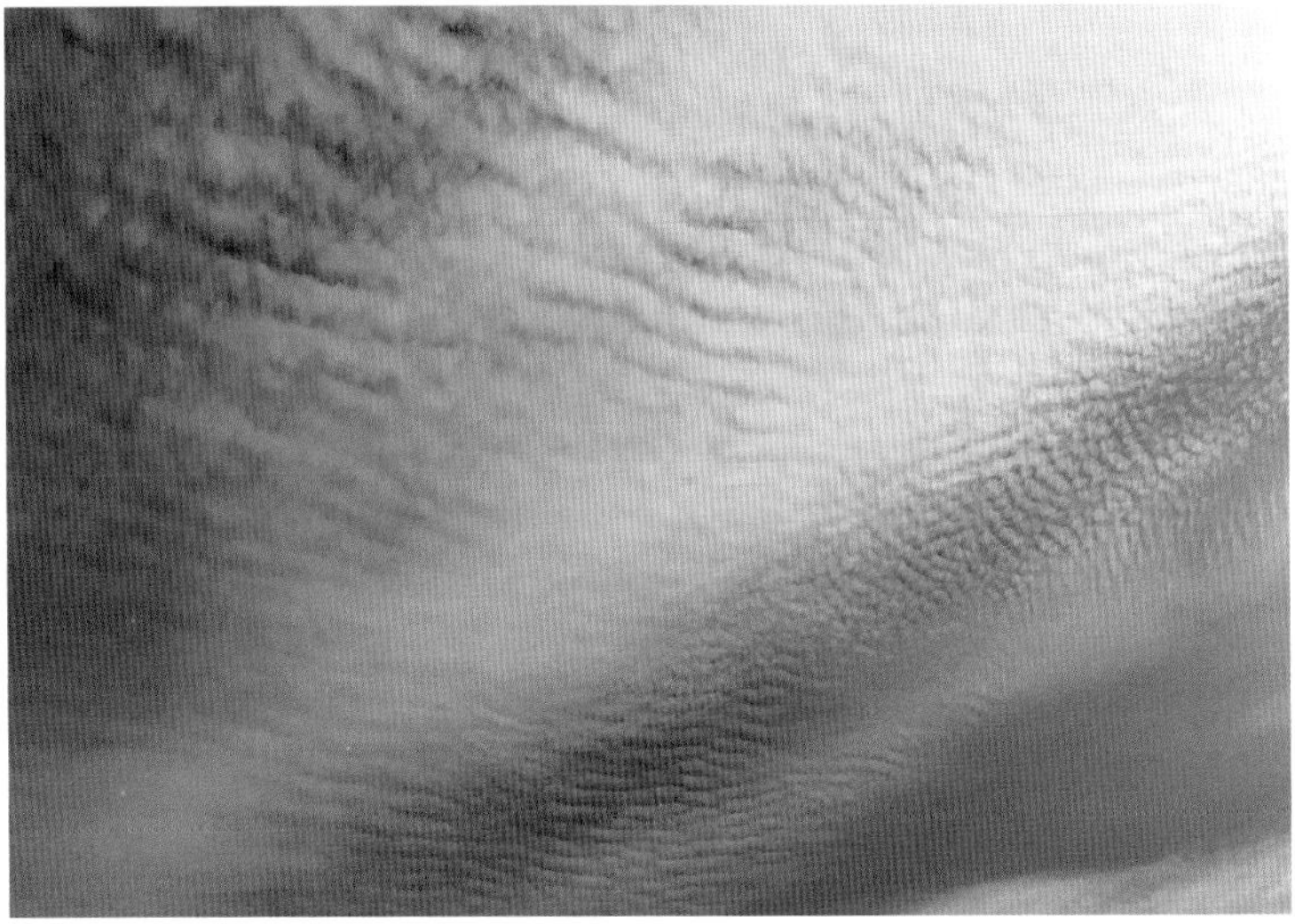

サバ模様の巻積雲

インバネスの街の向こうに浮かぶレンズ雲が見えない山を示す

シャルジャー砂漠にて。大気の不安定さを示すサインを観察していると視界が悪化してきた。雨に遭遇する2、3時間前に撮影した写真である

砂漠の山岳地帯で雨に遭遇し、喜ぶ筆者

針葉樹の傘の下にできた乾燥地帯は、コケにとって辛い環境

温暖前線が通過するときの霧と雨。木々に観察できる「くさび効果」に注目。常風が左側(南西)から吹く場所だ

風雨が林の端で加速し、オーツ麦をなぎ倒した

地元の林において、ブルーベルはもっとも暖かい場所から咲きはじめる

ジャージー島の上に浮かぶ積雲に観察できる高さの差。風が右上から左下に吹いている

夏季、温まった暗色の土地上空にできる積雲は、冷たい海上よりもずっと厚く、暗い色を帯びる

冬の海面は陸地より温かくなることを積雲が教えてくれる

左からの風を受けてとまる鳥。木の形から判断すると、常風は右から。つまり、通常とは違った天気がやってくることを暗示する写真である。冬の高気圧に覆われて暖かい晴れの日が続いた

右から左に進む3つの嵐。右から成長段階、成熟段階、崩壊段階

この砂浜は、近過去に2度のにわか雨に襲われたようだ。それらより前に子犬がここを歩き、大きな犬が2回めの雨のあとに歩いた。1回めの長い雨と2回めの短い雨の間に人が歩いた

風も雲もない冷え込んだ冬の夜が明けると、地面近くにはとても冷たい空気が層をなす。自動車が跳ね上げた水しぶきが凍り、生け垣につららを作った

12

サインを求めて（寄り道 その1）

２０１９年５月。私はしつこい突風と顔を刺すような砂粒から身を隠していた。ここはアラブ首長国連邦のシャルジャー砂漠。私は暗い岩の間から急斜面を覗き込んだ。30メートル下には、友人のまた友人として知り合ったアブドゥルが、涼しいランドクルーザーの中で砂嵐をやりすごしている。私はさらに体をすき間に押し込んだが、それは風を避けるためではなく、アブドゥルから身を隠すためだ。

見られていないことを確認すると、水筒を取り出して水をがぶ飲みする。ラマダーンの時期なので、アブドゥルは夜明けから夕暮れまでの間、食べ物も水もとらない。そこで私も、彼といっしょにいる日中の時間は物を食べないと決めた。砂漠の暑さの中で、昼間に食事をとらないのは驚くほど自然に思えたからだ。しかし、水は別問題。まったく飲まないのは無理だった。

ラマダーンを過ごしている人たちを見ていると、日中はあまり動かないのが賢明なようである。食べ物も水も摂取しないのなら、たしかにがんばらないほうが良い。アブドゥルは親切にも、私が行きたい場所まで車で連れていってくれると言ってくれるのだが、体内の水分を温存するために暑さを避け、労力を節約する必要があった。彼はそう言わなかったし、私につきあうことに不平を漏らすそぶりもなかったが、彼のふるまいははっきりと合理的だった。

しかし、砂漠へのささやかな旅で私がこなしたい仕事は、多少の努力なしには不可能だった。その結果、リズムが生まれた。エアコンの効いた快適な車内にいる私は、調査が必要なものを見つけると、ランドクルーザーを停めるよう頼む。それから炎熱の中を歩いていくわけだ。彼の視界から外れると、水筒の水を飲み、ノートを取り出して仕事に取りかかる。

私は岩の中に、驚くべき模様を見つけた。黒っぽい下地に白い筋が混じっている。とくに珍しいというわけではないが、白が作る寄木細工のような模様には輝きと鮮やかさがあり、私を引きつけた。間近で見ると、それはさらに際立っていた。一杯やる前のジャクソン・ポロックが描いた絵のようだった。ランダムさの衣装をまとった完璧な秩序。そんなものはつねに美しい。私は写真を撮り、スケッチを描き、さらに水を飲み、風が弱まるのを待った。

ポロックは良いたとえかもしれない。彼の絵を初めて見る人の多くは、なんの構造も意味も見いだせず、嫌悪感を抱く。私もそうだった。しかし、それがフラクタル構造を持っていると聞いてから、考えは変わった。ポロックの絵のどの部分をとっても、拡大してみると同じパターンが目の前に現れ、切り取る部分が大きくても小さくても変わらないという。ニューヨーク近代美術館で、大群衆が発散するいらいらエネルギーをかき分けて彼の絵を間近に覗き込んだことくらいしかない私は、この説を証明したとも否定したとも言えない。しかし、もし本当なら、作品が秩序と意味を備えているばかりでなく、それが作品全体を貫き、深く染み込んでいることを示唆している。自然界でもよく見られることだ。風にそよぐ木は、不規則な形、あるいは緑色をした騒音に見えるかもしれないが、よく観察してみると、樹冠の形、枝のつき方、小枝、葉、その鋸歯状の縁、葉脈、色、そして風にそよぐ音にいたるまで、秩序があることがわかる。

私は岩に浮き出したパターンにうっとりとし、意味を読み解こうと決めた。それと同時に、アブドゥルに対して罪悪感を覚えた。これは私がしばしば出会う葛藤であり、居心地の悪い思いをさせられる。私がそのようなことに興味があるからといって、彼が渇きに苦しまなければならない理由とは？

そのとき、東のフジャイラ首長国の山の上で、まったく異なるパターンを見た。空に浮かぶ模様だ。私が望みはしていたが、たいして期待もしていなかったサイン。

私は岩をあとにして砂丘に戻り、ぎこちなく砂をかき分けて車まで走った。渦巻く砂を入れないようにしながら車に乗り込み、アブドゥルに向き直った。

「時が来たよ。行こう」

「どこへ？」

「雨を探しに！」

その地域で雨が降るのは年に5日ほどで、5月にはほとんど降らない。しかし、私には確信があった。あのようなサインが出ていたなら、見ないふりなどできるわけがない。

ドバイで活動していた数日前、にわか雨の噂があった。ビルの色つきガラスを通して見る空は、海岸付近で雲が発達しようとしていたし、その最高部は陸地のほうに折れ曲がっていて、海から湿った空気塊が流れ込んでいるという報告と一致した。雨が降った場所を知っている人がいないか聞いて回ったが、誰もがビー玉のように無関心な目つきをした。私なりの仮説はあったが、地元の知識があるかどうかが、徒労に終わるか大当たりするかの分かれ目になるかもしれない。私は、この土地と空を知り尽くしている人に話を聞きたかった。

定期的に投げかけられる質問。「あなたはどうやって地元の知恵に触れるのですか？」。多くの人が地元民に聞くという考えを好むが、その人を探す作業には電話帳もインターネットも使えないという挑戦に困惑してしまう。それはつねに、飛び石的プロセスなのだ。「六次の隔たり」という概念によれば、世界じゅうの人々は社会的ネットワークでつながっており、６人を介すれば誰とでも接触できるという。ただしそれはネット上で「いいね！」を押しあう人たちではなく、実際にお互いを知っている人たちのこと。世界じゅうどこでも、昔ながらのやり方を知っている人と出会うためのルールは似かよっている。

あなたが最初に話す人は、あなたが何を求めているのか知らないかもしれないし、質問の本質を理解していないかもしれない。しかし、あなたの質問の意味を理解できる人を紹介してくれるかもしれない。その人は答えを持っていないが、答えを持っていそうな人を知っている。その人も答えを持っていないが、知っているであろう人を知っている。面倒だが効果的なこのプロセスを経て、私はモハメッドというベドウィンの長老を探し出し、砂漠で会う約束をした。計画は漠然としていた。私は砂漠に向かい、雨を見つけようと試みる。そして成功しようが失敗しようが、その日の夜はモハメッドと一緒に過ごす。アブドゥルは、この大ざっぱな計画を手伝ってくれることになった。

市街地をあとにし、前方に広がる山々を眺めたときにはまだ早かったが、すでにランドクルーザーの温度計は外気温が35℃と示していた。アブドゥルは、海岸と内陸の気温差は激しいが、標高による差もそれに劣らないと言った。オマーンとの国境にある「空《くう》の山」ジェベル・ハフィート山頂は、下界よりも25℃も低いことがある。標高は１２００メートルほどであるが、太陽が焼け焦がした地面によって低地の空気が熱くなるので、この差が生まれるのだ。

水がある数少ない砂漠では、微気象への影響は巨大である。水は砂よりも冷たいので、その上や周囲の空気も冷え、水のおかげで植物が育ち、砂よりも低温になる。水と緑と冷涼な空気を求め、動物がやってくる。砂漠の中のわずかな水が、気温と生命に連鎖的な影響を及ぼすのだ。ドバイシティの砂漠側には2つの湖が造られ、ドバイじゅうの人々が涼を求めて集まってきた。控えめなドバイ流の表現として、それらはハートの形を与えられ、「ラブレイク」と名付けられた。

私たちはラクダの病院と競争場を通り過ぎた。最速のラクダは時速65キロで走り、１００万ドル以上で取引されるとアブドゥルは説明してくれた。速い動物、強い動物を使って賭けを行わない文化を私は知らないが、この地域において、ラクダは馬よりも有利な賭けなのだ。10年ほど前、私はアジュマーン首長国の砂漠にある競走馬の調教施設を訪れたことがある。そこに造営されていた馬専用のプールはかなり現実離れしていたが、同時にきわめて現代アラブ的であったことを覚えている。

やがて道は砂漠へと入った。道の両側にはやぶがあり、その左右では砂の色が違っていた。アブドゥルは私の推定が正しいと言ってくれた。灌木は防風のため意図的に植えられたもので、一年じゅう灌水されている。高緯度地方では、道路に雪の吹きだまりができないよう、防風木を植える。カナダをはじめとする寒い国において、それは芸術であり科学でもある。つまり、木を植える場所を間違えれば、間違った場所に風陰を作り、道路上に反抗雪丘ができるなど、問題を悪化させることになる。私は砂漠でこの技術の適用例を観察し、葉の隙間から反抗砂丘を垣間見ることができた。

道路脇の植え込みは、意図どおりに空気の流れを乱し、それが砂の色の変化を引き起こしていた。茂みの風上側には赤みがかった重い砂が落ち、風下側には色も重さも軽い砂が溜まっていた。砂漠に限らず、風が砂に当たる場所ならどこでも起きる現象だ。アフリカ、アジア、アメリカ、オーストラリア、そして私の地元サセックスのビーチでも、道路や岩の両側で見たことがある。色の薄い砂は重量も軽く、障害物の風下側に落ちる。砂の場合、色の薄いものは軽いのだ。

気温は36℃まで上がっていた。アブドゥルが今日はラマダーン暦の満月だと説明したが、それは奇妙に思えた。実際の満月は2日前だったからだが、私はとやかく言わなかった。隣の男は、私のために食料も水も持たずに砂漠に突入してくれた。彼がそう言うなら、今日は満月でいいだろう。ある村を通り過ぎたとき、私たちはスピードを落とし、やせ細った男が道路を横切れるようにした。男はヤシの葉を持っていた。うちわか日よけと思ったが、彼は葉を持った手を街路樹に伸ばした。アブドゥルの説明によると、道路を縁どるヤシの木を受粉させているのだという。

私の要請に応えてアブドゥルは車を停め、ちょっとした高台を探検する機会を与えてくれた。私は車から離れて岩場を通り過ぎ、あたりを見回した。視界はまだ良好で、エル・アインやシャルジャー首長国、南東のオマーンまで見渡すことができた。しかし、それは空気がまだかなり乾燥していることを意味し、雨を見つける可能性は高くはなかった。

太陽は高く昇り、日差しが照りつけていた。ノートの黒い表紙が熱くて持てないほどだ。私は地面に棒を刺し、影の端にしるしをつけた。昔からの習慣だが、やって損はない。この貧弱な影の向こう側には、いつも何かがある。立ち止まって地面をよく見ていると、目が慣れてきた。地面の色は漂白されたような明るさから、さまざまな陰影を持つものに変わった。花が見えた。細い緑をたどっていくと突然、緑の葉と小さな黄色い花の絨毯の上に立っている自分がいた。私は棒を抜き取ると、興奮して車まで駆け戻った。アブドゥルがどう思うか聞いて、これ以上疲れさせないようにしてやらねば。

「雨が降ったんですね」

「ほんとうに？　いつだろう？」

私は興奮を抑えるのがやっとだった。アブドゥルは、近くにあるのに私が見逃していた花のじゅうたんの近くまで歩いてゆき、よく見ようと頭を下げた。

「ここ数日です」

私は、その場でスキップしたいような気持ちになったが、アブドゥルもスキップしていたと言えなくはない。彼は花の種類判定をぴょんと飛ばして、希少なそのサインを愛でたのである。私としては、変則的、非対称、あるいは特別に興味をそそるようなものを見つけたら、それがなんという名前かを理解したうえで、さらに問いかけを行う、もしくはあとで調べることのほうがずっとふつうだ。私は喜びを抑え、いつもとは逆の方向に調査を進めた。

「なんという花ですか？　名前を知っています？」

「いろいろありますよ。私はビンディイという名前で知っています」

あとから、これはハマビシ（*Tribulus terrestris*）であり、世界の多くの乾燥地帯で、乾季のあとに初めて雨が降ると開花することでよく知られた植物と確認できた。この花を見つけたからそう思いはじめたのだろうが、気のせいでもないと思う。空気は、朝よりもずっと湿気を含んでいるようだった。

私たちは車に戻って走り続けた。私たちはいま、砂漠のどまん中にいる。砂を囲い込むことはできない土地だ。アラビア語と英語で書かれた赤い警告標識があった。「路上に不定形の砂丘あり」。オアシスに面した村で給油。木々が生い茂り、ここ数時間は縁がなかった鳥の声が聞こえてきた。村のちょっとした店でさえ、水と生命、果実の存在を声高にうたっており、蜜とミツバチを売る店すらあった。影はとても短い。気温は37℃。

次に停車してもらった場所で、私は高さと眺望を得るため小高い場所に登った。嬉しいことに、全方位で視界は良くなかった。空は積乱雲で埋め尽くされ、空気は蒸し暑く、湿気と砂ぼこりで重たげだ。

北側の山々は色あせたかのようで、早朝に見たような鮮明さを失っていた。尾根は北北西から南南東に走り、岩は北西から南東方向に傾いていた。私はもう一度棒が作る影の端をマークし、「砂の尾」の写真を撮った。私が岩に興味を持っていることを知ったアブドゥルによると、定期的に襲ってくる地震は岩場では体感できるが、ちょっと離れると砂が震動を吸収してしまうからまったくわからない、とのことだった。

私たちは砂漠を横切り、岩の多い高台を越え、再び砂丘地帯に下りた。深い砂の上で車のタイヤが空回りしないよう、タイヤの空気を抜くために停車。私は砂丘を1時間近く、水をがぶ飲みしながら歩いて進み、特徴のある岩を目印として帰還した。視覚的な錨を軸に、ぐるりと回ったようなものだ。羅針盤として使える砂の模様が目の前に多種多様に広がっていたが、それら各々は風によって独自のスケールで形作られていたものである。15メートルの巨大な丘には砂の波が立ち、その上にはさざ波が乗り、点在する小さな岩の周りには砂の尾があった。悲しいことに予想どおり、捨てられたペットボトルの首からも貧弱な砂の尾が伸びていた。

私は、いくつかの木に奇妙な整然さを見つけた。葉を食べられた跡だ。木々の根元は、ラクダの口が届く高さまで、きれいに葉がなかった。最後の砂丘を登る前に、私は水筒を隠した。車に戻った私は、他から孤立した木立についてアブドゥルに尋ねた。

「デザートシーダーですよ。樹液には毒がありますが、砂と混ぜるとラクダの切り傷の消毒薬になります」

ランドクルーザーに戻ってみると、気温は39℃。それから車を走らせて見つけたのが最初に述べた、白い葉脈のような模様のある黒い岩だ。

遠くの積乱雲は勢いよく湧き上がり、数秒で形を変えた。私が見ていたのは、岩陰に身を隠さざるを得ないような強風を産み落とした原因だった。遠くに目をやると、一連の出来事がどのように展開してゆくのかが理解できた。

どんどん高く成長する積雲が、湿った空気と上昇気流、大気の不安定さを語る

暖かく湿った空気が海から流れ込み、砂漠の平原の上を通過していた。陸地が低く平坦なら、その影響はわずかな蒸し暑さと視界悪化だけだろう。

午後の早い時間までに、太陽は地面をじゅうぶんに温め、局地的な対流と不安定状態を作り出した。砂漠の上に点在する積雲の塊はそうやってできた。もし各要因に変化がなければ、天候も変化はなかったはずだ。しかし、劇的なものを見せつけられるお膳立ては整っていた。空気はエネルギーに満ちている。局所的な温度上昇があれば、ささやかな積乱雲はできる。しかし、それがそびえ立つ雨雲に成長するには、もっと大きなきっかけが必要である。山だ。

山が、湿度の高い不安定な空気を押し上げた。空気は膨張して冷やされ、水蒸気は凝縮し、さらに熱が放出された。太陽に焼かれた砂からのささやかな熱が起動した対流は雲を作ったが、じきに平衡状態に戻ってふわふわの積乱雲に落ち着いていた。しかし山がすべてを変えた。どんな爆弾にも起爆装置がある。連鎖反応を引き起こす小さな爆発を誘発したのは、山の斜面だった。私は太陽を使って雲と山の方角を測った。

「ここまで行けますか？」

私は車のボンネットに地図を挟み、方位線に沿って指を走らせ、ジェベル・ハフィートの風上側に置いた。

「大丈夫です」

砂丘の端でタイヤに空気を入れ直すために一時停車。そして、海上の空気が山腹にぶつかると推測される地点に向かって走り出した。高度を稼いでいくと、別の首長国であるラス・アル・ハイマ南部に入ったが、そのような境界線は私にとってなんの意味も持たなかった。

やがて海抜３００メートルに達すると、道の両側に木々が生い茂るようになった。良い兆候だ。空から直接降るのか、もっと高い場所から流れてきたのかはわからないが、時折ここに水が届いていることを意味している。どっちなのかは、車中からは判断できない。それからあっという間に、空模様が一変した。アブドゥルに車を停めてもらい、私は道から岩の中に降りていった。私たちの両側には山があり、空をもっとよく見たかったのだ。

長いこと忘れていた涼しさだった。広くなだらかな谷の底から見上げると、追いつけないほどの高速で雲の形が変わり、光量が落ちてきているのがわかった。岩の間から枯葉がかさつく音が聞こえ、一枚が空中に舞い上がり、渦を巻いてのぼるのが見えた。メモを記す手の甲に、最初の雨粒を感じた。帽子を脱いで真上を見上げると、次のしずくは顔に落ちた。１分後、土砂降りの雨と雷が山のほうからやってきた。雲は、私たちが感じている風とはまったく違う方向に動いていた。急に風速が上がり、向きも変化する。ノートをナップザックにしまうと、鼻から水が流れ落ちた。冷たい雨の一筋が背中を伝い、私は震えた。

　私は空に向かって帽子を振ってお祝いとし、すこし高い道路まで走って戻った。高すぎる所は良くない。近くで稲光がしているときの山頂は危険だが、乾いた国で雨が降りそうなとき涸れ沢の中にいるのも好きではない。怖い話が多すぎる。砂漠では、まれに降る嵐の雨が「ワジ」、渓谷、涸れ沢などに集まり、水位は数秒で急上昇する。地元の人々は鉄砲水の危険性を聞かされて育っているので注意することを知っているが、旅行者は砂漠で水に命をさらわれるとは想像もしない。砂漠の旅に精通したスイスの探検家イザベル・エーベルハルトは、１９０４年にアルジェリアのサハラ砂漠で鉄砲水に巻き込まれ亡くなった。

　車に戻る途中ですれ違った木々は、数滴の水で生き延びていたわけではない。深い根で、鉄砲水に由来する水分を吸い上げているのだ。ランドクルーザーに戻ると、温度計は大きく下がって31℃を示していた。

　東へと車を走らせ、山脈を越えるときは数キロごとに道路が濡れた漆黒から乾いた色に変わるのを眺めた。飛び去ってゆく不安定な空気が、あちこちでにわか雨を降らせていたのだ。海岸近くでは、芽を出しかかった無害そうな積乱雲という形で、嵐雲のささやかな誕生を見ることができた。

　その晩、私は予定どおり、砂漠にある集落の近くでモハメッドと会った。アブドゥルの車の荷室からマットを取り出し、砂の上に敷いて座った。アブドゥルは2、3時間で戻ると約束し、軟らかい砂に苦労しながら走り去った。太陽は沈んだので断食は終了、私たちは魔法瓶に入れてあったコーヒーを飲み、デーツを食べ、最後の光が空から消えるのを見ながら話をした。

私はモハメッドに謝意を伝え、会えて嬉しい理由を説明した。私が言い終わらないうちに、モハメッドが口をはさんだ。

「ルブアルハリ砂漠を横断するには、御仁が考える数の2倍のラクダが必要だ。10頭必要だと思うなら、20頭連れて行きなさい。何頭かは死ぬ」

彼の手は、静止した体の前で踊るように動いた。

「砂漠の魚を食べなさい。トカゲだ。砂の中を泳ぐんだよ」

私の目的が、砂漠横断などよりもずっとささやかであることを説明するためには、ちょっと努力が必要だった。まず星を指差して、私たちが呼ぶそれらの星の名前と、旅にとっての意味を説明した。モハメッドもそれを聞いて表情を変え、ベドウィンたちの呼び名を教え、どうやって目印にするかを説明した。その方法は、世界中で共有されているなじみ深いものだった。違うのは星の名前だけだ。それから私は、話を天気の言い伝えのほうに振った。私は「夜の赤い空は、羊飼いの喜び」という例を持ち出した。天候のサインという点で彼の心に響くとは思わなかったが、羊飼い、天候、知恵と言い伝えを結びつけることで、うまくいくかもしれないと思ったのだ。嬉しいことに、そのとおりになった。

「じつに正しい質問だ！」

彼のひとさし指は、警告するように振られた。

「南風が4日間吹いたら、ワジの中で寝てはいけない。大雨が降る」

まさに期待どおり、モハメッドは私の興奮した表情を見たに違いない。数時間の南風にはほとんど意味はないが、4日続くと大洪水になる、と細かく説明を始めた。ワジに寝起きする者にとっては危険なことだ。ワジとは、嵐による激流が流れる前に何ヶ月も干上がっている川底のことである。彼はさらに、「父親と知り合いでない場合はその人を信用しない」というベドウィンの信念とこの警告には関係があることを説明しようとしていたが、私はそこで論点を見失った。風は天候の父であることを思い起こさせようとしたのかもしれない。

私が続けてくださいと促すと、彼は北風の話に切り替えた。モハメッドは、アクセントは強かったもののかなり英語がうまかった。私が何度か話がわからなくなったのは、アラビア語で初めて聞く風の名前があったからだった。私たちは星を指さして方角を示し、星は私たちの通訳として見事に機能した。北風は冬の訪れを告げるものだが、同時にマスクを着用するサインでもあった。北風はやがて病気がやってくることを示しているのだとモハメッドは説明した*。

ここ数日私が感じていた東風は、雲を、時には雨をもたらすものだった。ベドウィンの伝統によると、東風がもたらす雨は、南風の雨ほど長くは降らないとされている、というモハメッドの説明はすばらしかった。この科学的根拠は簡単に理解できた。東風は暖かく湿った空気とにわか雨をもたらす。南風は気団の季節的な変化とそれに続く前線の雨を示す。

「山は雨を呼ぶ磁力だよ。ところどころ緑色をしているのはそういうわけだ。緑は雨が降る場所」

私は彼の詩的な言い回しに心が奪われた。山が雨を呼ぶと表現できる人に、「地形性降雨」などという用語は必要ない。

＊これはCOVID-19がニュースになる数ヶ月前のことだが、私はそれ以来、この伝統を私たちもすぐに真似ることになるのではないかと何度も考えてきた。政治家や科学者がマスク着用を義務づける前に、冬の冷たい風が私たちにマスク着用を促すのだ。

私が動物や天候について尋ねると、雨が降る前に体色が黒から赤に変わるクモのことを教えてくれた。正確には「クモではなくクモの仲間」らしい。私は彼が言うその名前、クムファシールという単語を書き留めるのに精一杯だった。さらに詳細を聞き出そうとしたが、モハメッドも知っていたようには思えず、他の文献を見つけることも、その生物の名前を特定することもできなかった。また新たな探究が始まったわけだ。

空腹時のコーヒーとデーツは、ふたりにエネルギーを与えてくれた。その日にこなしたかったことはやり終わり、会話は広がった。私たちは少し笑った。モハメッドは、ラクダの乳が男性能力の増強にも効くと教えてくれた。

ランドクルーザーの灯火が砂丘の頂上に現れた。今日の出会いは幸運のゆえだが、順番が逆だった。いつもなら、その土地で仕入れた知識が、私の探し物を見つける手助けをしてくれる。しかし日中の私はとても幸運であり、あとでモハメッドから聞いた話の多くは、私の実地経験を反映していた。昼も夜も、サインと知恵に出会ったわけだ。

私はモハメッドに、知恵を授けてくれたお礼を言った。そして、彼らが去っていく前、私はアブドゥルに明日の朝、この場所まで来てくれないかと尋ねた。彼らの姿が見えなくなると、私はナップザックからパンを取り出して食べた。じっとしているのが辛かった。コーヒーを飲んで、星空の下を2時間ほど歩いた。マットを敷いて眠りに落ちるとき、小さな雲がもっと小さくなっていくのを見た。

13 ローカルな風

ギャップウインド／チャンネルウインド／スプリットウインド／レブルウインド／山頂の風／山岳波風／海風／陸風／山・谷・湖の風／力を合わせる／名前のある風／横風の法則

本章では、天気をめぐる私たちの旅において知っておくべき、ローカルな風のキャラクターたちを学ぼう。風には、大きく分けて2つの種類がある。つまり土地によって形作られる風と、温度差によって生み出される風だ。

この章に登場するキャラクターは原型であり、それぞれが原理を説明している。それらの原理を通じて、私たちは将来的に出会うであろうマイナーなキャラクターたちも理解することができるはずだ。この概念は、風を理解するうえでとても基本的なものなので、類似の分野を例にとり、私の考え方やアプローチの基礎となった経緯について説明したいと思う。

太平洋を自在に航海してきた人たちが、小さな島々の間で、また目印もない大海原において使った針路を定める方法に、私は魅了されてきた。彼らはさまざまなやり方を用いていたが、とくに私たちに関連するものが1つある。島にぶつかった波は押し戻され、曲がり、広がる。反射し、屈折し、回折する。波は物理法則に従うので、信頼できるパターンを備えるようになる。島伝いに進む航海者たちは、カヌーの動きから、波のパターン変化を感じ取っていたのだ。そんな変化は、近くにある陸地の方向を示してくれる。

私の心を揺さぶり、『水の読み方』（未訳）を書くきっかけとなったのは、サセックスにある自宅近くの池で同じようなパターンを見つけたことだった。私は突然、この法則が世界規模で、しかも私が想像していたのとはまったく異なるスケールで適用されていることに気づいた。そのパターンは太平洋や海洋に限ったものではなく、世界じゅうの池に生まれる小さな波紋としても見ることができる。

この洞察は、本書のコンセプトのいくつかにアプローチする方法も教えてくれた。そのパターンは水とは異なるが、支える法則はグローバルなものであり、きわめて多様なスケールで適用される。理解さえすれば、あらゆる土地、あらゆる規模で探すことができるだろう。「レヴァンター」とは地中海西部で吹く有名な風であり、先に紹介した「レヴァント」に関連している。この風は何千キロもの距離を吹き抜け、何百万人もの人々に影響を与えるが、あとから説明するように、私たちが建物の間で感じる風にきわめて近いものである。

どんな土地も、風との関係を持つ。土地は風を形作るが、風によって土地が形作られるという側面もあるのだ。土地が風に与える影響は、物理的な地形、起伏、そして温度差による。

まずご紹介するのは地形風。気圧配置によって引き起こされる地域的なメインウインドが、特定の地形にぶつかったときに発生する局所的な風のことである。

風が語るすべてを明らかにするためには、３つのシンプルな真理を忘れないことだ。

１　空気は決して完全静止していない。

２　風には原因がある。

３　風の原因は、感じ取って理解できる。

それらを念頭に置いておけば、私たちはごくささいな風のサインにも意味を見つけはじめるだろう。

ギャップウインド

２００７年、私は大西洋を単独横断した。この旅についてあまり書いたり話したりしないのは、もっぱら計画通りに進んだからというのが理由だ。遭遇した困難は出航前の物の手配や旅程の調整、航海中のことで言えば暑さ、退屈さ、そして孤独であった。どれも、すばらしいお話の必須要素とはいえない。もしすべてが大失敗に終わり、かつ私が生き延びていたら、長い物語の素材が見つかっただろう。しかし、私の心に残っているのはこの旅の３つの側面だけで、いずれもはなはだ個人的なものだ。

まず、大西洋の単独横断は私が行った長年の研究、訓練、準備、努力の集大成であったこと。伝統的航海術をマスターするという私の目標の重要なマイルストーンとなった。

次に、この旅のやり方がふつうではなかったこと。単独での大西洋横断はよく耳にするし、べつだん珍しい旅ではない。たいていの長距離単独航海は、レースやその他の組織化されたイベントの一環である。しかし一人で船に乗り込み、組織的な支援も枠組みもなく、単独で海を横断するのはまれなことだ。私がカナリア諸島のランサローテのマリーナから出航したとき、私が何をしているか知っている人は、１０００マイル以内には家族を含めてひとりもいなかったと思う。そして26日後カリブ海に近づくまで、状況はほとんど同じだった。

３つめのおもしろい側面とは、最初の48時間がちょっとした地獄だったことだ。私がランサローテ島を出発地に選んだのには理由があった。つまり、なじみがあったのだ。私は過去に、この島を歩いたり、あたりを船で回ったりした経験がある。旅を始めるにあたって、知らない要素は少ないほうがいいというのが私の論理だった。唯一の問題は、ランサローテ島が群島の北東端にあり、私は南西に向かうこと。つまり大西洋の外洋に出るまでには、島々の間を通り抜けなければならなかった。

　このようなことをする船には多くの危険がつきものだが、単独行ではなおさら試練だった。他のヨットはたくさん見たが、業務船、それもほとんどあたりに気を配らない漁船のほうが心配だった。さらに不安なのは「加速ゾーン」。カナリア諸島に吹きつける風は、切り立つ火山峰に挟まれると相貌を変える。穏やかなそよ風が一瞬のうちに、帆をいっぱいに張ったヨットを危険なダンスに放り込むのにじゅうぶんな、風力7ないし8の突風に変わった。その急な変化は、私を肉体的にも精神的にも疲れさせた。水面をつねに観察し、数分後に襲来するであろう風の予告となる波紋がないか、用心を続ける必要があった。日中ですらたいへん、夜間は不可能に近い作業だ。ギャップウインドへの警戒心は、いまや私の心に強く刻み込まれている。

　狭い隙間に押し込まれた風は加速する。これは気体でも液体でも、すべての流体にあてはまる。水を遠くまで飛ばすため、ホースの口に親指を当てるのはそのためである。川の流れが分かれ、島を通過する所では、再び合流する場所よりも水の流れが速いのと同じことだ。

　風が隙間を通過するときに加速することを、人々は何千年も前から理解していた。先だってご紹介した古代ギリシアの学者テオフラストスは２３００年前に、風の加速と水との類似性を指摘している。

「すき間を通り抜ける風は、水の流れと同じく、つねに力強く勢いがある。圧縮され、押しが強い。そのため、他の場所が静かであっても、狭い通路には常に風が存在する」

最後の文でテオフラストスは、何もない所からギャップウインドが発生したように感じる私たちのことを言っているようにも思える。風が非常に弱く、私たちがあまり敏感でない場合、ギャップウインドによって初めて風を感じることはよくあるのだ。

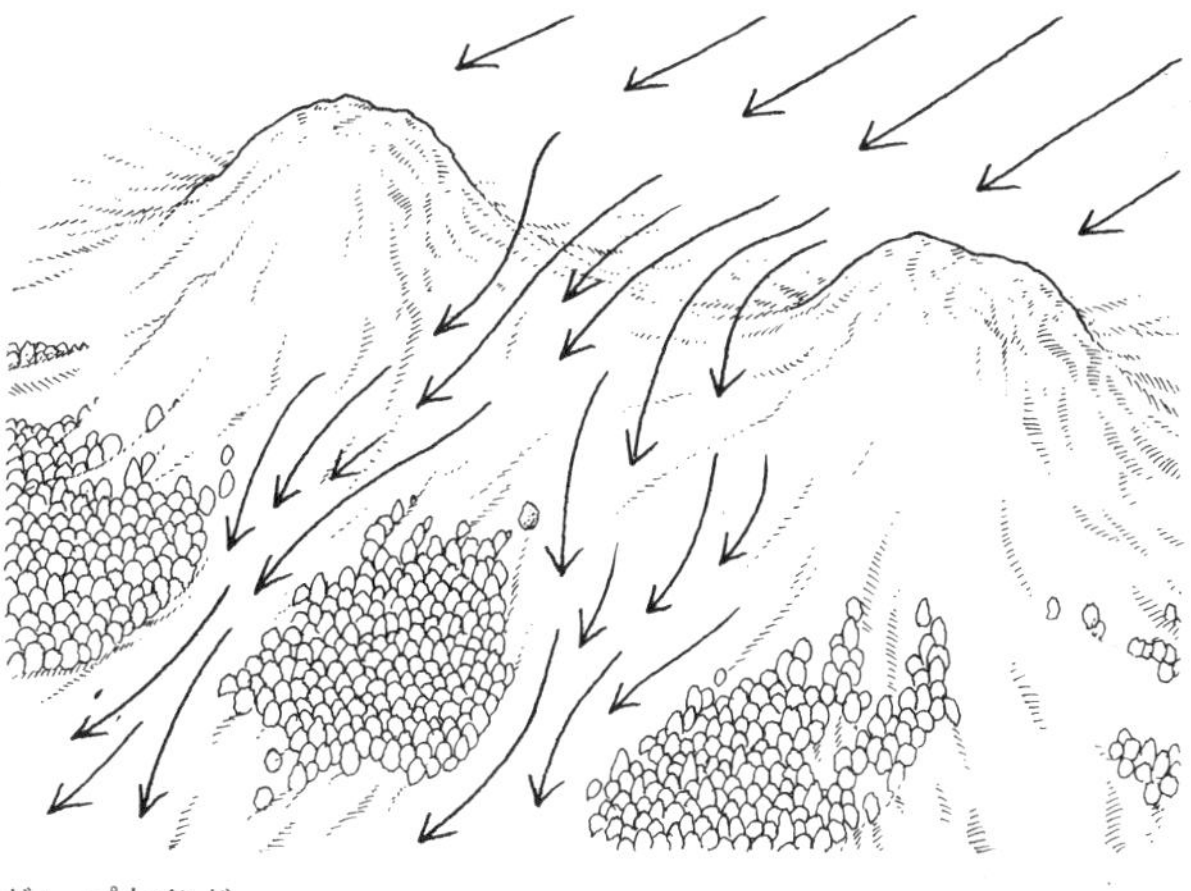

ギャップウインド

あなたも、いっしょに歩いている人に「風が強くなってきたね」と言ったことがあるだろう。ある意味、それは正しい。ギャップウインドはたしかに加速する。しかし「また弱くなったなあ」とも言ったとしたら、一定に弱く吹いているメインウインドに挟まったギャップウインドに気づかず、通り過ぎてしまったということかもしれない。

ミストラルは有名なギャップウインドで、北から南フランス上空を通過し、地中海に向かって吹く壮大なスケールのものである。この風は他と同様、気圧差によって発生する。北西のビスケー湾には高気圧が、南側の地中海には低気圧があることが多い。つまり風はアルプス山脈やセヴェンヌ山脈を通過しなければならない。これらの山はホースに当てた親指の役割を果たし、谷間では風が猛烈に加速する。古代の地理学者ストラボンは、この風によって馬車から投げ出された人もいると伝えている。この風はストラボンの時代からほとんど変わっておらず、最近では作家のニック・ハントがこの風に会うためにこの地方を訪れたが、その歓迎ぶりに失望することはなかったようだ。

まるで攻撃を受けているようだった。私は冷え切った手で目を覆い、防御姿勢で通りを横切る。市庁舎の三色旗は、懸命に旗竿からちぎれようとしているようだった。人々は45度の前かがみで歩き、ヘアスタイルは南に向かって流れる形であった。

ほとんどのギャップウインドがそうであるように、ミストラルは冬によく吹く。季節的な要因が気圧配置を決定するということもあるが、ギャップウインドがもっとも極端になるのは気温が低いときであるからだ。冷たい空気は密度が高く、暖かい空気のように上昇することができない。冷たければそれだけ、重力で地面に押しつけられ、隙間から押し出される。

ギャップウインドは短い距離にも長い距離にも吹く。地形がどんどん狭くなると、風速はそれにつれて上がり、最狭部で最高に達する。カリフォルニアのギャップウインド、サンタアナ風は、高気圧の端で微風として生まれるが、海岸沿いのサンガブリエル山脈とサンバーナディーノ山脈に挟まれると時速97キロを超える強さになる。

ギャップは、高地にある低地点の場合も、平原の窪地のこともある。ギャップは峠、コル、サドル、ノッチ、ゴルジュなどとも呼ばれることがあり、別の呼び名を集めれば長いリストになるだろう。大事なのは、風が土地を横切る際に、狭く低いルートがあれば加速が起きるということだ。

ジブラルタル海峡のような場所では、地元住民もギャップウインドの特徴をよく知っているが、規模が小さくなるにつれて、風は気づかれずに通り過ぎようとする。大きな山頂であろうと、森であろうと対をなす立ち木であろうと、２つの高い地点の間を通り抜けるときに風は加速する、ということを私たちは心に留めておく必要がある。

先ほど、スペインの街タリファのことに言及したときに出会った風もギャップウインドだった。タリファはジブラルタル海峡に面しており、ここを通過する風はヨーロッパとアフリカに挟まれて加速する。

チャンネルウインド

ギャップウインドとして始まった風は、しばしば谷の低地ルートをたどり続け、実際の地峡部から遠く離れても吹き荒れる風になる。ひとたび低温の風が、気圧の変化とほぼ同方向に走る谷に沈みこんでくると、それに沿って吹き下ろす。谷は風を集め、曲げる。つまりチャンネル化するのだ。

ヨークシャー・デイルズは、南北に走るペナイン丘陵の背骨から東西に伸びる渓谷だが、私がそこを探検した数日間は決して忘れないだろう。ほとんど曇り空で、私は風に削られた木々をコンパス代わりにしていた。初日の早い段階で所定のコースを外れてしまった私は、頭の計器を再調整する必要があると気づいた。木のこずえは、この地方の全体的傾向である南西から北東ではなく、西から東に向かって曲がっている。谷は西から東に横たわっているので、風もそちらの方向に吹いているということであり、こずえもそのとおりに曲がるのだ。

谷が海岸に達し、沖に向かって風が吹いている場合、チャンネル効果によってかなり沖まで強い風の

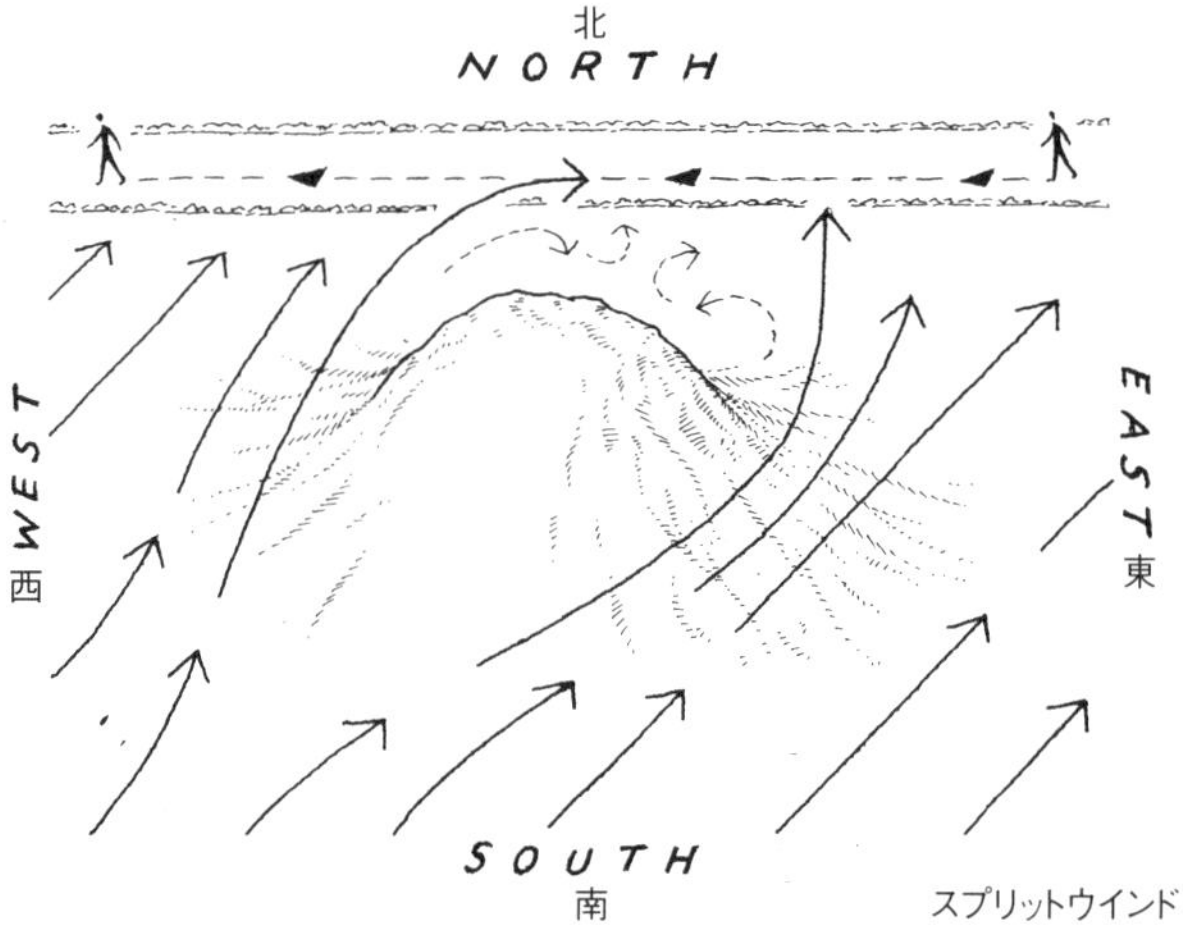

スプリットウインド

帯ができ、岸沿いは逆に穏やかとなる。風は帯状をなして緩やかに広がり、水面に残る模様は、海があまり荒れていなければ高台から簡単に見ることができる。海岸沿いの低い所から、海へと伸びている濃く広がる帯を探そう。波打つような崖のある場所での効果はすばらしく、海に陸地の形が相似形で描かれるのを見られるだろう。

スプリットウインド

昔の物書きは自然を熱心に研究し、よく観察された現実のうえに想像的な記述を織り込んだ。ホメロスの作品には、海、陸、空を背景として幻想的な生き物や出来事がふんだんに登場するが、その背景の正確さには科学者も納得する。古代ギリシアの詩人、ロドス島のアポローニオスは、イアーソーンが率いたアルゴー船の乗組員たちについての記述の合間を縫って、地形をこう記述する。「空の大熊へリケに対置されるはカランビス山、四方険しく海を臨み、高い頂きを誇る。北からの風を割る峰なり」

風が島々にぶつかると、場所によっては加速するが、向きも変わる。陸地の下を通ったり貫通できない場合は、上を通るか回り込まなければならない。平らな海から突き出す島を考えれば明らかなことだが、日常的な風景でも経験できる。

　私がよく使う地元の散歩道に、つい足を止める場所がある。ヒツジの放牧に使われる畑の端に草の茂った盛り土があり、天気の良い日に夏なら1時間ほど、冬ならもっと短時間、腰を下ろすのが好きだ。座っていると、その日の散歩が計画的なものか、それとも部屋の中に閉じこもっていられなくて飛び出してきたのかが思い起こされる。計画的であれば、紅茶の入った魔法瓶と食べ物がリュックに入れてあるだろう。

　ほとんどの向きで見晴らしが良く、南側は海まで見渡せる。南西には、何百回となくあらゆる角度から歩いてきた、おなじみの小高い丘が見える。多くのことを教えてくれたこの無名の丘は、私が書いたほとんどの本に登場する。イングランドにはこのような丘が何千とあるに違いない。近所では知らない人などいないが、名前すらついていないようなものだ。

　私のいつもの周回ルートは、丘の北東側にあるこの場所を通る。土地の形と南西風の特徴から、この区間ではたいてい2種類の風に出会うことになる。丘は南西風を割るので、私はまず南風を、やがて西風を感じる。

　いつもの南西風が吹く日でも、完全に文字どおりであることはほとんどない。つまり、南か西にわずかだがずれているのだ。丘はこのわずかな偏りを拾い、誇張する。

　丘の近くでは、その風下効果や森林に覆われた斜面の影響で、風は弱く変わりやすい。さらに風下へ行けば、分かれた風が再び合流し、丘の効果はなくなる。私の休憩地点は、風が合流する場所である。私は南風に別れを告げ、西風に出会いの挨拶をしながらまた歩きはじめる。

レブルウインド

テオフラストスは、地形が渦を巻く風を生み出すことも述べている。風が障害物を通過するときはいつも、ひっかかって乱れる。障害物の風下にできる回転風は渦流と呼ばれ、どこにでも見つかる。ビルのすみっこで回転するほこり、焚き火の煙のもくもくとした上昇、カフェの外で車が通り過ぎるときに感じる乱れた風。渦流は、数センチから数百キロメートルまでの、あらゆるスケールで出現している。

乱流の風はいろいろな意味で興味深い。確実性を伴うのだ。風がかどのある物体や突出した障害物を通過すると、滑らかな流れが壊れ、複雑な渦すなわち渦流が発生すると、私は絶対的な自信を持って言うことができる。例外はない。

しかし、それは不確実性もはらむ。渦流の正確な位置や挙動を予測することは、いまの科学にとっては複雑すぎ、おそらく未来においてもそうだろう。これは、カオス理論の一分野である「バタフライ効果」として知られるものと関連している。つまり、力学系において変数の最初の値をわずかに変えるだけで、私たちが観察するパターンが大きく、時には完全に変化するという理論。チョウが羽ばたくと、めぐり巡って地球の裏側の天気が変わるというわけだ。このような大規模効果を視覚化するのは難しいが、より小さな例は毎日私たちの周りで起こっている。

数年前、私は下の息子のヴィニーに協力してもらって、消したロウソクから立ち上る煙が、部屋の反対側を歩くとどのように変化するかを観察してみた。煙の形は予測不能に大きく変化した。没入型ビデオゲームの時代に11歳の子供の注意を引きつけるには、もう少し派手な実験のほうが良いということもあわせて学んだ。

世界について学べば学ぶほど、正確さと曖昧さの組み合わせが役に立つとわかってくる。自然が本来持っている一面を反映しているからだ。私たちは、1リットルの空気の中に何個の分子があるか説明できる。また、その空気を加熱したり圧縮したりしたときの挙動を正確に予測することもできる。しかし世界じゅうの誰にとっても、分子の1つを選び出し、それが1秒間にたどる正確な経路を説明するのは不可能だ。

　風の渦流に遭遇したとき、正確さと曖昧さの組み合わせを受け入れるなら、それは役に立つ。ベイマツの風下とトウヒの風下とで渦のパターンが違うことを知っても、得るものはあまりない（ちなみにベイマツの風下には「対称的な後流」ができ、トウヒの風下には「正弦波状な後流」が生まれる）。私たちをからかったり、惑わせたり、混乱させようとするようにも思える微細なパターンにこだわるより、ざっくりとしたパターンを把握して好感触を得ておくほうが良いだろう。唇のシワすべてをマッピングしなくても、私たちは人の顔を認識し、笑顔の意味を知ることができる。

　もっとも信頼できる渦流のパターンは、渦というものの性質を反映する。障害物の風下側に渦まく流れができたということは、メインウインドの逆向きも含めて、風がいろいろな方向に吹く場所があると教えてくれる。これがレブルウインド（反抗風）、いわば流体パターンのジェームズ・ディーンを生み出すものだ（第12章で出会った反抗砂丘を作るのもレブルウインドである）。

　鋭いもの、突出したもの、ぎざぎざしたもの、ざらざらしたもの、角ばったものなど、つまりは滑らかでないものがあなたの風上側にあれば、近くに風の渦流があるはずだ。風向きは短い距離の中で変化し、予測は難しいが、より大規模なメインウインド、つまり低い雲を運んでいる風とは逆向きに吹く場所がある。このような場所を見つけたら、風向きや強さが一歩ごとに変化していくのを味わってほしい。

レブルウインドすなわち「反抗風」が森の木をなぎ倒した。スコットランド、ハイランド地方

渦流は、垂直方向にも水平方向にもできる。屋根の上を通過する風は垂直方向の渦流を作り、家のかどを通る風は水平方向の渦流を生む。風下側にいるあなたは、家に向かって吹き返すレブルウインドを感じることになるだろう。大規模な地形では、ある特定のタイプが支配的となる傾向がある。つまり、山の尾根は垂直の渦流を生み、半島のような海岸線の出っ張りは水平の渦流を生む傾向が強い。

　障害物が大きいほど、渦流も大きくなる。障害物の形状が角ばっていれば、渦流は大胆になる。崖をはじめとする、地形が急激に変化する場所の風下にいて、強い風が吹いていれば、大きく強力な渦流を感じられる。頭上の雲が反対方向に流れているにもかかわらず、崖に向かって吹いているレブルウインドが広い領域を支配しているかもしれない。このような大スケールでの効果の正式名称は「ローター・ストリーミング」。このような大規模レブルウインドが起きている場所にいると思われるなら、木々や低い植物を探してみてほしい。もしあなたが正しければ、常風に逆らうような形で、崖の方を向いているだろう。ローター・ストリーミングがさらに大規模になると、私たちが以前の章で学んだ吊し雲が発生する（１７２ページ参照）。

強風が吹き荒れると、レブルウインドも木が倒れるほど強くなることがある。風によって倒れた木の先が、遠くにある高い崖のほうを指しているなら、レブルウインドを疑うのが妥当だろう。

山頂の風

風によって、丘の頂きから引きずり下ろされるような感覚を味わったことがない人はいないだろう。高度が上がるにつれて風は自由になり、地表との摩擦によってスピードが落ちることが少ないからだ。１９８６年、スコットランドのハイランド地方にあるケアン・ゴームの頂上では時速２７８キロメートルの突風が記録されたが、１５０メートル低い地点では時速１６９キロ、その下の谷では時速１０１キロを記録したのみだった。

低地に住む私たちの視点で見ると、これは「山頂強化」の効果なのだが、実際のところ、山頂に吹く風はよりメインウインドに近い、つまりずっと正直な風である。私たちが経験する下界の風は、弱められたものなのだ。

山の高さ、形、孤立性、海岸への近さなどはすべて、風速に影響する。相対風速がもっとも大きい山頂は、海岸にもっとも近く、もっとも高く、もっとも狭く、もっとも孤立したものである。

稜線がある所では、短い距離でも風速に大きな変化がある。風が尾根に沿って平行に吹く場合もたしかに変化があるが、尾根を横切る形で直角に吹く場合は、近くを吹くメインウインドの半分から3倍以上にわたる危険な変化に注意する必要がある。

風向きは標高によっても変わる。高度が高いほど地面との摩擦が小さくなるため、風はあまりバックしなくなる（取り残された気持ちになった人は56ページ参照）。別の言い方をすれば、北半球の山を登ってゆくと、風はヴィアする。

山岳波風

私たちは、レンズ雲が山岳波風の頂点でどのように形成されるかを見てきた。レンズ雲がどこで観察されるにしても、その近くの地上の風速は大きく異なる。

雲の真下では、風は比較的弱い。風がおもに上方に向かっているからだ。しかし、並んだレンズ雲の中間には局所的な地上風があり、そこでは風が下に落ち込んでいるため、他の場所よりもはるかに強くなる。

この効果は、気温の逆転があるとさらに強まる。逆転層はふたのような役割を果たし、風をつぶして地面に押しつける。カリフォルニア州パームデールで有名なパームデール山岳波は、木々をなぎ倒し、窓ガラスを揺らす。

ここまでは、壮大なスケールの山岳波風を見てきた。しかし、これらの風キャラクターは、さまざまな大きさがあることを心に留めておかなければならない。第5章では、山岳波風のミニチュア版とでも言うべき林間の風に削られた裸地で懸命に育つ苗木を取り上げた。ささいなレブルウインドも登場している。いまページを遡る必要はないが、将来また読みかえすことがあれば、小さな登場人物たちに気づかれることだろう。自然が風景の中にそれらを隠さないのと同じように、私もあえてわかりにくくはしていない。探そうと思えば見つかるが、探さなければ見つからない、そういうものだ。

この章ではこれまで、土地の形状によって形作られるキャラクターたちに会ってきた。今度は、気温差によって形成される風という新しい家族を紹介しよう。もっともよく知られているのは海風である。

海風

１９５０年11月、エドワード・ネヴィンという高齢の患者が前立腺の手術を終え、サンフランシスコの自宅で療養していた。医師たちは彼の回復をとても喜んでいた。ところが、容態が急変して再入院、そこでエドワードは息を引き取った。

不思議に思った医師たちは検視を命じたが、その結果、心臓の弁が死にいたる細菌に感染していたと判明した。調査を進めると、さらに10人の患者が同じセラチア菌（*Serratia marcescens*）に感染していることがわかった。細菌の発生源は謎であったが、疑惑の目はスタンフォード大学病院の泌尿器科に向けられた。全員がこの病院で手術を受けた患者だったからだ。この珍しい細菌による重症患者のクラスター発生は記録され、アメリカ医師会のアーカイブに保管された。しかし、この集団感染は突然止まり、その根本的な原因は20年もの間、医師たちを悩ませ続けた。

エドワード・ネヴィンの死の真相が明らかになったのは機密解除、専門家による調査、および鋭い洞察力のおかげである。１９７６年にネヴィン家の遺族たちは、エドワードが死亡した時期にサンフランシスコ周辺で米軍が細菌兵器実験を行ったという事実を知らされた。１９７０年、州政府は関連軍事文書の機密指定を解除し、１９７６年にあるジャーナリストが、サンフランシスコの細菌兵器実験とエドワード・ネヴィンの死との関連性を指摘する記事を書いたのだ。書庫におさめられていた医療事件簿が再び開かれ、死亡者の孫で医療過誤弁護士となったエドワード・ネヴィン3世は州を相手に訴訟を起こした。

細菌兵器の実験は、誰も否定しなかった。また、沖合の軍艦から実際に細菌が散布されたことを否定する者もいなかった。その細菌がネヴィン氏とスタンフォード大学病院の患者たちに到達したかどうかが問題だった。その答えを出したのは、軍事や法律、医学の専門家ではなく気象予報士。ただしウィリアム・H・ハガードはふつうの予報士ではなかった。彼は国家気象機関の長官であり、法廷で証拠を提供できる気象学者でもあった。大きな謎の解決を求められ、彼は法廷へとやってきた。

ハガードは、軍艦から病院にいたる病原菌の旅に関して「突然起こった午後の海風が、細菌の濃縮された雲を内陸へと吹きやり、丘を越えて町へと侵入させた」と説明した。

評決が下ったとき、政府は法的責任を免れるための方法を探っていた。しかし、ハガードは細菌兵器の実験がエドワード・ネヴィンの死を引き起こしたという確信を持ち続け、人口密集地からずっと離れた場所で実験を行うことがじゅうぶんに可能であったと指摘した。

海風は通常、細菌兵器裁判の被告とはならない。暑い日、海岸の町に涼しい空気を運ぶ、幸せな顔つきをしているものだ。

高気圧が支配する典型的な天気として、晴れて微風が吹いているとき、温まり方の差によって局地風が起動される。晴れた日、陸地は海よりもずっと早く温まり、気圧差によって海から陸へと空気が流れ、海風となる。海風は、陸地が海より5℃以上温かくなってから起きるので、実際には午前中から午後遅くまで吹くことになる。海岸沿いの町において、雲も少なく風もない状態で暖かい日が始まり、昼過ぎ

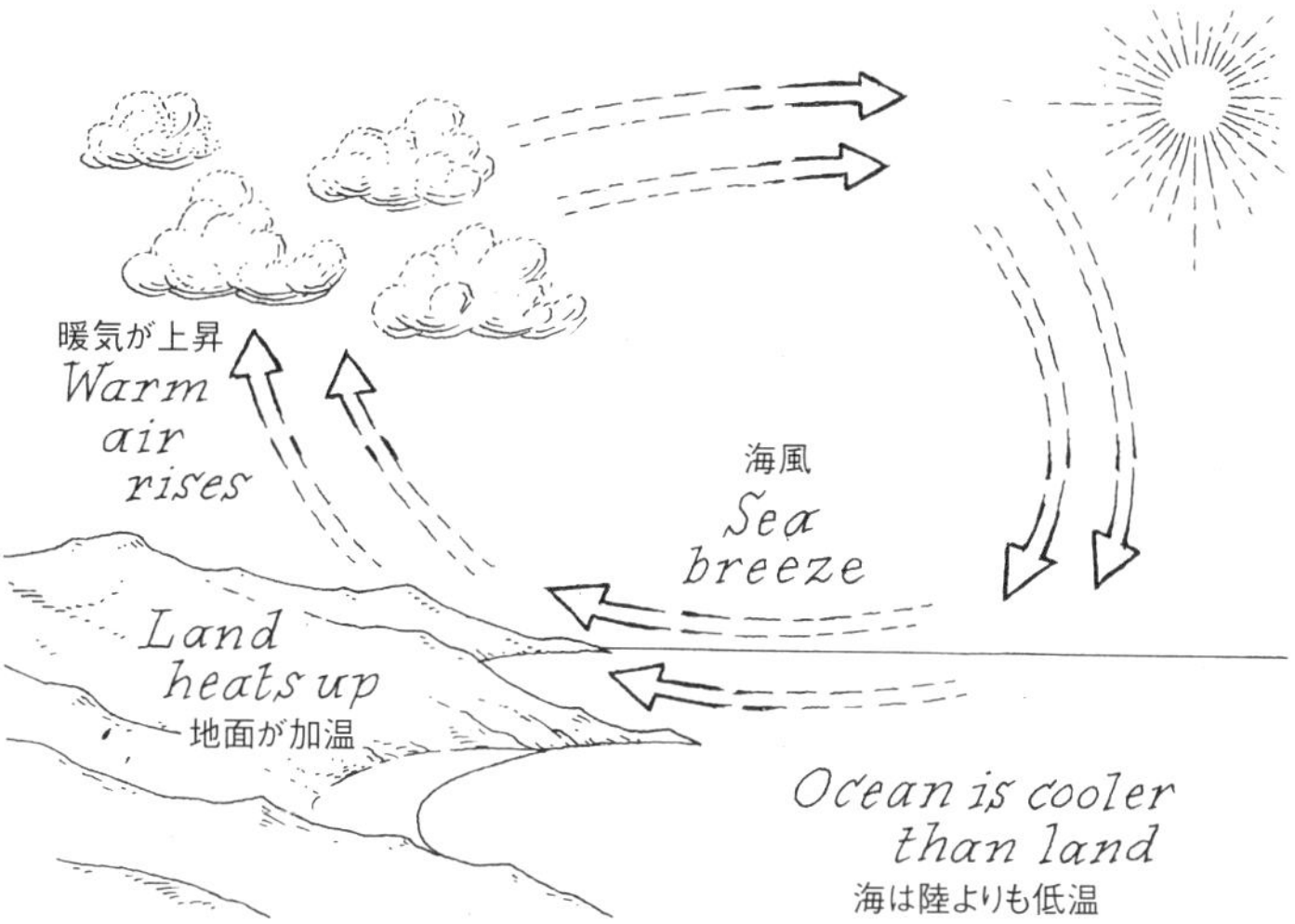

から夕方に風を感じたら、それは海風である可能性が高い。

海風は循環の一部である。冷たい空気は海から地上付近に流れ込むので、私たちはそれを感じることができる。海風は、地上にできた上昇気流という軟らかな壁と出会う。上昇気流はそれを押し上げ、「海風の頭」と呼ばれる高さに到達する。空気は再び海へと向かい、陸に流れ込んだものと入れ替わって循環が完了するわけだ。

私たちの目でその循環をすべて見ることはできないが、雲の中にその手がかりを見つけることができる。通常、「海風の頭」のすぐ上には積雲がある。海風は、理論上は50キロメートル以上内陸までも届くが、陸地では急速に速度が落ちる。海風を感じやすいのは、海岸から数キロ以内である。

私が住んでいる所は、海岸から10キロメートルほど内陸にあるため、海風そのものを感じるよりも、頭上の積雲を見るほうがはるかに多い。いったん理解してしまえば、海風が作る積雲は2つの大きな特徴があるので見逃すことはない。まず、この雲は海岸とほぼ平行に線を描き、雲と海岸線の間には晴れている場所がある。海風の頭は寒冷前線のミニチュアのようなものだ。

次に、雲の高さが風の強さを知る手がかりになる。雲が高く成長するほど風は強い。海風は日中、陸地の温度が上がるにつれて強くなる傾向がある。海風の前線がせり上がった地面にぶつかると、その影響はさらに大きくなる。大気はさらに不安定になり、積乱雲がそびえ、嵐を引き起こすことすらある。

はるか内陸まで入り込んだ海風は、コリオリ効果によって右に曲がる（ヴィアする）。半島の上で別方向からの海風がかちあうと、2つの前線が合わさり、陸地のほぼ中央上空に、積雲の空中背骨となる雲のラインを形成することがある。

夏に海岸沿いに現れる、場違いのような霧は、おそらく海の上で発生し、海風によって砂浜まで引っ張ってこられたものだ。

陸風

海風にはその兄弟、すなわち陸風があり、いずれも同じ物理法則で動いている。これまで見てきたように、陸地は夜間に熱を放射する。雲のない夜ではとくに放射が激しい。陸地の上にある、冷たく密度の高くなった空気は海に向かって下り、海風と同じパターンが逆適用される。陸風前線が現れて積雲ができるが、今度は海上だ。

陸風は、社会常識に反して真夜中から明け方までがパーティタイムなので、あなたが参加する機会はあまりないだろう。しかし海岸沿いの地域では、晴れた朝に目をさますと、海岸線をなぞる形で海上に積雲が列をなすのを見かけることがある。

世界の炎暑地域の中で、山が海岸沿いの都市までせまる場所では、陸風が人気である。一晩で都会の空気をきれいにしてくれるからだ。陸風か海風の気配を感じたら、深呼吸してみよう。その時々で、特有のにおいがするだろう。夕食時は海の香りを楽しみ、翌朝の朝食時には山に生えるマツの芳香を嗅ぐこともできる。

山・谷・湖の風

海風や陸風は、温度差によって引き起こされる局所風のわかりやすい例であるが、同じようなことは各地で常時起こっている。じゅうぶんな水やりがなされた作物畑から、より早く温度が上昇する隣接した荒れ地に向かって風が吹く現象もその一例だ。

谷の上流部にある地面に陽が当たり、低地の日陰よりも早く温度が上昇した場合、風が吹き上げる。谷風である。また、谷の片側だけ温度が上昇しても、その下側に冷たい空気があれば、風はそちら側だけ下から上に吹く。つまり、谷風は谷に沿って吹き上げることもあれば、谷の晴れた側にだけ吹くこともある（チャンネルウインドは

雲のない寒い夜が明けてから吹く陸風が、遠くの海上に積雲を作り出した

谷風とは違う。前者は土地によって絞り込まれた風であり、後者は地形内の温度差によって発生する風である）。

この暖かく吹き上げる風は、山の頂上やその付近に積雲を作るほど強くなることがある。チリにあるアタカマ砂漠の火山丘陵が持つ暗色の急斜面は、朝日を浴びるとすぐに温度が上がり、積雲が湧き上がり、砂漠の深い青空の中で唯一の白となる。

夜間は、同じ原理によって山風と呼ばれる反対方向の風が吹く。ほとんどの風はその到達地ではなく、発生地にちなんで名づけられることを覚えておこう。谷風は谷から吹き上がり、山風は山から吹き下ろすというわけだ。

山風と谷風は、その影響が大きく異なる。谷を上昇する温暖な風は時速20キロメートルに達することもあるが、通り道にあるものを傷つけることはほとんどない。一方、深夜に吹き下ろす山風はとても冷たい空気を運び、霜害に弱いものをゆっくりと痛めつける。植物の山側だけに害が見られる場合は、凍てつく山風の冷酷な指が触れた可能性がある。

山では、谷風と山風が同時に吹くことがある。日の出直後、冷たい山風がまだ山頂から流れ落ちているときに、太陽が谷の東側を温めて谷風を引き起こすというようなケースだ。

大きく冷たい湖と日光で温まる山々が組み合わさることで、太陽の動きに連動した風が吹く。イタリア最大のガルダ湖において、早朝は北から吹くペレールという風が上空を渡り、日が暮れると南からオラが吹く。帆船に乗る商人たちは、何世紀もの間、この呼吸のようなリズムを利用して移動していた。もっと有名なコモ湖には、ブレバとティヴァーノという湖風があるが、かつて帆を掲げてそれらを受けていた商船はバカンス客、ウィンドサーファー、格好づけのにわか船乗りたちに取って代わられている。

気象学者は、局地的に上昇する風をアナバティック、沈む風をカタバティックと表現するが、これはギリシア語の「上昇」（*ana*）と「下降」（*kata*）に由来する。もっとも極端なカタバティック風は、雪の上の空気が周囲よりはるかに冷たくなり、速度を上げながら丘を転がり落ちるときに発生する。私がアイスランドの西海岸を小型ヨットでセイリングしていたとき、強いカタバティック風の直撃を受けたことがある。ヨットは大きく針路を外れ、荒れた航海になった。

　これまで説明した温度差によって駆動される風はすべて、高気圧に覆われて晴天が続く温暖な天気のときにもっとも強く吹く。雲のない空と太陽の組み合わせが、最大の温度差を生み出すのだ。

力を合わせる

　もちろん、これまで説明してきたどんな風も、単独行動にこだわるわけではない。山の斜面の冷たい空気が山を駆け下り、陸風と合流し、谷でチャンネルウインドに変わって海に到達する、というシナリオはじゅうぶんあり得るのだ。テオフラストスや偉大なるアリストテレスをはじめ、古代ギリシアの賢者たちの多くは、河口近くの海がとくべつ荒れやすいことに注目していた。アポロニウスはこう書いている。「海のうねりは、夕方に川から吹き下ろす強い風によって起こされたもの」

　谷は山風や陸風を集めてチャンネルウインドを作り、それは海岸に到達する。川が海を前にして咆哮していると想像すると、より強く心に残るのではないだろうか。

名前のある風

風についた名前はロマンチックなもの。遊び心のある言葉選びと伝統はすばらしいと思う。ガルダ湖の風は先ほど説明したが、他にもハワイには「カパリルア」、チリには「ビラゾン」、ジブラルタル海峡には「ダトー」などがあり、これらのキャラクターを好きにならないわけにはいかない。各地の魂に深く刻み込まれて文化の一部となり、人々に帰属感と方向感覚を与えてくれるものだ。フランスやイタリアでは、ふつうであれば「道に迷った」とか「道を外れた」という場合に「トラモンターナを見失った」ということがある。モリエールは戯曲『町人貴族』で、まさにこの表現を使っている。

名前を与えられた有名な風は、多くが荒れ狂う性格を持ち、心や魂を鍛えてくれるほど恐ろしい存在だ。『嵐が丘』の登場人物でいえばダーシーではなくヒースクリフ。風は、建築様式にも影響を与える。多くの地域で、風が吹きつける側の壁は厚くなる。たとえば、アルプスからダルマチアの海岸に向かう途中で人々を脅かす冷たく怒りに満ちた風、ボーラの通り道にある家だ。人々はさらに、ボーラが瓦をさらっていかないように、ゴロビカ（「小さな鳩」つまり小さくて重い石）を屋根の上に置く。この鳩をたどっていくと、ボーラの道筋を知ることができるだろう。

ロマンを否定するつもりはないが、風に名前をつけたからといって、それが独自のものになるわけではない。どの風にも、これまで説明してきたいずれかの発生原因がある。たとえば西オーストラリアに吹く「フリーマントル・ドクター」は、単なる海風に分類される。

横風の法則

英国のトマス・ハーディはこう書いた。

> その夜は不吉な様相を呈していた。南から吹く熱気のこもった微風が、高くそびえ立つ麦山のてっぺんをゆっくりと吹きつけ、空には、流れゆくちぎれ雲が、別の雲の層の流れに直角にぶつかりながら、航行していた…（中略）…
>
> 雷がいまにもとどろきそうだった。これに付随する状況もいくつか考え合わせると、雷に続いて、長雨の一つがやってきそうであった。
>
> （トマス・ハーディ全集4巻『はるか群衆をはなれて』清水伊津代・風間末起子・松井豊次訳　大阪教育図書株式会社）

ハーディは、ホメロスをはじめとする偉大な作家と同じく、真実味を帯びた自然を背景として設定する。愛、憎しみ、復讐という複雑な心のやりとりも、私たちが認識できる世界を舞台にしていれば、私たちは無意識のうちに信頼に足るものだと考える。ハーディのこの作品の場合、雲が別の層の雲と「直角」をなして動いた直後、荒天が訪れる。これはおそらく、横風の法則として知られた重要な兆候を描写した、文学史上もっとも正確な記述だ。

横風の法則を現場で確認するのは簡単だ。低層のメインウインド（樹木の高さ以上の風で、もっとも低い雲を動かしているもの）に背を向けて立ち、もっとも高い雲（おそらく巻雲）の進行方向に注意する。それが左から右の方向であれば、前線と悪天候が近づいている可能性が高い。下層の風と上層の風が同じ方向に吹いているなら、天気の差し迫った変化はない。上層の雲が右から左へ移動している場合、悪化よりも改善の可能性が高い。

これはどのような原理なのか？　横風の法則とは奇妙なものだ。低層の風、高層の風、前線、雲、気圧配置などのすべてをすこしずつ含んでいるため、１つの章にすっきりと収まらない。しかし、風を感知することがもっとも重要なので、ここで紹介することにしよう。使い方は簡単だが、説明するのは難しい。では、シートベルトをしっかりと締めていただくことにしよう。

前線が接近しているとき、上層の風と下層の風向きにはかならず差が生じる。北半球では風が低気圧の周りを反時計方向に回っていることは、すでに学んだ。風を背にすると、低気圧の中心はつねに左側に、高気圧は右側にある。19世紀のオランダの気象学者にちなんで名づけられた、ボイス・バロットの法則として知られるものだ。上層の雲によって、私たちは高い高度の風向きを推測することができる。

ちょっと変わったたとえ話を使ってみようか。あなたが、芝生の背の高い草の間にいるアリだとしよう。芝刈り機を持った庭師が、遠くから向かってくるのが見える。あなたは下層の風を測る。庭師が歩いているのと同じ方向から吹いている。問題ない。その後、芝刈り機があなたの頭上を通過すると、風向きが急変する。今度は庭師とは違う方向から風が吹いてくる。トラブルがやってくる！　このたとえにおいて、庭師はジェット気流、芝刈り機は低気圧、回転する刃は前線である。刃は上を通過するだけなのであなたは生き延びるが、刃は幾度もの風向きの変化と「悪天候」を引き起こす。

雲の手がかり、とくに巻雲から巻層雲への進行具合と合わせて使えば、横風の法則はとても強固だ。

横風の法則を支えるこの理論は、しっかりしているものだとはいえ、単純で実用的な方法を複雑にしてしまうことがある。かいつまんで言おう。低層のメインウインドを背に巻雲が見え、もしそれが左から右へ動いていたら、前線が近づいている証拠だと覚えておくことだ。「左から右方向、危険な傾向」でも良いだろう。
横風の法則が機能するのは、メインウインドと上層の風を比較する場合だけだ。海風、陸風、山風、谷風は比較できない。

風の特徴は毎日違う。そのことを念頭に置き、しばし風というテーマを離れることにしよう。太陽が昇り、そして沈む間に、風とすれ違うことがないと思ってはいけない。風の多くは、私たちの注意力が電子デバイスなどに奪われている間に、横をこっそり通り過ぎようとする。私たちの感覚は、ひとつひとつでは偉大なリーダーにはなれない。幼稚で、流行に流され、次の楽しそうなものを追い求める。もし私たちの目がリーダーになろうとするようなら、思い出させてやるのだ。空気を感じ、においを嗅ぎ、耳を傾けよう。五感すべてを使って風を感じ取れるようになれば、毎日が興味深いものになるだろう。

14

樹木

木のブランケット／傘を知る／ウインドバルジ／森の湿度計／生えない理由／木から風向きを知る／森の中で／振動と感度／陽光の赤

森に入ると、ウマは落ち着きをなくす。子供の中にも、そうなるものがいる。光量が落ち、突然閉じ込められた感じがするため、不安や恐怖がわき起こるのだ。しかしこの不安は、森の微気象を親しく知れば驚きに変わるだろう。

夏になると、林のへりに昆虫が雲のように集まる。虫は、たとえば落ちたばかりのフンなど、おいしい食べ物と水がある所を求める。また、林の近くは風が弱いこともよく知っている。暖かい所を好むので光の中に群れ、数メートル森の中に入った所にはいない。動物は、森の中や周辺での天気の変化に敏感である。生死にかかわることでもあるから、もっともだ。私たちは、フンを探しまわることなしに、天気意識を取り戻すことができるだろう。

私たちが樹冠の下を通るとき、光が差さなくなるかもしれないとは思うだろうが、足元と頭でどれくらい気温が違うか感じとっているだろうか？　あるいは、位置のすこしの違いで湿気がどう違うか認識できるだろうか？　層をなす風を感じられるだろうか？　森が、夏には周囲より涼しく、冬には暖かいことに気づくかもしれないが、晴れた日の夜に、上空が開けた地面よりどれだけ暖かいか実感できるだろうか。自然の森では変化が急激で、植林された木立では緩やかなことは？　朝日が昇ると、森が急に寒くなることは？

樹木は天気に影響を与え、微気象を作り出す。樹木はまた、これまで経験してきた天候を反映する。これら2つの観点を理解すれば、私たちが彼らの世界に立ち入ったときに予想される天気の変化について、樹木は多くのことを教えてくれるだろう。

木のブランケット

木が作る宇宙を知るための良いヒントになるので、最後のアイテムを検討してみよう。日の出のあと、森の中の気温はなぜ急に下がるのだろう？　晴れた秋の午後、さまざまな植生が混じり合った田園地帯を歩いているとしよう。日差しの暖かさを顔に感じる。森の中に入っても、驚きはない。日光が体に当たらなくなり、空気は明らかに冷たく感じられるだろう。しばらく立ち止まっていれば、身震いするほど冷えるかもしれない。

科学的な観察を続けようという気持ちとアウトドア好きの性分から、あなたは次に、夜明け前に同じルートを歩くことにした。星空の下で空気は凜としており、道ばたのアザミには霜がおりている。森に入ると、今度は暖かさを感じる。気のせいでなく、実際に温度が高いのだ。放射によって地面から逃げた熱が、樹冠の下に閉じ込められているからである。木々自体にも暖かさが残っており、その熱もあなたに向かって放たれる。

森の中から出るのは、太陽によって大地が温まるであろう1時間後にした。太陽が昇ったので、あなたは日差しの暖かさを感じるのを楽しみにしていた。ところが驚いたことに、急に気温が下がる。いったい何が起こっているのだ？

昇る太陽が大地をところどころ温め、ゆるやかな空気の循環を生み出している。そよ風によって、森の中の暖かい空気と、霜がおりたように冷たい森の外の空気が入れ替わった。木の毛布の下から出てくるときだ。気温は4℃まで下がった。すでに寒さを感じている人にとってはかなりの冷え込みで、風を受ければさらに冷える。

晴れた日中や星の出た夜、立ち木の下を歩くと、小規模ながらも類似の現象を体験することができる。日中は木陰の涼しさを、夜は暖かさを感じるだろう。

木の種類によって、季節変化がある。針葉樹林は一年じゅう同じような働きをし、夏は周囲より涼しいが、晴れた夜は暖かさを提供。落葉樹林は、冬には開けた土地となるが、夏は葉の毛布に覆われる。この毛布に関する原則は、霜についての考え方と似ている。地面から空まで途切れのない直線が引けるなら、晴れた夜は激しく冷え込む。

暖かく晴れた日の夕方にテントを立てるとき、林床が暖かさを保っているにもかかわらず、開けた場所が氷点下まで下がるかもしれないと想像するのは難しいことだろう。しかし、寒さを本気で心配するなら、「モミの木にくるまれる」ことを忘れずに。モミの仲間であるベイマツは他の種に比べ、地面近くの熱をよく保つ。その下はマツよりも5℃近く、葉を落としたナラの木の下よりも10℃近く暖かいかもしれない。

うっそうとした森の中で露や霜を探してもあまり意味がない。先に述べたような理由から、木陰でそれらを見つけることはできないのだ。森の周りで夜露や霜がおりていたなら、とくに夜明けの直後は、遠くの木々に目をやると良い。露や霜が木々のてっぺんにつき、太陽がそれに当たると、つかの間の美しい輝きが生まれるだろう。水分が蒸発し、太陽が昇るにつれ、刻々と変化する光だ。

樹木はまた、あなたが備えておくべき極端な天気を示してくれる。針葉樹は広葉樹よりもはるかに過酷な条件に耐え、その地域が厳しい天候に見舞われやすいことを示す。かなり大まかな指標だが、一本一本の木は具体的なことも伝えようとしている。

トキワガシは寒さを嫌うが、その場所の気候が温暖であると告げているわけでもない。メッセージはもっと微妙なものだ。寒い気候に耐えられるが、長期間は無理。短期間であればマイナス20℃でも大丈夫だが、マイナス1℃の気温が長く続くと駄目だ。つまり、寒波に襲われた旅において元気なトキワガシを見かけたら、それは「心配しないで、寒いのもすぐに終わるよ」とささやいていることになる。世界各地のヤシの木は、霜がおりないことを知らせている。もちろん熱帯地方に多いが、温帯気候では海岸線に生い茂っている。海の緩衝効果で、真冬でも暖かいからだ。真冬にヤシの木が数本見えたら、どんなに晴れた夜であっても、気温は氷点下まで落ちないだろう。

傘を知る

大雨の降りはじめ、木陰に逃げ込んだ経験は誰しもあるだろう。雨宿りをする前に、木の種類による違いを考える人は少ないが、どの木を選ぶかで雨の当たり方はまったく異なる。次のにわか雨がやってくる前に、考えてみる価値はあるだろう。木の傘を読む技術が身につけば、雨が待ち遠しくなるかもしれない。

樹冠は、種類によって特徴が異なる。トウヒ、ヨーロッパグリ、ネズ、サンザシの樹冠はとても密だ。シラカバ、カラマツ、ヤナギは樹冠が薄く、かつ開いている。ヨーロッパアカマツ、ハンノキ、ナラなどはそれらの中間。だが、樹冠密度は1つの考慮事項にすぎない。

葉の大きさと雨よけ効果には意外な関係があり、葉が大きければ大きいほどより多量の雨が地面に到達する。大雨のとき、ブナはマツの2倍の雨を通してしまう。ナラは傘として最悪の木のひとつで、止めるよりも通す雨の量が多い。なぜそうなるのか不思議に思われるかもしれないが、答えは葉の構造にある。広葉樹の葉は先端に向かって水を集め、流す。そのため雨の多い場所では先が尖った葉がよく見られるが、この先端は大きな水滴を1滴しか溜められない。針葉樹の葉はずっと細いが、多数の葉がそれぞれ水滴を溜め、広葉樹の葉1枚ぶんのスペースに10本以上の針葉があることも珍しくない。ただし風が吹いていると葉からしずくが振り落とされ、どんな葉も傘として機能しない。

降雨は量が少なくて時間が短いほど、樹冠が雨よけになってくれる可能性が高くなる。最終的にはどんな樹木も雨を通すが、種類によって通し方は大きく異なる。ある種の木は、雨宿り中の散歩者のことを配慮してくれるかのようだ。雨を枝に集め、幹に向かって流し、樹皮の上を流れる小さな川として地面に降らせるのである。また、本物の傘のように、中心からもっとも広い部分へと雨水を移動させるものもある。さらには、雨を止めることをあきらめたかのように、あなたの頭をしとしと濡らす木もある。私は、服の隙間を見つけて侵入してくる太い雨粒に襲われるより、木の傘から出て降り続く雨の中に立っているほうが好きだ。樹皮を伝う雨を見るのは、背中を伝う雨を感じるよりずっと快適なので、どの木がやさしくて、どの木がいたずら好きなのか、ちょっと時間をかけて判断するのが良い。

枝のパターンに注意することだ。空や地面に向かって斜めに伸びる枝は、水平な枝よりも雨やどりに適している。トウヒやベイマツなどのように、下向きに傾斜している木の枝は、雨粒を木の中心やあなたの頭から遠ざける。雨が本降りになったら、そのような木の周囲に落ちる大きな雨粒のスカートを探してみよう。

ポプラ、ブナ、イトスギ、セイヨウネズ、ヤナギの仲間の一部、あるいは針葉樹一般に典型的に見られるように、枝が空に向かって伸びている木は、水を幹に集める。まとまった雨が降ったあとにブナの木の近くに立つと、急流が滑らかな樹皮を伝って流れ、途中のコケの塊で水しぶきを立てるのを目撃できるだろう。木の北側は日当たりが悪いのでコケが生えると多くの人が信じているようだが、じつはこの雨どいがあるからなのだ。

ナラ、スギ、カラマツ、ヨーロッパアカマツは水平に伸びる枝が多く、態度が悪い。雨は樹冠に集まり、いずれは葉が抱えきれないほどの量にいたる。このとき、これらの木は余分な水を内側にも外側にも誘導せず、私たちの頭上に落とす。

もっとも驚かされるのはセイヨウネズだ。密生した針葉の樹冠と枝の形とが相まって、模範的な傘となる。地面を雨から守るのに優れているため、セイヨウネズの下にはミクロ砂漠が存在し、一部の菌類など、乾燥地帯に見られる生命体が集まっていることもある。しかし、この木は概して小ぶりで葉も鋭いため、雨宿りをしようとする人はほとんどいない。

密生した針葉の樹冠、適度な高さと幅、優れた枝ぶり、そして比較的あたりまえに生えているという事実の組み合わせから、「最高の木の傘」賞はオウシュウトウヒに贈られる。大雨のとき、私は隣の木の幹が濡れるのを見ながらこの木の下にいるのが好きだ。土砂降りの雨の中でも、幹がかなり長時間乾いたままでいるのには驚かされる。

大雨に強風が伴うと、雨は幹に吹きつけられる。嵐のあと、地元のブナ林を歩いていると、私は幹に2種類の異なる雨の縦縞があることに気づく。1つは先ほども説明した、枝から集まってくる水の流れが作ったもの。もう1つは、風の塗装効果である。それらの縞は、時には重なり合い、時には別々の経路をたどり、絡み合って濡れた格子縞をなす。最初はランダムに見えるパターンだが、2つの異なる原因を拾い上げる目を持つ人には、それぞれの意味が明確になり、不規則性のベールがはがれてゆくだろう。

私たちは雨の降らない日にも、森の雨の非対称性を楽しむことができる。林床は、わずか3メートルの距離でも決して同じではないことに注意したい。落ち葉、下層植物、むきだしの地面、切り株などが混在しているだろう。湿り気のレベルは大きく異なり、もっともじめついた場所には、近くの乾燥した場所とはまったく異なるコケなどの植物群落があることが多い。トウヒとナラの下の林床を比べてみよう。最高の雨宿りができる木が、誰にとっても良いというわけではないとわかるだろう。

ウインドバルジ

森の中の風速は、誰もが予想するとおり、樹冠の外や上に比べてはるかに緩い。地面に近い所では風速はゼロに近くなるが、実際にその値に達することはまずない。

一般的に、森の中では高い所ほど風が強くなる。こずえの近くは下よりもずっと風が強いが、ウインドバルジとして知られる奇妙な現象も実感されるだろう。

風は、地面から1～2メートル上がった層で顕著に強まる。頭や手は通常この層にあり、私たちが風を感じるのもこの高さだ。私が森の中を歩いていて顔に風を感じたとき、手を上下に伸ばすと感触が薄れると気づいたことは何度もある。落葉樹よりも針葉樹の森でよりはっきりと感じられるが、熱帯雨林でも起きることだ。

ウインドバルジは、樹冠と地面の間にある枝の密度が高く、風がその下を通るようになった結果だろう。第1章（16ページ参照）で紹介した「自然の扇風機」の兄貴分である。

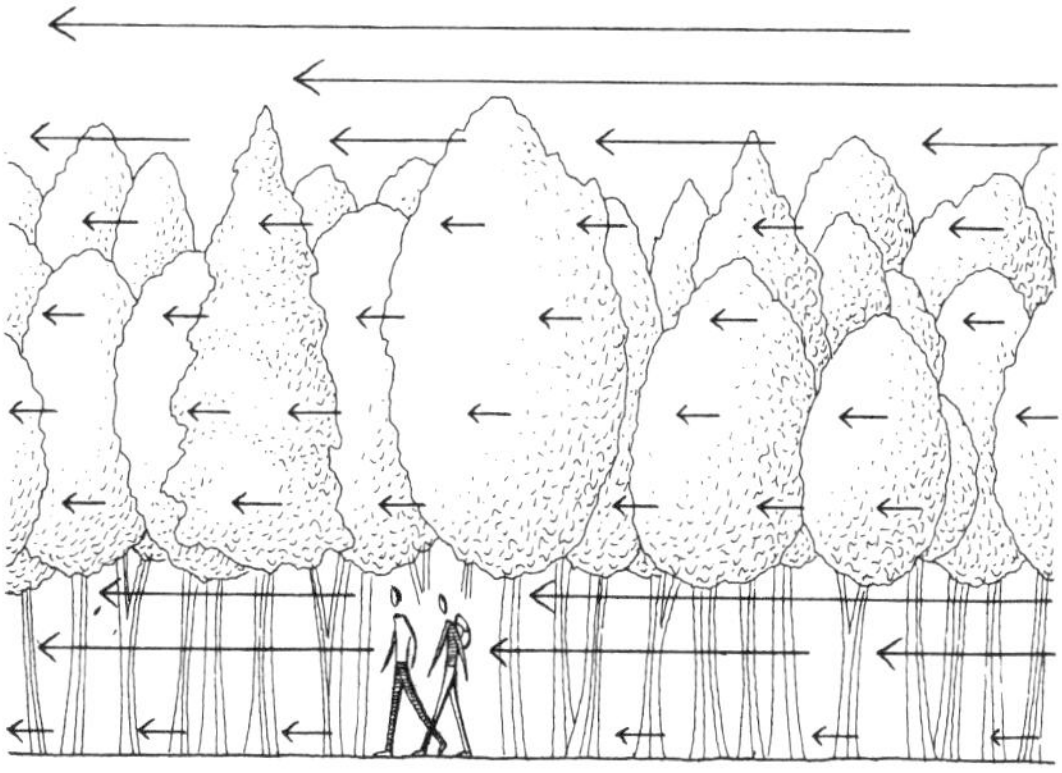

ウインドバルジ

森の湿度計

もっとも低い雲が湿度計の役割を果たすことを覚えていらっしゃる方もあるだろう。湿度が高くなるにつれ雲は下がってくるのだ。しかし森の中では、少し違った目安が使える。1つめはとても単純なもの。乾いているとき、私たちは足元で枝が折れ、割れ、カサカサと音を立てるのを聞く。2月の森で聞く足元の音は、7月とはまったく違うものだ。

2つめは、コケをはじめ、樹皮に生える着生植物である。樹木は、水が近くにあることを示している。つまり砂漠の乾燥した場所には木がない。しかし、樹木は地面付近や空気中の水分レベルも変化させる。森林地帯は、外よりも湿度が高い。樹木のそばに立つ壁を見てみると、湿気がある証拠が目に入るだろう。緑や灰色の藻類や地衣類が繁茂しているのだ。特に湿った森の一角と、その近くの乾燥した場所を探し、それぞれ木の幹の根元を見てみよう。林床の湿度が高ければ高いほど、コケは幹の高い所まで生える。着生植物はすべての水分を空気から得ているので、湿度レベルを正確に反映する。

　コケをよく見れば、この測定具をさらに活用する機会が見えてくるだろう。木の根元近くには、複数の種類のコケがあることが多い。虫眼鏡を取り出したり、名前を調べたりする必要はないが、地上からある高さでコケの見た目が変わることに気づいてほしい。低い位置にあるコケは、もっとも水分に敏感、つまり喉が渇きやすい種だ。もっとも高い位置にあるコケは乾燥に強い。

　樹木は乾燥を知らせることがある。葉が早く落ちるのは、水不足に陥っていることを知らせているのかもしれない。近くにある同種の樹木が他より先に葉を落としているのを見かけたら、乾燥した土壌への対応に苦労している可能性がある。

　松ぼっくりは乾燥すると開き、湿度が高いと閉じる。私たちが活用できる3番目の湿度計である。このように進化してきたことには理由があり、それは繁殖のため。マツの種子を保持し分散させる松ぼっくりは、種の存続のカギを握っている。鱗片は、湿度が高いときには閉じて種子を雨天から守り、乾燥すると開いて種子を散らす。

　松ぼっくりが親木から落ちたあともこの反応を示し続けるのは、それが機械的かつ受動的だからである。湿度によって鱗片が部分的に膨張し、それが球果を閉じるのだ。親木はまったく干渉する必要がない。

生えない理由

木は風にさらされると成長が遅くなるため、海岸が近くなったり丘を上がると丈が低くなる。もっとも背の高い木は、つねに内陸の低地にある。寒く厳しい風に耐えられないほどの高度になると、樹木は諦めてしまう。

低地の谷間では、ナラやブナといった広葉樹の落葉樹を目にする。山腹を登るにつれて、それらは徐々に低くなり、より頑丈な針葉樹が混ざってくる。背の低い広葉樹と背の高い針葉樹の組み合わせは、前者が苦労し後者が栄える、受け渡しゾーンの証だ。さらに標高を上げると、広葉樹はすっかり姿を消し、針葉樹の勢いもやや弱まる。もう少し上へ行くと、バンガローより高いものはない、丈の低い針葉樹の間延びした樹林帯が広がる。ドイツ語でいうところの「闘争ゾーン」だ。このすぐ上のゾーンが「クルムホルツ」、生き残った数少ない針葉樹が極端な風化の兆候を示し、ねじれたぎざぎざの形が、その地に吹きつける風雨と同じくらい厳しさを感じさせる。このゾーンが熱帯にあれば、さらに魔術的に「妖精の森」と呼ばれる。この上には木はなく、下草、おそらくヒースやワラビなどが生えているだけだ。

私たちは樹木限界、いわゆるティンバーラインに到達した。むき出しの吹きさらしで、木が生き残れない所である。ティンバーラインの標高は、気候、海岸の近さ、日照時間、地質、風、その他多くの要因によって変化する。熱帯地方では３０００メートルに達することもあれば、海岸近くや高緯度地方では１０００メートルにも満たないこともある。

他の山に囲まれた山では樹木限界が高くなり、孤立した山では低くなる。ドイツ人は、この分野で本当にニッチな名前をつけるものだが、これはマッセナーエ・ブング効果と呼ばれ、孤立峰は風が強くなることの直接的な影響である。

樹木限界の位置はおもに気候を反映したものだが、各地独自の違いを見ることで天候について深く知ることができる。樹木限界は決してまっすぐではない。常風を反映し、山の風上よりも風下のほうが高くなる。しかし、なぜある地点でそれが急上昇したり、沈み込んだりするのだろうか？　その変化は土地の条件、とくに守られ方や露出の程度を教えてくれる。樹木限界は、緩やかな勾配の所では高くなり、急斜面や風が集まるところでは低くなる。樹木が谷のはるか上まで生えていたり、尾根で苦労していたりする場合、それらは平均風速をマッピングしてくれているわけだ。

あらゆる例外にはヒントが隠されている。樹木限界が何か奇妙な形をしているのに気づいたら、ちょっと調べてみる価値がある。その地域の天候について何かを伝えようとしているのだ。１８９８年、船乗りジョシュア・スローカムは、停泊地近くの丘の斜面に木が生えていないのを見つけて驚いた。『スプレー号世界周航記』の中で、彼はこう記録している。

どうやら今日は天気もよく、風も穏やかになりそうだ。しかし、フエゴ島の予報は当てにならない。錨泊地の前に続く斜面に木が一本も生えていないのはどうしてだろうかと思いながら、頭の半分では縫帆のことを考え、半分では、これから上陸し、まさかの時のための拳銃を手にして、小川の流れる浜で白い小石を調べることを想像していた。そのとき、ひときわ勢いの激しいウィリウォーが吹き出し、スプレー号は二つの錨をぶら下げたまま、羽根のように飛ばされ、入江から沖合へ吹き送られた。これでは、あの丘の斜面に木が生えないのも無理はない！　ああ、大いなる北風の神、ボリアスよ！

木は全身、根となって、これほど激しい風に耐えなければならないのだ。

（『スプレー号世界周航記』高橋泰邦訳　中央公論新社）

「ウィリウォー」とは、激しい局地的なカタバティック山風を指して船乗りが使う名称である。この場合、フエゴ島上空の冷たい空気が、海に向かって斜面を高速で吹き下ろしたのだ。１００年以上ののち、アイスランド沖の私を揺さぶった風と同類である。

木から風向きを知る

以前書いた本の中で、私は風向きと樹木の関係について詳しく説明した。ナチュラル・ナビゲーションを行ううえで不可欠だからだが、ここではそれを要約し、関係ある事項をすこし取り上げるだけにしよう。

木は、風によって押し曲げられる。その影響は、むき出しの高台や海岸沿いで顕著だが、街路樹の最上部でも見られる。原則はこうだ。風の影響があまり目だたないなら、木のずっと上のほうを見る必要がある。海岸沿いの岩にへばりついた小さなサンザシには、全体に風の影響が見られるだろうが、街路樹のプラタナスは、最上部の小枝がすこし折れ曲がっているだけかもしれない。

露出した樹木の頂部は、もっとも風が当たる側の枝が枯れ、風下側の枝だけが残る「フラッギング」を見せる。これは通常、針葉樹にのみ起きる現象である。広葉樹が生き残るには、文字どおり風当たりが強すぎるのだ。あたかも旗のように見える枝は風下を向いており、通常の旗と同じように、風向きを知るために使うことができる。枝の旗は、風が収まってもそのままだ。風の記憶は枝の形に長く残る。

樹木にフラッギング効果が見られるが、どう解釈してよいかわからない場合は、常風だけでなく地域風も反映されることを念頭に置いてほしい。私はかつて、ある山の斜面で、地域の常風に逆らう方向を指す「旗」に混乱したことがある。その謎が解けたのは、フレンチアルプスで、木の旗がすべてふもとを向いていることに気づいたときだ。昼間の風は永続的な影響を樹木に与えないが、夜には凍てつくようなカタバティック風が頂きから吹きおろし、木々を痛めつけていたのだ。

暴風雨による木の倒れ方は、2通りある。木が引き倒され、根塊が土からひねり出されることを「ウインドスロー」と呼ぶ。強風で幹がまっぷたつに折れるのが「ウインドスナップ」だが、前者のほうが一般的だ。どちらもじつに恐ろしい音を立てる。ウインドスローは健康な木でも起こるが、ウインドスナップは通常、暴風雨がとどめを刺す前に、その木になんらかの感染や腐敗が起こっていたことを示す。両者の傾向を見ることで、嵐の風の吹き方を推測することができるだろう。未来に起きる嵐において、風はどちらから吹くか正確にはわからないが、目に入るウインドスローやウインドスナップが指し示す方向は警戒したほうが良い。

樹木は風の影響を受けやすく、毎日30秒間揺さぶられるだけで、そうでない木より2割から3割も丈が低くなる。そのため、林の中でももっとも常風にさらされる側は生える木が低くなり、端が傾斜した形をなす「くさび効果」が生まれる。

木は、風が吹いてくる側により太く、長く、強い根を張って、倒れないよう身を守る。根は木の根元からしっかりと広がり、ポプラなどのように風上側に板根を発達させる種もある。

森の風上側と風下側では、木々の様子が異なる。風上側には近隣から飛んでくる粒子を含んだ風が当たるが、風下側には当たらない。もし空気がなんらかのちりを多く含んでいれば、樹皮に着生植物が生える。塩分は多くの種の生育を阻害するため、海から吹く風は大きな影響を及ぼし、肥沃な畑から飛ばされてきた窒素を多く含むちりが、樹皮に地衣類の花を咲かせることもある。

　これまで見てきたように、風は林の端で奇妙な現象を引き起こす。発生する渦は、風上側でもっとも強くなる。林の近くの畑で倒れた作物を見かけたら、突風と激しいにわか雨のせいだと思えば良い。我が家の隣の畑でも毎年このようなことが起こるが、倒れた作物の境界線は非常に明瞭、被害は甚大で、まるで誰かが畑の端をわざと踏みつけたかのようにも見える。ちなみに、これはミステリー・サークルとはなんの関係もない。ミステリー・サークルはふつう、畑の真ん中付近に観察され、ヒマを持て余した人間か宇宙人のしわざか、意見は分かれる。逆に、シェルターベルトとも呼ばれる生け垣の風下側は、作物がよく育つ。

　孤立した1本の木を囲むように生える作物や長い草を観察すると、「二重反転流」パターンを発見できるかもしれない。木が風を割るときに生まれる一対のレブルウインド渦流は、木のすぐ風下で合流し、逆方向に吹く風を作り出す。私はこれをハート渦と呼んでいる。

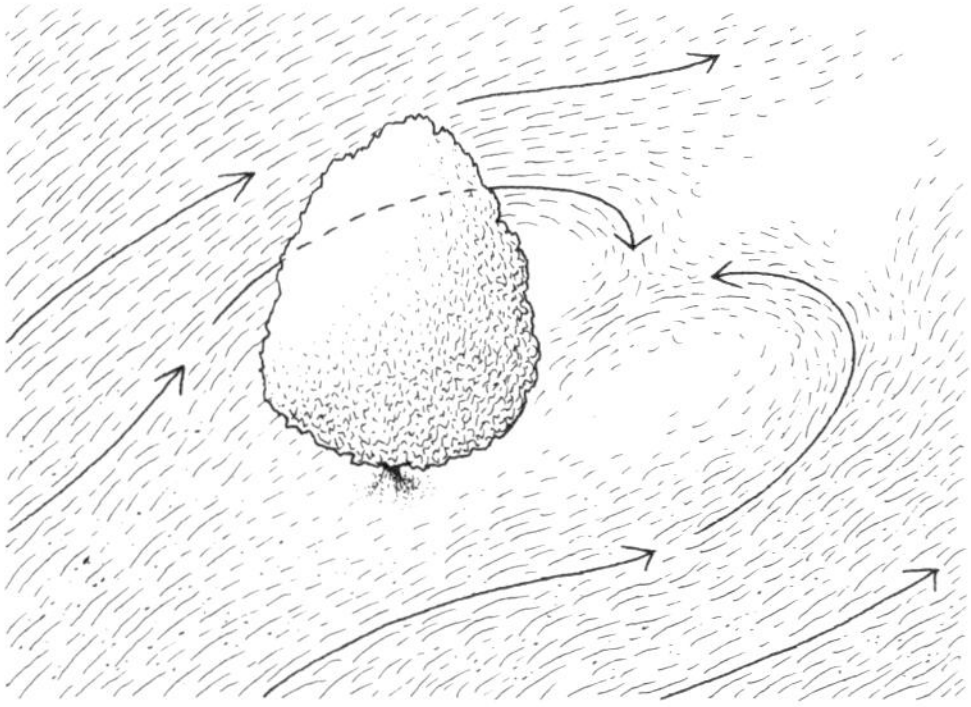

ハート渦

森の中で

森林の中では、渦流が狭い場所で数多く発生するため、風向きは変わりやすい。典型的な広葉樹林において、頭の高さ（つまりウインドバルジ域）での風の強さは、夏には上方を吹く風のおよそ10分の1、冬には5分の1になる。針葉樹の密植林では明らかに弱く、木のまばらな疎林では強くなる。森林の中を歩いていると、かすかな風でもこずえのざわめきが聞こえることが多いのはこの風速差のせいだ。夏の終わり、風がまったく感じられないときは、立ち止まって鼻の先に草の種が浮かんでいないか探してみよう。見つかれば、それは「風が吹いている」と教えてくれていることになる。アザミの種が空を飛ぶのに必要なのは、時速3キロメートルほどの微風のみ。その綿毛構造はパラシュートとして非常に優れており、1メートル落下するのに8秒かかることもある。

どのような地面でも、目をこらせば最下層の風地図が見つかるが、樹木の近くはとくに豊かな情報が落ちている。枯葉が風に乗って前を横切ったら、落ちるまで追いかけてみよう。地面は決して平坦ではなく、ミニチュアの山岳波と言える風の流れが生まれるので、地表はむきだしの所と集積所に分かれているだろう。コケは葉の下に生息できないため、裸地によく生えるが、その近くには葉が集まる小さなくぼみがあるはずだ。その効果は植林された場所においてとくに顕著で、私はコケの生えた尾根に沿って歩を進め、葉の溜まった溝に足を沈めるのを楽しむ。私と同じく、たまには林床に寝そべるのが好きなら、葉を運んだ風地図に従って場所を選ぶと良い。葉が落ちていない場所は風が通り、葉がいっぱい溜まったくぼみは守られていて静かだ。

森の中に伐採地などのすき間があると、微気候は一変する。光量が増し、風がさまざまな動きをし、雨がより多く降り、土は湿り、空気は乾燥する。気温も変化する。日中や夏は周辺よりも気温が上がり、夜や冬には下がる。植物や動物も変化する。

キャンプをする人は本能的にこのような開けた場所を選ぶものだが、気温が低い時期には霜がおりやすく、磁石のように雪を引きつける。森の中にできた空き地は、近隣の開けた土地より5割も多く雪が積もる。その空き地が嵐によってできたものか、それとも斧によるものなのか、考えてみよう。もし嵐によるものであれば、荒天時はとても危ない所だ。

振動と感度

トマス・ハーディは、葉の間を風が通り抜ける音で、木の種類を判断できると書いた。

> 森に住む人なら、大抵の樹にはそれぞれの姿だけでなく声があるのを知っている。そよ風が吹けば樅の木は、揺らぐばかりか咽び泣いたり呻いたりする。ヒイラギなら、もがいてヒューヒュー口笛を吹き、トネリコは震えて甲高い声を、橅は広がった枝を上下に揺らしながらカサカサという声を上げるものだ……
>
> （トマス・ハーディ全集2巻『緑樹の陰で』上原早苗訳　大阪教育図書株式会社）

理屈は単純だ。植物の葉の形や枝のつき方にはそれぞれ特徴があり、風が当たると独自の音を発するというわけである。種類によって音が異なる。キャンプ場は、木の楽団が勢揃いする劇場だ。ある作家は、リンゴの木はチェロ、古いオークの木はバスバイオリン、若いマツの木は控えめな音を担当するバイオリンだとし、「スギが奏でるスフレのような音」と書いた。これは本当のことだ。自然や美学に関して飛び抜けた感性を示す日本人は、マツに風が当たる音、すなわち松風に耳を傾ける。14世紀の明王朝に仕えた劉基は、音楽的な感性を実学的な見方に組み合わせてこう書いた。「草木のうち、葉の大きいものは音が小さく、葉の乾いたものは悲痛な音がし、葉のひ弱な草木が奏でる音は弱く、音楽的でない。松ほど風に合うものはない」

私たちも、この域に達することができる。しかし、どうやれば？

針葉樹と広葉樹を見分けるのは簡単だが、モミとトウヒを見分けるのは難しい。とはいえ、バードウォッチャーが「ジズ」と呼ぶ、木が奏でる音を捉えることは可能。野鳥の専門家は、遠くの鳥の姿をちらりと見たり、２秒間の鳴き声で鳥の名前を当てるという驚くべき能力を発揮する。調べてみると、これはトリックなどではなく、自然の文脈をよく把握したうえで発揮される特殊能力だった。音で木々を判別するというのは、自然の中に出たときに役立つスキルであり、探究する価値があると言えるだろう。

１０００ピースのジグソーパズルがあるとしよう。あなたは、それに取りかかったばかり。四隅のピースを置き、片側のへりを並べかかっただけで、あとは何もできていない。そのとき、子供があなたにピースを１つ手渡す。なんの特徴もない、薄い白色のものだ。

「ありがとう。どこに入るかわかったよ」。あなたはボードの空きスペースにそのピースを置く。子供は、なぜそこを選べるのか不思議がっている。あなたは箱に描かれたターナーの風景画「ディーンヒルから見たニューナム・オン・セバーン」を指差して説明する。暗色の木々、土地の特徴、青い空、灰色の雲、白い雲、そして青白い馬。いかにもターナーだ。白いのは雲か馬のどちらかだが、馬は雲よりもくすんだ色合いをしている。つまり、このピースは遠くに見える積雲の一部に違いない。あなたは、文脈と除外法によってそれを知った。それ単体では雲に見えないが、このパズルの中に限って言えば、白色はこの場所しかない。別のパズルでは建物や川の反射かもしれないが、このジグソーパズルでは雲。自然を識別するエキスパートの仕事も、それと似ている。鳥の鳴き声や木の音は、その正体を高らかに宣言するわけではないが、選択肢を絞り込んではくれる。自然のジグソーパズルを熟知していれば、ピースの置き場所は難なくわかるだろう。

ある専門家によれば、室内で鳥の鳴き声を流されると、よく知っている種類であっても識別に苦労するということだ。現場で聞く必要がある。樹木の音や自然界におけるほとんどの景色や音にも、それがあてはまる。フィールドで過ごす時間は、パズルの箱に描かれた絵を覚えるようなものだ。ちらりと見える姿、聞こえてくる短いさえずりなどは、あなたが手渡されたピースである。

現実的にはどういうことだろうか？　私のアドバイスは、まず1つの場所で木々の風の音になじみ、それを大切にすること。いろいろな森に足を運んで目を閉じ、木々が自己紹介してくれることを期待するのは無駄というものだ。意気消沈し、やる気もうせてしまうだろう。なじみの場所で、大胆な木がたてる音を知れば、初めて足を踏み入れる場所でも彼らのあいさつに気づきはじめるだろう。

私が初めてそれを体験したのは、トネリコの木が奏でるカタカタという音だった。何年もかけて、私は森の端近くに生えるトネリコの高い枝がぶつかり合う音に聞き慣れていった。学びはじめのころ、別環境でこの音を聞かされても自信を持ってその名前を当てられたかどうかわからないが、この音が森の端を示す合図であることはわかった。というのも、その音はつねに、木々の間を吹き抜ける風音の増大や光の変化、地衣類やツタの増加、草の種類の変化などを伴っていたからだ。そんな状況でこの音が意味するのは1つしかないと、私の脳は記憶した。

やがて私は、同じ森で同じ音を聞いたが、それは予測しない状況下でのことだった。ブナだけが生えている場所の真ん中で、他のなんらの変化もないのにその音が聞こえてきた。自信に満ちた即座の識別はできず、「変だな」という感覚が湧き上がった。その原因と説明を求め、私は振り返った。なるほど、林業のために伐採された跡地がある。そのわずかな隙間をトネリコが埋めていたのだ。

別の森でこの音を拾い上げられるようになるまで、そう時間はかからなかった。木の音として、トネリコの枝がたてるカタカタという音は特徴的で、図々しいとさえ言える。初めて足を踏み入れる森でも聞き間違えにくいとわかり、私はすぐに、なんということもない音の洪水の中からこれを聞き分けられるようになった。ノイズの中のシグナルだ。

とても胸が躍る瞬間だった。不可能を可能にするプロセスの始まりである。簡単に聞き分けられる音を1つ覚えるというのは、すばらしい旅のスタートである。これから認識するすべての音はイメージとなって記憶され、他の音に集中できやすくなる。たとえば次は、夏のブナの木に吹く一陣の風の音。小石のビーチに砕ける遠くの波の音。そしてポプラのささやき。ポプラは水辺を好み、小石の上を流れる水のような音を奏でる印象がある。あなたの音コレクションはどんどん増えていき、いつしかノイズがなくなって信号だけが聞こえるようになるだろう。

天気の話からだいぶそれてしまったようだが、それは意図的な遠回り。いまは一周して元の場所に帰ってきたからご安心を。木が奏でる音を拾い出す練習を積んでいると、風の挙動変化に敏感にならざるを得ない。そして先に見たように、風の変化は天候の変化を先取る。木々の音に耳を傾ける旅は、多くの喜びをもたらすだけでなく、たとえうっそうとした森の中にあっても、天候の変化に出しぬかれることはなくなるだろう。

ただし注意してほしい。感受性が鋭くなると、無防備感が増してくる。クリの木に吹くそよ風の音を拾えるようになれば、マツに吹きつける不意打ちの突風を聞くと血中にアドレナリンが流れ、夏の日であっても身震いすることになるだろう。連れが気づかずに歩き続けても、あなたは立ち止まり、木々に目を向けるだろう。実際に経験するまでは、私の言うことが信じられないだろうが……。

陽光の赤

森から出たら、赤を探してみよう。森の中心ではあまり見かけない色だ。木々の覆いから一歩外に出ると光量は増すが、多くの木々が赤色でそれを祝っている。アントシアニンと呼ばれる物質によるもので、ブドウ、ブラックベリー、プラムなどに豊かな色合いを与えている色素だ。太陽の光をたくさん浴びる葉はアントシアニンを使ってダメージを防いでいる。日焼け止めのようなものと考えればわかりやすいだろう。サンザシの若葉が赤いのは、傷つきやすい時期に身を守るためである。また、日当たりの良い南側の茂みの葉にも同じ効果が見られる。

赤色のいとこである銅色をまとう木はたくさんあり、鑑賞用の改良品種も多い。ムラサキブナは他のブナと似ているが、コパープラムは濃厚な錆色や銅色をしている。もっとも濃くなるのは日光をもっとも多く受ける葉で、南側に多く見られる。日陰の葉は緑色のままだ。公園や庭に生えたこの手の木の周りを歩くと、間接的であっても太陽の光がまんべんなく届くため、色づいた葉が全周に生えていることに気づくだろう。しかし樹冠を見てみると、南側では豊かな色彩が樹木の奥深くまで到達しているが、北側では表面だけであることに気づくだろう。他はすべて緑色だ。銅色は、1本の木を包む微気象地図を示してしてていることになる。

果物も、均一に色づくわけではない。多くの人にとって、完璧なリンゴは赤と緑である。そんなリンゴは、甘さと酸っぱさのバランスがうまく取れているからかもしれない。あるいは何千種類もあるリンゴの中で、赤と緑が混ざった鮮やかな色を持つ野生種（*Malus sieversii*）が祖先だからか。カザフスタンの山岳地帯で今日まで生き残っている種類だ。

100年以上前、完熟前のリンゴに切り文字を貼り付けた人がいる。しばらく経ってそれをはがすと、日の当たらなかった文字の部分はまだ緑色だったが、残りは真っ赤だった。リンゴの着色と直射日光の関係を証明する簡単な実験である。

完熟していないリンゴを見れば、赤色が日当たりの良い南側を好むのがわかるだろう。私は、地面に落ちているリンゴを見ると、色合いの違いでぶら下がっていた向きを調べられる、と思う。台所のフルーツボウルにリンゴが入っているなら、木に戻すとしたらどの向きが正しいのか、考え続けてしまう。おっと危ない。そろそろ自然の中に出かけないと、息がつまってしまいそうだ。

15

植物・菌類・地衣類

ナチュラル・ナビゲーションと鋭利なメス／草のサイン／ワラビ／一年草と多年草／耐寒性とフロストライン／時間と温度／葉っぱの手がかり／菌類／地衣類／ブラックベリーと可能性

ボツワナのオカヴァンゴ・デルタにて、調査員たちは小規模農家のコミュニティにインタビューを行っていた。592世帯に話を聞き、この文章をどう思うか尋ねたのだ。「植物を観察すると、雨が降るか降らないかは予測できる」

4分の3が同意した。

パプアニューギニアのウォラ語を話す人たちは、ガインブと呼ぶ植物をよく観察している。この草がフワフワした種を放つのは、しばらく晴天が続くというサインだ。メキシコのトラスカラ州に住む農民たちは、リュウゼツランの仲間であるイソーテに目を光らせる。この花が咲くと雨が近いとされる。

世界中のあらゆる文化圏で、天候を理解して予測するために植物が役立つという信念があるようだ。身近な所で、アカバナルリハコベは「羊飼いの晴雨計」「羊飼いの時計」など、多くの愛称がある。雨が近づいたり、午後遅くなると花びらを閉じる習性があるからだ。

最近では、植物を使って天気予報を試みる人はほとんどいない。地方に住む人の間でさえ珍しいことだが、ほとんどの人は可能なはずだという考えを持ち続けている。私たちは植物が天気に反応することを知っているから、その関係性を使えば気象現象を「予言」するのにも役立つという根強い確信も存在する。たしかに不可能ではない。しかし、私たちは時間と距離のスケールに正直でなければならない。野生の花は、プロの気象予報士よりも正確に、向こう一週間の地域予報を教えてくれるだろうか？　そんなことはない。しかし通り一遍の天気予報では聞くことができない、このあたりで数時間から数日のうちに起きるかもしれない小さな天候の変化について、何かを伝えてくる可能性はある。

天候を理解するために植物を使うには、それが作る時間と場所の地図を理解しなければならない。まず気候と季節について考え、次に「微気候」と「微季節」に焦点を絞る。そうすることで、植物が生きる小さな気象世界が、美しく詳細に明らかになってゆくだろう。

気候風土と植物には密接な関係があると、誰もが本能的に理解している。イギリスで飛行機に乗り、スペイン南東部で降りると、飛び立ったときよりも草が少なく、むき出しの乾燥した土壌が多く、マツやヤシの木が多いことに気づく。翌年、私たちはフロリダに降り立つかもしれない。ヤシの木がたくさんあり、緑が多く、むき出しの土壌は少ない。南スペインとフロリダの風景を見比べると、暖かく乾燥した環境と暖かく湿った環境の違いを目のあたりにしていることに気づくだろう。

気候と季節の組み合わせは、特定の天気に遭遇する可能性を教えてくれるが、絶対はない。1月のダートムーア（プリマスの北にあるイギリス海峡沿いの地域）は、暑く乾燥した日が続く可能性はとても低いがゼロではない。フロリダで1月に雪が降る確率は低いが、皆無ではない。１９７７年1月にはマイアミで雪が降った。

すべての植物は気候と季節について情報を伝えようとしており、それら2つを考え合わせれば天気の可能性も絞り込まれてくる。植物は天候を予測する、と科学的に言う場合、背後にある単純原理がこれだ。この常識的なアプローチを洗練させると、興味深い予測が可能になる。過去と現在を把握することで、近未来がわかるのだ。

最初に、種の大きな移り変わりに注目してみよう。つまり丘の湿った側に、水を大量に必要とする植物を見かけることに注目したい。遠くから見ると、樹木が最初にそれを示してくれる。ヨーロッパアカマツやクロマツなど、マツの仲間は概して日光を好むが、ヨーロッパアカマツはクロマツよりも湿った地面に耐えられる。湿気の多い地域ではクロマツよりもヨーロッパアカマツのほうが多いのだが、光と土壌がどちらの種にも適しており分布が重なり合う場所では、湿った丘の風上側でよく育つヨーロッパアカマツのほうが、乾燥した風下側を好むクロマツより勢いを持つ。空気が湿っていて積雲がそびえ立ち、にわか雨が近づいているような気配があれば、マツはあなたが雨に降られるかどうか知らせようとしているのだ。

ナチュラル・ナビゲーションと鋭利なメス

すでにナチュラル・ナビゲーションに対して興味をお持ちの方は、植物が太陽、風、水、その他多くの変動要素をマッピングしているのをご存知だろう。このセクションでは自然が秘める手がかりの豊かさと繊細さをしばし楽しみ、我らがシナプスを暖機しよう。天候のサインを探すための準備作業だが、五感のメスを研ぎ澄ましてもくれるだろうと思う。

丘、森、岩など影を落とすものならなんでも、その南側には太陽を好む植物を見つけることができる。花は太陽の方を向いているだろう。開けた場所では、だいたい南から南東だ。寒冷地では、どんな植物であっても、暖を求めて南斜面に生える。イギリスのブドウが南向きの斜面で栽培されるのはそのためだ。植物にとって炎暑が問題であれば、赤道に背を向けた斜面に生えようとする。モロッコ、アルジェリア、チュニジアの3国にまたがる、暑く乾いたアトラス山脈の北斜面には、そんな森が広がる。植物たちに顔を寄せる私たちは、豊かで細かな絵柄が提供されていることに気づきはじめる。

ナチュラル・ナビゲーターにとって、植物の声に耳を傾ける技術は欠かせない。植物は環境を反映するコンパスで、地図でもある。私たちが出会うすべての植物は、あらゆる部分にメッセージを秘めていると考えなければならない。ヤナギは湿った地面を好み、近くに川がある可能性を示すが、日当たりの良い南側から花を咲かせはじめる。

タンポポのように、北向きと南向きの両斜面で生き残ることができる植物もある。この花はまず南側で咲き、続いて丘を越えて北側で開く。もちろん、花が山を乗り越えるわけではなく、気候や天候などの環境を各株が反映しているだけだ。暖かく日当たりの良い南側の斜面での開花は、日陰の多い北側よりも早い。

3月から4月中旬にかけ、その丘の周りを歩くあなたは、タンポポが南側にしか咲かないと結論するかもしれない。もし5月に同じルートを歩いたら、北側にしか咲かないと思うだろう。北米に生息するヒョウモンモドキというチョウの仲間は、シーズン初期には南側で、後半には北側で見られる。タンポポとチョウは、それぞれが丘の地図を描いているようなもので、土地の向きと微気候について教えてくれる。生息地や行動に対するこのレベルの感度は、天候面の手がかりと見事に重なっている。

私たちは、にわか雨が偶然の産物ではないことを知っている。雨は、地面の温まり方と地形に支配されている。つまり論理的に考えれば、雨の多い場所と少ない場所があることになる。すべての植物は水に対する感度が高い。これらのピースを組み合わせると、雨の降る場所を示そうとする植物が存在するとわかる。しかし、湿った環境を好む植物の名を丸暗記しようとする代わりに、強いにわか雨が降っているとき、あたりの植物を観察してみよう。高台や街、森林地帯と自分の位置関係を記録に残しておきたい。そうしておけば、たとえば丘の風上側斜面に生えたある植物は、風下側の斜面では起きない定期的な雨を好むことに気づくだろう。そんな植物は、次に雨が降る場所を教えようとしている。

アラビアの砂漠で見たように、乾燥地帯に生える植物の開花は雨が引き金になることがあり、花は雨の場所をマッピングしてくれる。スーパーブルームと呼ばれる現象をずっと控えめに、ひんぱんにした例である。一部の砂漠では、植物は何年も乾燥した環境で休眠し、雨季になるといっせいに開花するように進化してきた。カリフォルニア州ロサンゼルスの北西約１００マイルに位置するカリゾ平原の草原地帯などでは、10年に一回の頻度でこの現象が起きる。

湿気のある地域を散歩していると、イグサの仲間（*Juncus effusus*）を見かける。近くに川があったり、大きな水溜まりができている場合、私はその植物を使って天気予報をすることはできない。しかし、通常水位の川よりすこし上がった所に見つかるなら、なぜそこに生えているのか疑問が起こる。定期的な大雨のせいというケースが多いだろう。空模様が怪しいとき、この草を踏むようなルートを取って歩いていると、にわか雨に打たれる可能性はかなり高い。

にわか雨の可能性をどうやって知るのか？　これまで見てきた雲、風、その他の手がかりと並んで、植物も教えてくれようとしている。湿度が上がるとにおいが強調されるので、雨の直前は花の香りも強く感じられる。しかし、雨に弱い植物は、雨が近づくと花を閉じる。タンポポ、ヒルガオ、キンポウゲ、チューリップ、クロッカス、デイジー、マリーゴールド、チャボアザミ、リンドウ、アカメガシワ、ムラサキセンダイハギなどだ。カタバミやクローバーは雨が近づくと葉を畳み、ヤブイチゲは花を閉じて頭を垂らす。

その原因やメカニズムは、種によって異なる。チューリップやクロッカスは気温が下がると閉じるが、タンポポは気温と光の両方の低下に反応する。湿度の変化に反応する花もあるが、ナデシコ科マンテマ属の花をはじめ、それが起きるのはおもに夜間である。

科学的な根拠や個人的な経験から、花は大きな気象現象が起こる前に変化を示すと思われるが、これまで見てきた他の多くの兆候、とくに雲や風よりも先に反応しているという証拠にはまだ出会っていない。つまり、植物は天候の変化を予測するのに役立つとはいえ、最初に出現する兆候ではないのだ。

草のサイン

草はシンプルなメッセージを送ってくれる。ほとんどの場所で草はたっぷり生えており、それぞれこみ入った話をされるとわからなくなるから、単純なくらいがちょうど良い。背の高い草は、いまの風に合わせて曲がる。私たちも感度を保っていれば、とても重要な風向きの変化に注意を払い続けることができるだろう。午前中と午後で違う方向を向いた草は、じきに濡れると思われる。

すでにこの本を読み進んできたあなたは、深入りを怖がる必要はないだろう。草は、私たちが信じる以上のことを教えてくれようとしていると考えてみたい。光、風、そして水の傾向に関する秘密のメッセージを送ってきているのだ。草は天気を記録する。限定的な環境を好む草が提供してくれる手がかりは、私たちの五感を研ぎ澄ませてくれる。

よく見かけるカモガヤは、風に向かってごく低速で移動する。他の背の高い草と同じように、葉は風によって曲げられるが、新芽は株の風上側がよく育つ。風によってそちら側がきれいに掃除され、新芽が伸びやすくなるのだ。つまり、風上に向かって長い時間をかけ、ゆっくり動くと言える。その形は、今日、先週、そして昨年の風がどうであったか、したがって明日の風がおそらくどうであるかを伝えてくれるだろう。

イグサにも似るイネ科のマットグラスは、山の斜面や砂丘など、開けた厳しい環境に生育する。株は成長するにつれて、光たっぷりの南側が茂る。時間の経過とともに内側は枯れていき、株は馬蹄のような形になる。細い両端はほぼ北を向いており、カーブした部分は南を指す。

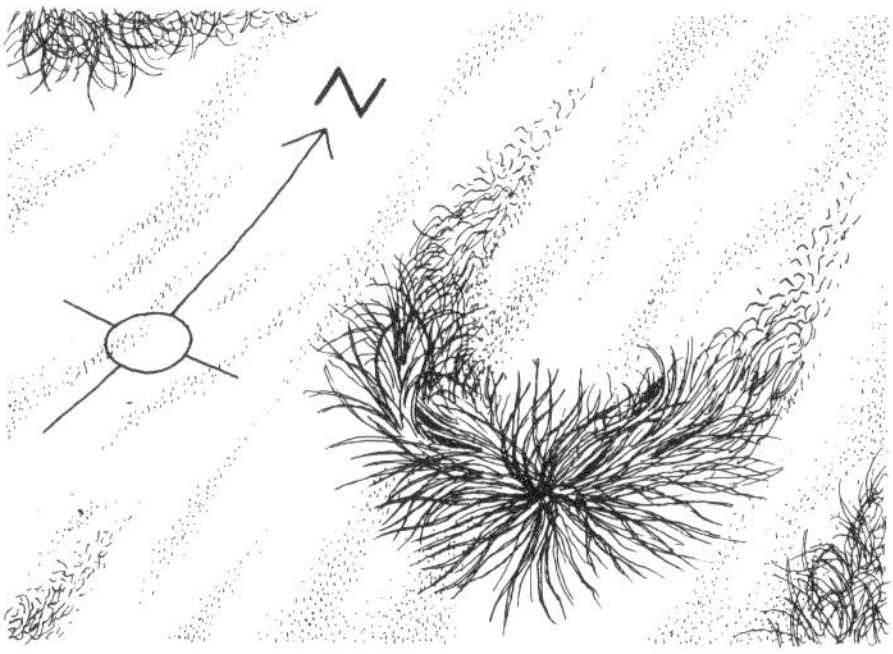

マットグラスが作る馬蹄形

地面近くに生える植物も、樹木と同じく、極限についての真実をささやく。それぞれの種が耐えられる限界はつねにある。霜、洪水、干ばつ、暑さ、風などは、植物を枯らしてしまう可能性があり、枯れたらそれでおしまい。ヒースは寒さや雨風には強いが、乾燥には弱い。それが繁っているなら、乾季は長く続かないだろうと推測できる。

ワラビ

背が高くて大きなシダであるワラビは、ごく特殊なケースだ。場所と時をまたぐすばらしい生存者であり、世界じゅうに育ち、長い時を生き残っている。多くの地域で、歓迎できない侵略者だと考えられているが、ワラビを駆除しようとする人は長期戦に挑まなければならない。ワラビは５５００万年前の化石からも発見されている。

ワラビは霜のおりない夜を好み、囲まれた場所ではフロストラインを示す。露出した場所に生える株の高さは平均風速を反映し、風が強くなるにつれ低くなる。吹きさらしの場所では、ヘザーやイネ科の各植物など、もっとタフな種に取って代わられる。

一年草と多年草

どの地域にも、それぞれの季節における特定の天候を示唆する植物が生えているものだ。何百種類も列挙しようとは思わないが、大原則を紹介しておこう。植物は、いまの季節のことしか伝えてこない。一年草は、夏に快適で暖かな場所で生えているかもしれないが、そこの冬はおそろしく過酷な可能性もある。冬、その植物のショーはもう終わっているから良いのだ。それに対して多年草は、一年を通して良好な条件を必要とする。

一年草は、春と夏の天候だけをあなたにささやき、晩秋や冬のことはほとんど言わない。ヒマラヤが原産地のオニツリフネソウは、イギリスからニュージーランド、そして北米の一部にまでわたる、川岸や湿った痩せた土地に生えている植物だ。大きく揺れる桃紫色の花を咲かせ、暖かく穏やかな夏の気候を楽しんでいるように見えるだろう。しかしこの花は、信じられないほど厳しい冬に耐えるための巧妙な戦略も使っている。つまり枯れること。ヒマラヤの冬に、植物として野に生えていたいと思う人などいるだろうか？

常緑植物は1年では枯れないので、冬があまり厳しくないことを示す。球根植物は1年の大半を地下で過ごすので、厳しい冬になる可能性があることを伝えようとする。寒さに強いチューリップは、寒い冬を必要とするのだ。

耐寒性とフロストライン

植物から各季節の極限的な気候を測るというアプローチをさらに探りたいと思われるなら、お住まいの地域の「耐寒性ゾーンマップ」を調べてみてほしい。全世界の園芸家は、植物が各地でどれだけ厳しい冬を越せるか点数化を試みている。システムは世界各地で異なるが、原理は同じである。米国農務省は植物を、ゾーン13の熱帯性植物から、マイナス54℃の低温に耐えられるゾーン0の植物にまで分類しており、たとえばチューリップはゾーン8から3、つまりマイナス9℃からマイナス37℃の寒さに耐える。

これらの指標は気候を反映したものだが、他の兆候と組み合わせて使えば天気を予測するのに役立つ。肥沃な土を注ぎ込まれる庭園と違い、野生環境の自然は厳しい。1平方メートルの土地を１０００種の植物が奪い合っているかもしれない。競争で使えるあらゆる優位性を活用しようとしているのだ。私たちは、それぞれの植物が自らのニッチについて何かを語っていると考えなければならない。たとえばゴゼンタチバナという植物は、夜が冷え込む場所でしか育たない。そんな場所に出会ったら、心がけるべきことはシンプルだ。日が沈んだらすぐ帰宅、というわけである。

丘の中腹で、耐寒性の低い植物と高い植物が隣接して生えているのに気づいたら、あなたはフロストラインを見つけたことになる。空に雲がない秋の夜、極端な寒さがどこを襲うかがこれでわかる。そして、以前の章で学んだ霜の場合と同じように、ここでも驚きが待っている。10月に、窪地を見つけてそこでキャンプするつもりになったとき、ヒースのような寒さに強い植物を見かけたとしたら、フロストラインを越える位置まで登り、ワラビなど耐寒性が低い植物が繁茂している場所を探しなさいというメッセージだと考えよう。境界線付近では、自らの幸運を祈りながら失敗した植物や、昨年の霜で枯れしぼんだ低木を目にするかもしれない。

時間と温度

昨夜、私はブナ林にしつらえられたレンジャー席に座って数時間を過ごした。4月の晴天のあとで、森には春の雰囲気がたちこめていた。ブナの樹冠にはまだほとんど葉がなかったが、低い若木はすっかり緑だ。低い木はつねに、高い木よりも数週間も早く葉をつける。上に被さる木が空を覆い隠してしまう前に、すこしでも光を取り込んでおこうというねらいだ。

「フェノロジー」とは季節現象を研究する学問であり、私たちはその広がりを嬉しく思っている。しかし、季節は一気に到来するわけではない。気温や日の出といった無生物学的変化や、チョウの出現や開花といった生物学的な変化の形をとり、独自のスピードでやってくるのだ。これらのサインは、地域によって到来の時期が違う。米国において、春と夏は南と南西から入ってきて、国土を北と東に行進する。メイン州が静かな雪の下に震えているとき、フロリダ州は暖かな気温と賑やかな鳥のさえずりに包まれる。

春によく話題に上る「○○前線」とは、ある生物学的季節を経験する場所を結ぶ線で、季節の進み具合を示している。大きな地図で見るとすっきりした線だが、拡大すればねじれやぎざぎざが目立ってくる。先ほど述べたように、同じ丘の両側でもタンポポの季節は異なる。そして、季節を示すためにどのような標識を選んだとしても、その到達時期は丘の頂きとふもとで、きっと異なる。

天気を理解するうえで、この事実がどのような意味を持つだろうか？　季節も、気候と同じように考えるべきだろう。各地に微気候があるように、「微季節」もあると考えよう。微季節は、1つの植物の中に見られることもある。サンザシが春にどうなるか見てみよう。地面に近い枝は、高い枝よりもかなり早く開花する。1つの茂みの中で違いを見つけることができたのであれば、そこからかどを曲がった場所では春の訪れが1週間遅れていることを知っても、驚くことはないだろう。微季節という考え方は、私たちが木をぐるりと一周するときですら、天気の変化が感じられることを思い出させてくれる。

庭の芝刈りをさせられている人ならご存知のように、気温の変化は季節的成長の引き金となり、成長の速度を支配する。種類によって異なるが、芝は気温が5℃以下になるか、32℃以上になると成長を止める。大自然の中では丈の高い草が、暖かく湿った、風の当たりにくい場所を指し示す。

森林地帯では、マツユキソウ、イトシャジン、ヒメリュウキンカ、レンプクソウなどの下層植物が、冬の間、地中に栄養を蓄えている。これらの植物は、地面が温まった順に生命を吹き込まれてゆく。私の地元の森では、早春の日差しが差し込んでくるのと同時に暖かくなる場所から、5月まで暖かさを感じない場所まで、なだらかな地図のように開花が進んでゆくのを見ることができる。レンプクソウは、緯度、高度、そして気候の間の関係を見事に示してくれる。寒冷な高緯度地域では、標高の低い暖かい地域に見られ、温暖な低緯度地域では標高の高い涼しい場所に出現。私の地元の丘では、中腹にしか生えない。

私たちは山の樹木が苛烈な環境にさらされ、生育できる高度に制限が生まれるのを見てきた。同じような暴露と温度環境のストレスは、下層植物の生育域を制限するだけでなく、姿をも変えてしまう。牧草の収量は、栽培地の高度が上がるにつれて低下する。ヒースラッシュという草は、英国全土に広がる開けた荒野、湿原、山地の湿った場所に生える丈夫な種類である。この草の花茎は、高度が上がるに連れて短くなり、花の数も減る。同様の傾向は、世界中で見られる。

植物は周りの温度変化に反応するのだが、同時に私たちが感じる温度にも影響を与えている。風のない穏やかな日であれば、異なった植物が茂る場所を横切るたびに気温の変化を感じることができる。植物は、たとえ曇りの日であっても、太陽の放射に対し、それぞれ独自の方法で反応するので、温まり方や冷え方が違う。砂地からヒースの野原へと進めば大きな変化が実感できるだろうが、もっと微妙な違いもある。科学者たちは、草地の管理方法が異なれば、隣り合っていても気温に差が出ることを発見している。肥料を大量に投入した牧草地は、近くにある自然の草原よりも気温が低くなる。人工的な牧草地は卵を孵化させないほど低温になるという現実こそ、バッタが野生の草でしか育たない理由の1つである。

葉っぱの手がかり

植物の葉には、発見すべき世界が潜んでいる。

葉は外的要因に弱い。葉はつねに、大まかな気候と具体的な微気候を反映し、手がかりを与えてくれる。しかし、私たちは他の主要因も考慮する必要がある。たとえば土壌。水分の多い、肥えた土に生える木の葉は大きくなる。ジャングルに多い大きくてひらひらした葉と、砂漠で見つかる細くて貧弱な葉を思い浮かべてほしい。それを頭に入れたら、次はある事実を理解しておくと、葉を通じて微気候を察知できるようになるだろう。

苛烈な環境にさらされると、植物の葉は小さくなるのだ。山を登っていくと、木の葉は縮んでいく。ある研究者は、山を１９００メートルから２４５０メートルまで登ったとき、セイヨウウサギギクの葉の大きさが半分ほどになることに気づいた。

目を近づければ、よりローカルで具体的な手がかりが見つかる。高い位置につく葉は茎から直角に出る傾向があるが、すべての葉が同じように出るわけではない。この非対称性にはヒントがある。日当たりの良い南側の葉は、地面を指している。太陽光を直接受けるためだ。樹木の北側にある葉はぐっと持ち上がり、光がやってくる空に向かって顔を傾けている。

さらに近づいてみると、南側の葉は密集しており、北側の葉は間隔があいていることに気づくかもしれない。また、日陰の葉は日なたの葉よりも茎から遠く離れている。植物学用語でいうところの「節間」と「葉柄」は、日陰になるほど伸びる。

日陰にある葉は大きく、色が濃く、厚みがない。最大の葉は、日陰ではあるが雨が当たる場所にある。背の高い茂みや生け垣の北側で、下のほうにそんな場所を探してみよう。日陰と水の両方があるため、葉が大きくなる。これらはナチュラル・ナビゲーターが使うタイプの小さな手がかりだが、大雑把な天気予報も提供する。小さくて厚く、淡い色の葉が密集している場所は日照時間が長く、天気が崩れても

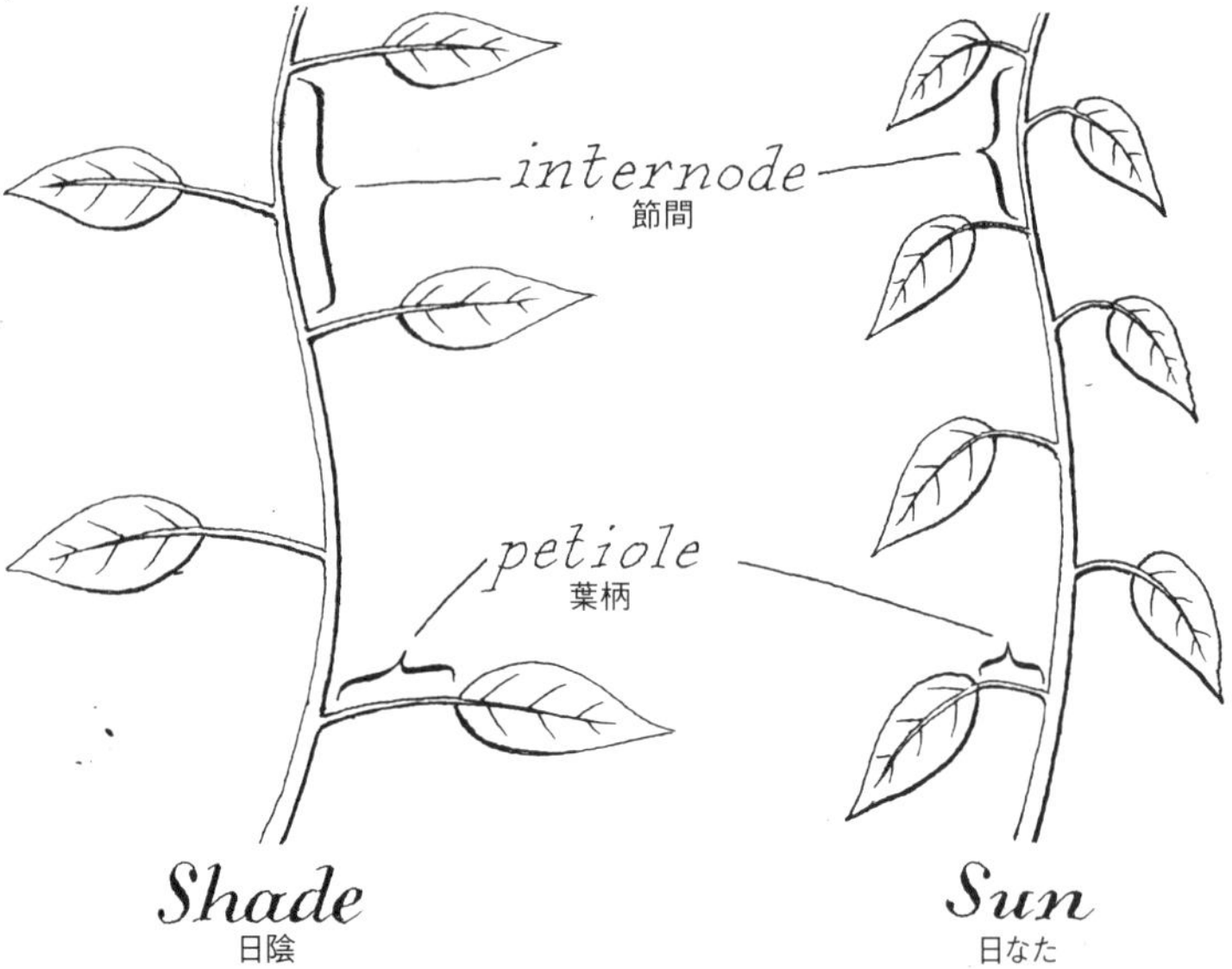

やがて陽がまた出てくることを示している。

もっと近くに寄り、葉を触ってみよう。その質感は、地域にもっとも一般的な天気を反映している。葉がとくに厚くて肉づきが良い場合は、暑くて乾燥した天候がもっとも一般的だ。革のようにちょっと硬い場合は、寒くて乾燥した天候が多い。また標高が上がると、空気は冷たく乾燥するため、葉も革のようになる。

乾燥した日当たりの良い場所から日陰の多い場所、湿気の多い場所まで、さまざまな微気候が混じった風景を歩くなら、植物の種類だけでなく、葉の形がどのように変化するかにも注目しよう。葉のカーブの具合でさえ、微気候を知る手がかりになる。空に向かって弧を描き、地面に向かって終わる大きなカーブを持つ葉の多くは、深い日陰や湿った場所で見られる。ジギタリスや一部のラン、細い葉をした多くの草が持つ特徴だ。

菌類

キノコ狩りを好む人たちは天気に敏感だ。その変化が発生に強く影響するからである。キノコは土壌、近隣の植物、微季節について多くのことを教えてくれる。

ある日の午後、私がうっかり見落としていた明らかなヒントを息子が見つけ出した。学校から帰ってきた息子も含め、みんなでテーブルを囲んでいるとき、私は以前に見かけたホコリタケの説明をした。放課後にキノコの話をしても乗ってくるとは思わなかったのだが、息子は興味津々の様子だった。ホコリタケは、雨粒が当たると何百万もの胞子を吐き出すよ、森に行ってホコリタケを探し、雨の代わりに棒でつついて胞子が飛び出すのを見るのはどうだ、私はそう提案した。

「だったら」と息子は、トーストを呑み込む合間に言った。「じめじめした場所にしか生えないんだね」。語尾に抑揚はなかった。彼は私に尋ねたのではなく、教えてくれたのだ。これほど誇らしいことはない。同時に、私が押しつける知識が、次の試験に出る三角法や暗記科目とかを追い出しているのではと、すこし心配にもなった。

菌類は光、温度、そして湿度の変化に敏感である。これを証明するために、多くの建物が実験を行っているようなものだ。室内のじめっとした空気に気づいたら、水場のせいではなく、それはおそらく涼しい日陰にある湿った面で繁殖している菌類のせいだろう。

菌類は、緑色植物のような光の活用を行わない、つまり光合成をしない。しかしそれでも光は重要だ。原基（菌糸のかたまり）が地中から地表にいたったとき、光がそう教えてくれるのだ。さあキノコになりなさい、と。温度と湿度の変化は、さらに大事である。多くの菌類にとって、キノコとして頭を出す時期は、夏の終わりから秋にかけての冷え込みや気温の大変化がきっかけとなる。

キノコがたった一晩で頭を出すのは、悪天候が近づいて湿度が上昇するからという考えが広まっているが、それが妥当な説明かは種類によって微妙に異なる。乾燥した天候が長く続くと菌類の生育が抑えられるのは事実であり、乾燥から多湿への急激な変化はたしかに出現を促す。

キノコの出現が天候変化の兆候である可能性は低い。私たちがこれまで見てきた、他の多くのサインのほうが早く出現する。菌類はたしかに、サインのコーラスに加わるのだが、独唱するわけではない。私は、初霜のあとや初秋のジェットコースターにも似た気温変化を感じるとき、時間をかけてキノコ探しを楽しむ。天候のサインという点において、私はキノコの到来を、冷たい空気の気団がやってくるときに感じられる変化と結びつけて考えている。予言というよりは後づけの説明というわけだが、それでもキノコの発見は秋を感じられるのでとても楽しい。

多くの生物学的な手がかりと同様、この分野の美しい可能性についても、私たちはまだ理解をしはじめたばかりである。科学者の中には、気圧の低下に反応して胞子を放出するキノコが多いと考えている人もいて、これが証明されれば、想像もしなかった角度からの天気予報ができる可能性がある。キノコは環境のあらゆる変化に敏感であり、天気のサインに関してはまだ多くの興味深い発見がこれからも生まれそうだ。

地衣類

地衣類も天気の手がかりを与えてくれるが、それを探す前に、この楽しい生命体のふるまい、とくに水との関係について知っておく必要があるだろう。地衣類は空気中から水分を直接的に得るため、植物や菌類よりも純粋な形で微気候を表現するのだ。地衣類の中には海辺で栄えるものもあるが、塩分と海風に敏感な種は、土壌の種類にかかわらず、海岸から数キロメートルの範囲ではいっさい生えない。

地衣類はコケと同様、湿度について2つの方法で教えてくれる。多くの地衣類は湿気の多い場所でしか生育しないので、豊かに生えているのを見れば、湿気の多い環境であると確信できる。また「地衣類の旗」も探してみよう。その土地の風の特徴、とくに常風がとりわけ湿っているか乾燥している場合、地衣類は樹木の片側だけで良く育つ。土中の浅い所や地表に生える地衣類は光環境が大きく影響するが、垂れ下がる、もしくは球状をなす地衣類は、樹木やその他の障害物の風上ないし風下のどちらで繁茂しているか、風のサインを探す価値があるだろう。

風がおもな要因でない場所では、霧が影響力を行使しているかもしれない。そんな地衣類は霧マップを描いてくれるだろう。風が支配的要因かどうかわからない場合は、高い木のてっぺんを見てみよう。こずえが曲がっていなければ、その場所の風は穏やか。地衣類の多くは、土からは得られない貴重な水分を与えてくれる霧が大好きだ。あまり雨が降らない場所で、降水に頼ることなく繁茂することができる原因である。

かつてオランダの研究者たちが、驚くべき発見をした。地衣類を調べれば、1ヶ月に何日霧が出るか、昼霧か夜霧かがわかるというのだ。地衣類は昼間の霧を好むが、それは夜間に活動を停止することで、乾季にうまく対処するためである。朝霧の中で丘を歩くときには、樹木についた地衣類に注目してみてほしい。じめっとした霧の中から乾燥した空気の中に出たとき、その種類が変わるか調べるのだ。霧の中で繁茂していた地衣類を覚えておこう。そうすれば、霧が発生しそうな場所をあらかじめ予測し、地図を作ることができる。

多くの地衣類は空気中の水分量にダイナミックに反応し、湿度が高くなるにつれて大きく膨れ上がる。19世紀のナチュラリストであるリチャード・ジェフリーズはこう書いた。「セイヨウカジカエデの葉は落ちてしまったが、コケは厚く深緑色だ。湿気がたっぷりあるので、地衣類のラッパは、夏の暑さで乾いていたときよりもいまのほうが大きく見える」

ブラックベリーと可能性

風マップは、私たちの目の前にありながらも、巧妙に隠されている。夏の終わりから秋の初めは、野生のフルーツを探す絶好の季節だ。熟した果実がたくさん実っているブラックベリーの茂みを探し、食べてみよう。すべてが同じ味ではないことに気づくだろう。はっとするほどの違いが感じられるかもしれない。

ブラックベリーの仲間には２００種以上の亜種があり、場所によってさまざまな種があるが、同じ地域でも日当たりの良い場所と日陰の場所は対照的である。甘さはもちろん糖によるのだが、これはただ１つの源、太陽が生み出したエネルギーだ。空に向かって開けた南向きの場所では、甘い果実を得ることができる。

しかし、これはおそらく可能性の表面だけを摘み取ったにすぎない。南米では、同じクロイチゴ科の別種（*Rubus glaucus*）の研究が進んでおり、驚くべき結果が得られている。これはブラックベリーと似ているが違う種で、ローガンベリーに近縁である。ここでこの果実を取り上げたのは、地元の植物をよく知るために時間をかければ何が可能か、教えてくれるからに他ならない。

中南米のブラックベリーは、風味の強い果実と風速計の組み合わせといえる。1つの果実塊は、実は「小果実」の集まりである。この小果実が1つの単位なのだ。そして、それぞれの小果実の数で、その場所の風速がわかる。実の数が多いほど、平均風速は大きい。

このフルーツ風速計の仕組みとはどんなものだろう？　ブラックベリーは昆虫によって受粉するが、風による自家受粉もできる。風が強いほど受粉の可能性は高まり、果実塊1個あたりの小果実の数も増える、というわけだ。

植物は、私たちの好奇心と観察習慣に応え、意味の層を築く。ランダムなものなど何もなく、サインはつねに提示されてあるが、それがすべて明白なわけではない。夏にアイルランドでヤシの木を見ると、穏やかな冬というメッセージを受け取り、暖かい微気候の中にいると感じるかもしれない。しかし、冬の穏やかさと夏の暑さや乾燥はまた別の話だ。自分の周囲に大麦畑はあっても小麦畑がないことに気づいたら？　これは雨が遠からず降るというサインである。

アイルランドの南西部はヤシの木が育つほど温暖なので、小麦も育つと思われがちだが、実際はそうではない。夏の温度が低すぎ、湿気が多すぎるのだ。実際、そこは非常に雨が多いので、作物で天気を予測する方法がある。大麦の穂が見えなければ、降雨中。見えれば、いまは降っていないけれども雨が近づいている、というわけだ。

小麦や大麦の畑を通り過ぎるときは、思い出してほしい。日本人たちは、麦の穂が風になびくようすを「穂波」と言っている。

16 フードゥーに出会う（寄り道 その2）

その日の始まりは、不安を感じさせるものだった。午前8時1分、私はカナダのバンフにある居心地のいいカフェ、トゥールルズにいた。ギンガムチェックのテーブルクロスの上にビニールシートを敷いた高いテーブルの周りには、古い木のイス。店には、シロップと脂のにおいが充満していた。私の左手は上着のポケットに入ったままで、クマよけスプレーの缶をいじりまわしていた。

自分がクマを恐れていることを、私はその朝に知った。頭の中で事実を何度繰り返しても、恐怖感は消えない。11月にバンフでクマに襲われ死亡した例は過去何十年もないことを、私はわざわざ確認した。恐怖に駆られると、人は統計を信じたくなるらしい。

私の場合は非合理的な恐れであったが、屋外で襲われる不安の大半も似たり寄ったりである。光が足りない場所で用心するのは当然のことだが、暗闇で感じる恐れは冷静な分析とは無縁なものだ。

クマに襲われながらも生還した人たちの多くは、ベアスプレーを手の届くところに置いていたと述べている。その朝、外出用の服を整える前に、私はポケットからスプレーを取り出して安全装置を外す一連の練習をした。クマに襲われたときの対処法を書いてある国立公園のビジター向けガイダンスも読み直した。遭遇してしまった場合、私たちは2種類の行動から1つを選ばなければならないようだ。

クマが防御態勢に入っていると思ったら相手を刺激しないこと、と書いてある。逃げてはいけない。追いかけっこが始まるかもしれないし、そうなると勝ち目はゼロだ。ゆっくりとあとずさりしながら、安心させるような声を出すのがベストだという。実際にそのようなふるまいができる人には、心から賛辞を送りたい。もしクマがこちらに接近を続け、追い詰められたと感じたら、地面に横たわり死んだふりをして、両手で首の後ろを守る。この状況を想像してみてほしい。

しかし、クマの襲撃が捕食目的で、クマがあなたを食べものと考えている様子なら、アプローチはまったく異なる。石やナイフなど、手近なものをすべて使って反撃するのだ。しかし、このような状況を過去に経験した、あるいは近づくクマの心理状態に基づく正しい戦略を見極める心の余裕がある人など、いるのだろうか？　私はたぶん無理だ。

インフォメーションセンターの若い女性は、ベアスプレーの到達距離が5メートルくらいだと説明してくれた。かなりの距離に思えたが、考えてみるとそうでもない。クルマ1台ぶんの距離までクマを引きつける勇気が、私にあるだろうか。クマの白目が見分けられるようになるまで待てるだろうか？　そもそもクマには白目があったっけ？　ないな。そんなことを大事なときに考えていたらお陀仏だ。逆に引き金を引くのが早すぎたら、クマよけのスプレーがクマ刺激剤、ないしクマ激怒剤に変わるのだろう。

私の右手にはメニューがあったが、それもクマ対策だった。何度も聞いたことがある。クマのいる地域で、リュックサックに食料を入れて歩くのは危険だと。そこで、食料なしで一日歩くことにした。食料を持たずに雪山に立ち向かうのは暴挙だが、私はこれまでアウトドアで得てきた知恵を今回の状況に適用した。シンプルな事実が根本にあった。餓死するには何週間もかかるが、腹をすかせて怒ったクマに遭遇したらほんの数秒で命は終わる。

この怪しげな戦略の結論は、カナダ流の朝食を腹一杯食べるということ。塩辛いものから甘いものへ、そしてまた塩味へという、北米特有の巨大な朝食も、じつは楽しみだった。ウェイトレスに注文を告げると、彼女は自信たっぷりの笑顔で「すばらしい選択です」と言った。チップの習慣がある国では、物事を決めるたびにいかにも賢くなったような気分にさせられる。

やがて、ベーコンとほうれん草のオムレツがやってきた。横には高く積み上げられたブルーベリー・パンケーキ。いや、厳密にはそう言えなかったかもしれない。ホイップクリーム、砂糖そしてメープルシロップの山の下に、パンケーキとブルーベリーが申し訳程度に埋まっていたからだ。肥満は多面的な問題であるという話を聞いたことがある。そのうちのいくつかの面が、私を見上げていた。

カルガリーで仕事があった私は、この休日を楽しみにしていた。計画は単純だった。朝食を消化しながら、標高１６７５メートルまで歩く。イギリスでは高山、ロッキー山脈ではちょっとした丘とみなされるような山の頂上だ。スタート地点のバンフがすでに標高１３７０メートルあるので、大いに助かる。下山後、私はナチュラル・ナビゲーションを使ってちょっとしたハイキングを行い、別のトレイルをたどって「フードゥー」に向かう。

フードゥーとは尖った奇岩群のことで、軟らかい砂岩の上に硬くて重い帽子が乗っており、それ以上の浸食から守られている。アースピラミッド、テントロック、そして私のお気に入りである「妖精の煙突」など、素敵な通称がつけられているものもある。

散歩の間、風に対する感度はかつてないほど高まった。私は光、雲、木々、そして土地の形や色を研究した。一日の始まりには、山から吹き下ろす風が顔を冷やすのを感じた。「ルーピング」タイプの拡散が起きる条件だ。私のにおいは、波を打って風下に流れるだろう。

森にはさまれた形の、開けた場所を歩くとき、私は背中にギャップウインドを感じてリラックスした。においは私の先回りをしてくれるから、鼻の利く動物なら私が近づいていることを予測できないわけがない。見えない渦流のひとつひとつが嬉しいものでもあった。ひとが来るよと叫びながら、においをぐるぐると回転させるからだ。反対に、長い間向かい風を受けながら歩かなければならないときは楽しくなかった。不意に動物と出くわすかもしれない。ほとんどの場合にそれは歓迎すべき出来事だが、今日は違う。

　針葉樹の背が低くなっていくのを見ながら、トレイルを登る。山頂では渦流が少なく、風が強くなった。風の強さは、私の周りに生えている木に刻みつけられていると思った。ロッキー山脈を眺めながら、30分ほどかけて遠くの林やスノーラインを観察した。私が見ることのできた山の風裏側では、森林限界線が明らかに高くなっていた。平行して走る３つの険谷に生える針葉樹は、谷の両側の露出した地面に生えている仲間よりも１００メートルほど上まで進出している。スノーラインより下のくぼみには、１００個ほどのスノーポケットがあった。

　下山しながら、私はマツを抜ける風音に耳を傾けた。岩を回り込むと音は変化し、下るにつれて小さくなっていった。あるとき違和感を感じた私は、小道の曲がり角近くで立ち止まった。音が変わったのは気のせいだろうか？　2列に生えるマツの間に、電柱で支えられた一対の電線があった。それによる風音の変化を感じたのだろうか、真相はわからない。

　トレイルをたどり、また外れて進んだ数時間のあと、パンケーキは思い出となり、クマの気配もなかった。事実が恐怖を払拭するのに役立ちはしないとしても、運動とすこしの空腹はたしかに効果がある。リュックサックにスナックを忍ばせておくのは、冒す価値のあるリスクだったように思えた。しょせんここは、にぎやかな街からほんの数キロしか離れていないのだから。そのとき何かが聞こえた。吠え声？　うなり声？　近くにいる動物の、大きな鳴き声だ。私は身をかたくし、次に、歌を口ずさみはじめた。

　実際のところ歌は、この地域で奨励されているクマよけの1つである。クマが容易に識別できる、人間特有のサインだからである。スカンジナビアなどでは、ザックに鈴をつけることが勧められている。絶え間ない音でハイカーが接近していることをクマに知らせ、余裕を持って退却していただく、というわけだ。しかし私は、ロッキー山脈ではこの方法はとるべきでないと、ある古老から聞いた。ハイイログマにとって、鈴の音は水音にしか聞こえないので、好奇心で近づいてくるらしい。

　好奇心ゆたかなハイイログマになど、出会いたくはない。しかし音痴で、音域も狭い私が自信を持って歌える歌など、ほとんどない。しかたなく選んだマール・トラヴィスの古いヒット曲が、調子外れで木立の中に吸い込まれていった。

　詞も4番に入り、「オレの片方の拳は鉄、もう片方は鋼鉄でできている」とマツを相手に歌っていると、光量が増し、歌声は思わず弱まった。木々が草原に変わり、私はそっと足を踏み入れた。空気が急に冷たく感じられた。

　目のピントを合わせるのに苦労した。森で数時間を過ごしただけで、明るい場所がまるで見えなくなるわけではないが、順応するためにはたしかに数秒かかった。ベアスプレーを握ったままの私は、目の前で茶色が動くのを見た。巨大な動物が遠くにいるのか、それとも小さめのものが近くにいるのか、判断は難しかった。実際は、その中間。すこし離れた所の、エルクの群れを見ていたのだ。1ダースほどのエルクが、20メートルほど離れた草原で草を食べていた。その姿は、まるでステロイド筋肉注射をしたダマジカのようで、家の近くで見かけるシカの仲間よりもどっしりとしていた。

私は立ったまま、10分ほどを過ごした。エルクたちはときどき目を上げたが、私の存在に動じることはなかった。エルクが自分の子を心配してか、ひとに襲いかかったという話を前日に聞いていたが、まったく怖くはなかった。他の草食動物とよく似ているので、私も彼らも互いのボディランゲージを読み取ることができるだろうと思った。草地の端にある小道から外れさえしなければ、お互いに脈拍が上がることなく共存できるはずだ。ジャケットの中に寒さが忍び込んできたので、私はしぶしぶエルクたちの群れをあとにした。

フードゥー

トレイルはフードゥーまで続いていた。そこにたどりつくには、岩や泥地、ガレ場を降りなければならない。まったく同じルートを歩く場合でも、急な下り坂と上り坂で足の感覚がまったく異なるというのはウォーキングの常識である。たびたび足が滑るのを感じたので重心を下げ、つかめる木の根はつかみ、土くれが私の先に斜面を駆け下りていくのを見た。
遠くから見るフードゥーは巨大に見えたが、近くで見るとあまり手ごわそうではなかった。根元に立つと、蜂蜜色の石が私の頭上数メートルにそびえ立っているだけだった。アリ塚を連想させたが、もっと高さがあって細い。私は薄い色の大地に腰を下ろし、砂が作ったモノリスを見上げて幸せなひとときを過ごした。私はそれらをスケッチし、写真におさめ、平らな土地からその形を確認するために坂をよじ登った。

街へ戻る道すがら、駐車場を通り過ぎたが、そこには例のカナダ風朝食をがっちり食べてきたとおぼしき観光客の一団がいた。朝の散策で敬虔な静けさに包まれたあとだったので、私は彼らの大声に耐えられず、遠回りをして道路から離れ、森の中を再び川に向かった。

森では、顔の高さにそよ風を感じたが、そのわずか上や下では空気が動いていなかった。木のてっぺんが、何か強いものと格闘している音が聞こえた。水辺に下りていくにつれ、コケが木を這い上がっていく。木々を抜けた瞬間に感じられたチャンネルウインドは、川に沿って行く私にずっとついてきた。木々は川ぎりぎりまで進出することをあきらめ、地面には雪が積もっていた。ある大きな岩の北側では、幅の広い先細りの矢印のように、積もった雪が正確に北を指していた。雲は空を覆っていたが、その前に照っていた真昼の太陽が、北側の日陰を除いて、暗色の泥にのる雪を解かしていたのだ。

マウント・ランドルの頂きが、谷を見下ろすようにそびえ立っていた。その堂々とした暗い顔は雪が縞模様を作っていた。何百万年もの時間をかけて、堆積岩が押し曲げられ、歪み、この天を突く山になった。雪は指紋採取用の粉のように、真っ白な線を暗色の岩に浮かび上がらせる。すべての線が、ゆがみが、ねじれが、文字のようにはっきりと見え、私は思った。言葉に似ているなんてものじゃない。これはまさに、岩が語る言葉なのだ。しかし、言葉としての認識と、意味を理解する能力には大きな違いがある。岩は語りかけようとしており、私は聞く気持ちを持っている。しかし残念ながら意思の疎通はなかった。

川の上は空が開け、青、白、灰色の背景の中に山々がくっきりと浮かび上がっていた。フリードリヒ・ニーチェは、びりびりと迫る雲やすべてを見通しているかのような空が耐えられないと感じ、森に覆われた山々を、心への悪影響を防ぐ盾と見ていた。ニーチェのそんな思いは狂気の兆しであったかもしれないが、針葉樹に覆われた高山帯から抜け出すときは、私のようなありきたりの人間にとっても抵抗しがたい感覚となる。

　太陽が顔を出し、私の顔を温め、川沿いの暗い土から空気がのぼるのを感じた。雲ができ、高くそびえる積雲が生まれた。雲の底部は粗く、凹凸が多い。雲頂ははっきりとしているが上昇は続き、形を変え、風に吹かれて曲がりはじめている。にわか雨ないし雪が迫っている状況だが、嵐の兆候はまだない。足止めの多い天気になりそうだ。

　私は山頂に目をやり、レンズ雲や旗雲などを探したが、条件が整っていないことに気づいた。風の流れ方にはパターンがあり、風上側にはすこし雲があるが、その先は青空が広がっていた。名前がつきそうな雲はない。

　首が辛くなってきた私は空から視線を下ろし、乾いた川床を街に向かって進んだ。雪がまた落ちてきた。穏やかな降りで、雪片は大きかった。青空から雪が降っていた。私はその場所で、この数週間に目にしたパターンの中でももっとも美しいものを見つけた。

　足元の小さな石が注意を引いた。私はしゃがんで小石を眺め、次に四つんばいになって模様を観察した。岩だらけの川床を20メートルほど這ったところで、鋭い石が膝に食い込み、思わず顔をしかめる。まつげから雪を払って、石をよく観察することにした。こんなものは見たことがなかった。

　他の多くのものと同様、自然界における力の作用は、他人から説明されたときには驚かないが、自らが発見すると魔力を放つ。乾季の終わりなので、川は水が流れていない。半年もすれば、雪解け水が高台から流れ落ちてくるため、川は流れの速い水で満たされるのだろう。この部分を流れる水は、石をふるい分け、選別し、彫刻を行う。

何千もの丸みを帯びた石が川床をびっしりと覆い尽くしていたが、それらはきっちりと大きさ別に分かれていた。カーブの内側で石は小さく、丸みを帯びていて、ほぼ単一な形をしていた。手袋をした私の手の上にのせることができる。そしてカーブの外側には、手のひらよりもずっと大きく不揃いな石が並んでいた。そしてその中間は、全幅にわたって、水の作用で小さな石から大きな石へと完璧なサイズの変化を作り上げているのだ。

風が、降ってきた雪を岩だらけの川床に運んだ。雪はまず、カーブの外側にある大きな岩と岩の間に落ち、また巻き上げられ、内側にある小さくて滑らかな石の上を駆け抜けた。私は、大岩の風陰に雪片が落ちていくのを見た。水際の大きな岩のそばでは、微小な吹雪がレブルウインドに乗ってＵターンし、吹き乱れた。あまりの美しさに、私は脱力し、陶酔した。岩の上に数分間座り、自然の芸術を味わう。その瞬間、私は自然との絆を感じた。不機嫌なクマとだって友達になれたかもしれない。

街に戻る途中、巨大なフェアモント・バンフ・スプリングス・ホテルを通り過ぎた。感動的な美を持つホテルは多くないが、これは例外的だ。私がいままで見た中で、もっとも美しいホテルだと思う。第二次世界大戦中のドイツにあった悪名高い捕虜収容所、コルディッツ城をずっときれいに、かつ親しみやすく仕上げた建物と言えないこともない。しかし、宿泊客はその建造物のすばらしさを外から目にすることができないわけで、ちょっとかわいそうだなと思った。

近くにある木製の歩道には、あまり雪がなかった。ところどころに積もった場所はあるが、それは無作為にできたわけではない。自然界において直線は珍しいので、それが出現したら私たちの目は引きつけられる。板張りの上には、直線のみならず複雑な模様があった。うっすらと積もった雪が、白い格子模様を描いていたのだ。私の目は一瞬でそれに釘づけになり、惑わされた。しかし右頬に太陽を感じたとき、すべてが理解できた。

夜のあいだに、すこし雪が降った。地面から持ち上がった木道には積もったが、石や土の上には積もらなかった。気温は氷点下、雪は朝には解けなかった。私が現地に到着したのは昼過ぎで、暖かな太陽が顔を出していた。太陽のぬくもりは木道上の雪を温め、水の段階を飛ばして氷の結晶から水蒸気へと昇華させた。これはわずか数分間のうちに起こったので、手すりの影が木道に雪の模様を残したのだ。それは完璧なコンパスで、ナチュラル・ナビゲーターとしての私をとても喜ばせた。しかし、雪の模様は実用性だけのものではなかった。とてもユニークなのだ。太陽と雪と日陰の、一瞬の出会いを示した絵である。同じ模様を見ることは、これからも決してないだろう。

バンフの木道にできた雪の模様

その一日は、楽しい学びに満ちていた。もちろん、学ぶためにはこちらから出かけていかなければならない。岩の柱を見に出発したとき、私は愚かにも、クマのことで頭がいっぱいだった。フードゥーはすばらしく、そこまで歩く価値はじゅうぶんにあった。そして屋外に出かけるとき、天気はつねに存在し、体験に一層の彩りを添える。自然界は、サインを求めさえすれば、天と地に描かれる繊細な芸術のコレクションを見せてくれるだろう。

17
都市

マンハッタンでマリリンに会う／ヒートアイランドと街風／シティ・スプリッター／建造物の意味／言い伝えをアップデート／街に吹く6種類の風

たまにロンドンに出かける他は郊外で16年を過ごしてきたので、妻のソフィーと私は、長男が都会にどっぷり浸かってみる体験も良いのではと思った。２０１９年10月、私たちはニューヨークへの旅行者となり、マンハッタンのミッドタウンに5泊した。

ベンはそれまで米国に行ったことがなく、ソフィーはニューヨークが初めてだった。私は何度か訪問体験があったので、初日からツアーガイドのような口調になってしまった。ソフィーはこれを振り払う良い戦略を思いついた。名所案内につきあわされた彼女は、大喜びする10代の少年とふてくされた父親を引きずって、ランニングシューズや派手なブランドロゴが飾られているショップに片っぱしから入っていった。店はそこいらにたくさんあった。

丘陵地帯なら夜明けから夕暮れまで文句なしに歩けるが、店舗めぐりの2時間はきついので、私は早期解放を申請。毎日数時間は別行動とし、あとで落ち合うことになった。

私たちはすばらしい休暇を過ごしたが、それは私たちが各自の興味をよく理解しており、さらには私の買い物の才能がとても限られていたおかげである。滞在のハイライトは、セントラルパークの池でリモコンヨットを走らせたことだった。ソフィーは池の畔にあるカフェで買ったコーヒーがおいしいと感じ、ベンは操船を楽しんだ。私は、池の反対側にできた風の渦流を活用して前に進むのがおもしろかった。

歩道から立ちのぼる湯気の柱が、再び私たちを分断した。イエローキャブよりも目立たないが、蒸気は映画やテレビ番組の監督が好んで取り入れるため、外国人が持つニューヨークのイメージになっている。私はマンハッタンを訪れるまで、蒸気が電気やガスと同じように公共的サービスであり、熱源として長い歴史を持っていることを知らなかった。

他の観光客と同じように、私も足を止めて写真を撮った。やがて、まったく前に進む気がなくなった。ソフィーは通りの先に、調査したい店を見つけたようだったが、私はヘビのようにくねって上昇する蒸気に釘づけになってしまった。街の風景が、空気と風のことを熱心に教えようとしている。見逃すわけにはいかない。

マンハッタンでマリリンに会う

高層ビルの平らで滑らかな壁に当たる風はさまざまな方向にそれるが、かなりの割合が真下に向かう。これがまた別の完全に平らな面、つまり歩道や車道に当たるとまた上向きに跳ね返り、まるで地面から生まれたような風ができる。この上昇気流はスカートのすそを乱すものだ。１９５５年の映画「七年目の浮気」で、地下鉄の通気口の格子の上に立つマリリン・モンローの白いドレスがふわりとめくれたシーンにちなみ「モンロー効果」と呼ばれている。都市部では、ビルに当たって下へ、外へ、そして上へと向かい、ぐるりと一周する風が生まれる。

　私は42番街に行く必要をでっち上げようとしたが、さして難しいことではなかった。観光客にとって、理由は数え切れないくらいある。しかし私がこの通りを歩きたいと思った理由は、どのガイドブックにも広告にも載っていなかった。ネオンで照らされているわけでも、映画で紹介されているわけでもない。私は「アーバン・キャニオン効果」を探していた。

　ギャップウインドとチャンネルウインドは、都市環境で同時に作用することがある。風の強い日に街路を歩いていると、穏やかな風と強風が交互にやってくる不思議な感覚を覚えることが多いのは、このためだ。風が私たちの進行方向に対して直角に吹いているときに、とくに実感されるだろう。通りは谷のようなものなので、風はそこを吹き抜けて加速する。チャンネルウインドの方向は、私たちに対して直角だ。つまり私たちは歩道から交差点へ、そしてまた歩道へ戻るたび、オンオフ・スイッチが入るかのように風と出会う。

　この極端なバージョンは、アーバン・キャニオン風として知られている。高いビルが建ち並び、道路がとてつもなくまっすぐな場合、チャンネル効果は誇張される。都市が有機的に成長したヨーロッパには、自然渓谷にたとえられるアーバン・キャニオンはあまりなく、レイアウトは曲がりくねっている。プランナーや建築家が長い直線を引くことができるのは、新しくできた都市部である。彼らが電気の力に酔っていたに違いないことを考えると、まっすぐな図面を描けたのは不思議なくらいだ。

　道の幅が変わると、ベンチュリ効果によって風の強さも影響を受ける。簡単に言うと、狭くなる箇所

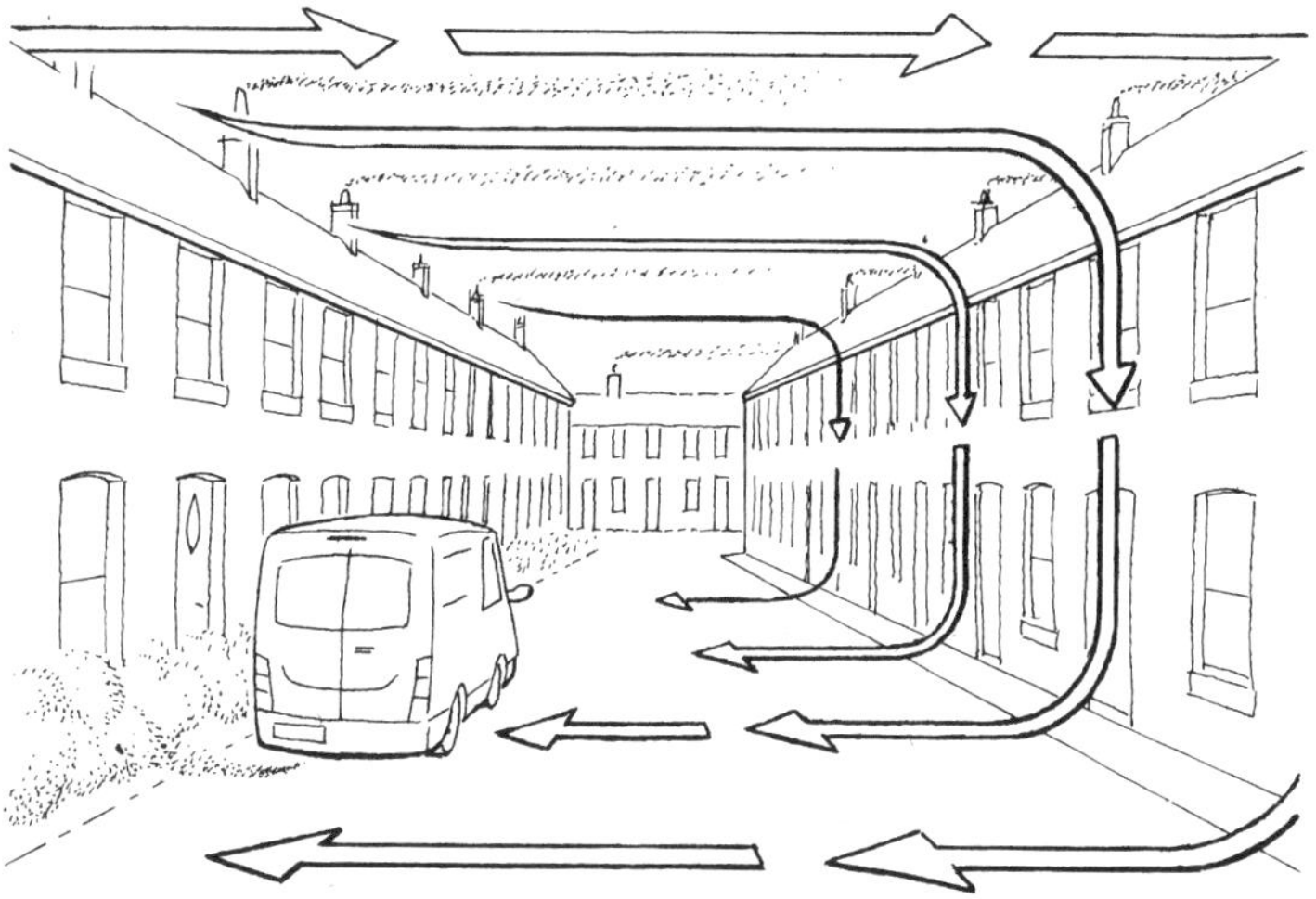

汚染大気の循環

はホースに当てた親指のようなもので、風を加速させる。建物の間に押し込められた風が、広い部分での3倍速に達することもある。一種のギャップウインドが発生するわけだ。

都市の峡谷を風が吹き抜けると、さまざまな渦流が形成される。１つの通りでも、多くの方向から風が吹くことがある。頭上の雲は一方向に動き、旗は別の方向になびき、通りを渡るあなたは3方向から風を感じる、といった具合。こうした渦の奇妙な副作用の１つに、大気汚染の違いがある。車からの排ガスは通りの風下側に向かって流され、風上側は新鮮な空気が入ってくる。

ヒートアイランドと街風

先日電話で、我が家から一番近い街であるチチェスターの事務所にいる人と話していたときのこと。彼はこう言った。

「いま窓から、ノスリが何羽か見えますよ」

「旋回してます？」

「ええ」

「駐車スペースを探していますか？」

「は？」

「駐車場の上空を飛んでいるでしょう？」

「はい、どうしてわかったんです？」

「まだ午前なので、この時間帯に上昇気流ができるほど路面が温まっている場所は、このあたりではノースゲート駐車場の舗装部しかないんですよ」


　都市は、これまで私たちが勉強してきた大規模な気象現象の影響を受けるが、都市に限って起こる現象もある。何百万トンものアスファルトと硬い直方体の建築物は、類例のない環境なのだ。

　太陽はほとんどの自然物質よりもずっと早く建物や道路を温めるため、街は早く温度が上昇し、晴れた日には周りよりも気温が高くなる。黒っぽい素材は太陽の放射エネルギーをより多く吸収するし、建物は表面積が大きい。朝の低い太陽は、木よりもはるかに効果的に高層ビルを温める。一日が終わる夜、都市の周辺部では地面から熱が大気中に戻されるが、ビルや道路は熱電池の役割を果たし、たっぷり蓄えられた熱が都市の空気中に放出される。田園地帯の木々を濡らし、蒸発によって冷却作用をもたらす水は、鉄やガラスを伝ってすぐに流れ落ち、下水へと入っていく。さらに、暖房、製造、自動車走行といった人間による活動がある。これらの影響が組み合わさって「ヒートアイランド現象」が起き、周辺より12度ほども気温が高くなることがある。

先に見たように、部分的な温度上昇は積雲を作り出す。都市の上空で湧き上がり、風に乗って変形したり行進したりする。ヒートアイランドはまた、独自の風も作り出す。都市の暖かい空気が膨張して上昇すると、海風の項で学んだサイクル（207ページの図を参照）が稼働しはじめる。郊外からの冷たい空気が街に流れ込む。暖かく晴れわたり、早朝には風が吹かないような日、街は独自の風を作りはじめ、昼過ぎには中心に向かってそよ風が吹くようになる。これがシティ・ブリーズ、街風だ。

街風が感じられるのは、メインウインドがほとんど吹いていない日に限られる。軽く吹くメインウインドは、都市の風下側の温度を数度引き上げる。しかし強いメインウインドはヒートアイランド現象を吹き飛ばしてしまうので、都市部では気温の低下が誇張されることになる。夏の高気圧に覆われ、暖かく穏やかな天候が数日続いたあとに前線が通過すると、太陽がもたらした暖かさだけでなく、ヒートアイランド現象をも都市から奪っていく。わずか一日のうちに公園で日焼けを楽しむ人々がいなくなり、丸めた背中にコートを羽織った姿に変わるのだ。

シティ・スプリッター

都市は分裂を生む。上空を通り過ぎようとする天気すらも分裂させる。高層ビルの展望デッキに陣取れば、接近する雨が2つに分かれて通り過ぎるのが見えるだろう。

これには理由が2つある。まずはヒートアイランドと街風の現象。暖まった街は、不安定な上昇気流の柱を作る。ヒートアイランド現象が強ければ、外から吹き込む風はこの柱を中心に割れるわけだ。

次に、風の流れを妨げる高い建造物の存在。高層ビルは、スムーズに流れる風を混沌の乱流に変えてしまう。乱流は通常の風の流れに対する障壁となり、風はそれを避けるように押し流される。
これら2つの効果が組み合わされば、嵐であっても割れてしまうことがある。都市によって分断された天気現象は、風下で再び結合することも多い。

建造物の意味

都市は風を形成するが、風が都市を作るという側面もある。歴史を振り返れば、所得の低い住民は街の風下側に居を構え、工場からの煙や悪臭に耐えてきた。しかし煤煙は少なくなり、ほとんどの工場が土地の安い、人口の少ない地域に移転したため、最近ではあまり懸念材料ではなくなったが、天気は依然として建物に痕跡を残す。

何年もの間、私たち家族はブルターニュの田舎で休暇を過ごしてきた。滞在するのは、ジットと呼ばれる貸別荘だ。オーブン、やかん、椅子、テーブル、ベッドはあるが、テレビもインターネットも、ラジオさえない。最高だ。とても厚い壁、小さな窓、そして巨大な暖炉も特徴。地元の人にジットの建築について尋ねると、2家族が快適に過ごせるサイズのジットには、かつて4ないし5家族の農民が暮らしていたと説明してくれた。夏は暑く、冬は寒くてじめじめした気候なので、分厚い壁と小さな窓が夏の日中は室内を涼しく保ち、夜は暖かさを提供してくれる。昼夜にわたるサイクルの温度変化を小さくするような工夫なのだ。冬には暖炉の火を絶やさないので、分厚い壁が熱電池の役割を果たし、室内を一定の温度に保つ。

すこし変わった建物であるジットは、ブルターニュ地方の気候についての物語でもある。世界じゅうのどんな建物も、気候について何かを伝えようとしている。天候を無視する建築家は恥ずかしい目にあうだろう。２０１３年、なだらかな凹形状から「トランシーバー」とあだ名のついた高層ビルがロンドン市内に完成した。その表面は太陽の光を反射して通りに集め、駐めてあった車の部品を溶かした。路上駐車は中止され、賠償金が支払われ、ビルの建築会社は笑われた。

　建物と天候の関係がはっきりとわかる場所もある。スウェーデンの北極圏にあるキルナという町で見た建物は、月面移民の予行演習のようだった。暑さが悩みの国では風が大切にされ、建物もそれを反映している。中東の一部では採風塔が高くそびえ、風を捉えて居住区へと導いている。インドのハイデラバードのような都市では、採風塔や通風孔が風に向けて据えられる。しかし、ほとんどの場所で、建物と天候の関係は繊細なものなので、都市部でヒントに気づくには、水平思考と注意深い観察が必要だ。建物の南側にはブラインドやシャッターが多く見られるが、これはソーラーパネルが面しているのと同じ側である。

　風の強い地域において、建築家は角度を工夫する。家の側面数が多いほど強風には強い。六角形や八角形の建物は、猛烈な風に耐えられる。また単純な切妻屋根よりも、複数の角度を組み合わせた屋根のほうが耐風性は高い。

　多くの温帯地域において、夏は快適というには少し暑く、冬はちょっと寒すぎる。その両方を和らげてくれるのが、あるシンプルな屋根のデザインだ。それは我が家でも愛用している。ヒントを差し上げよう。太陽は、冬よりも夏のほうが高い。もしあなたが建物の形状を設計していて、冬は太陽からの室内の暖かさを最大にし、夏はそれを最小にしたいとしたら、どのようにするだろうか？

　屋根やその他のバリアが窓を隠すように長く伸びていると、二重の効果が期待できる。真夏の高い日

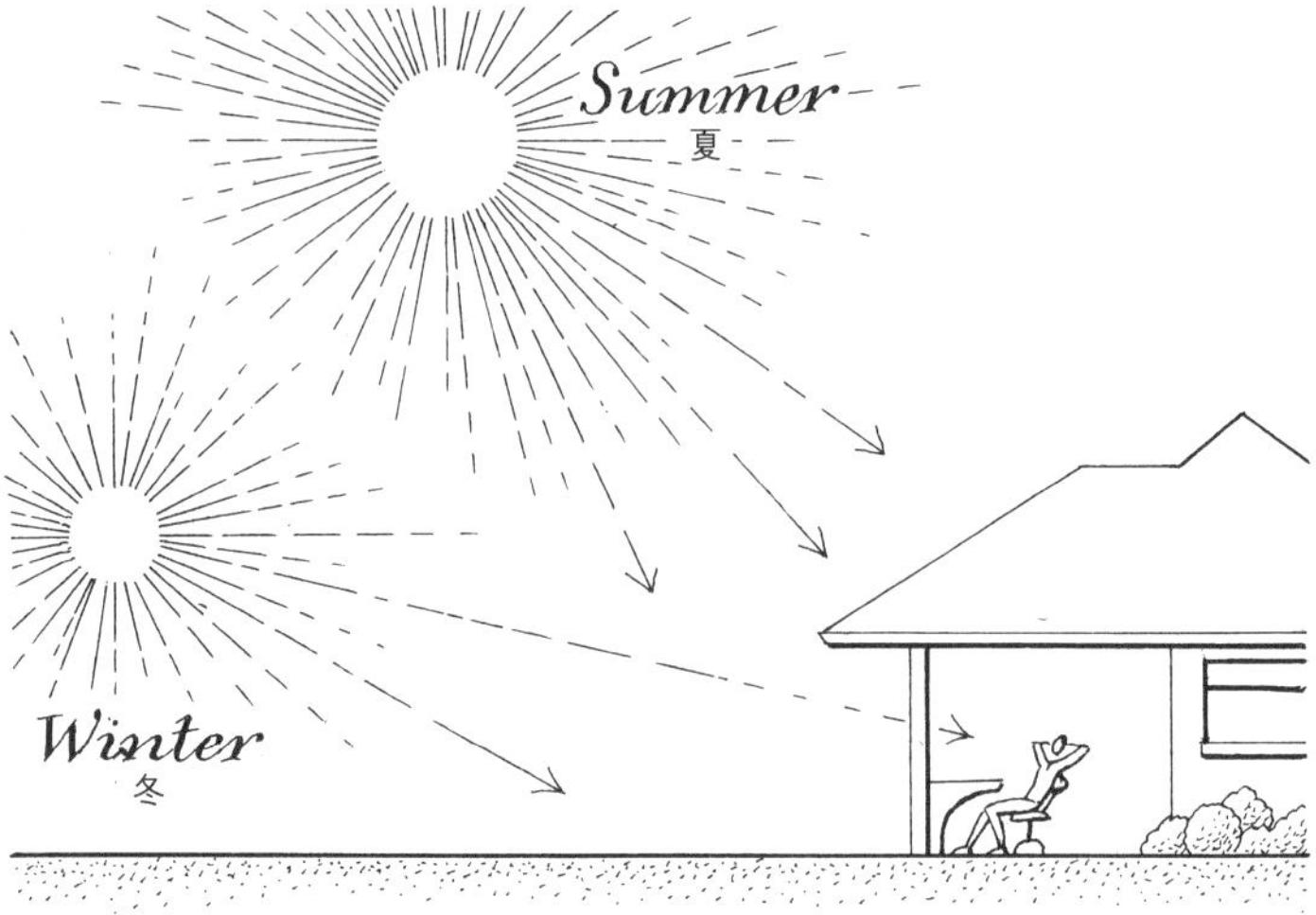

差しはさえぎり、冬の低い日差しは取り込めるだろう。私はこの窓の1つに面して机を置いているが、ベランダの手すりを超えて日差しが忍び込む冬よりも、日陰になる夏の晴れた日のほうが仕事がしやすい。

マンハッタンのビルには国旗がたくさん掲げられており、下層を吹く風のマップを提供してくれる。しかし、都市には旗の役割をする見えない旗もある。屋根にとまる鳥は、風の位置を教えてくれる。鳥が風に向かってとまるのは、飛び立つときに羽根がボサボサになっていると困るからだ。もし鳥たちが同じ向きにとまっていないなら、微風か変わりやすい風のサイン。これは高気圧に覆われているときによく見られる。一方向を向いていた鳥たちがその日のうちに向きを変えたなら、それは風向きのせいで、天気もじきに変わるというサインである。もちろん、観察の対象を木の枝に変えれば、この鳥のテクニックはウイルダネスでも有効だ。

言い伝えをアップデート

いまは世界人口の半分以上が都市に住んでいる。推計によれば、週に300万人が農村部から都市部へと移っているので、今世紀半ばには都市住人の割合が全体の3分の2にいたるかもしれない。[*] このトレンドには副次的な効果もあり、そのうちの1つが都市部の現象に興味を持つ人が増えたことだ。野に生える草ではなく、椅子のきしみなどをテーマとした言い習わしが生まれるようになったのだ。きしむ椅子は、湿度の上昇や天候悪化の兆候だという。逆にベッドのバネがきしむのは、空気が乾燥して天気が良くなるサイン。

問題は、言い習わしが私たちの新しいライフスタイルに追いつくやいなや、私たちがそのデザインや製造方法を変えてしまうことだ。私はここ10年、椅子やベッドがきしむのを聞いた記憶がないので、現在の妥当性について保証することはできないし、これから体験できるかもわからない。これも湿度上昇のサインとされている床板のきしみはいまでも耳にするが、はたして信頼性が高い指標であるかどうかはわからない。

石は熱伝導率が高いので、暖かい日でも触感がひんやりしている。湿った空気が冷たい石に触れると、凝縮して石に水滴がつく。古くから言われるとおり「石が濡れるとあなたも濡れる」である。嵐の前に皿や石鹸が「汗をかく」のもそのためだろう。ただし石鹸の場合は、近く訪れる嵐と同じくらい、直前

＊この原稿を書いている時点では、コロナウイルスによるパンデミックがこの傾向を逆転させるかもしれないという初期兆候がいくつかある。最終的な結果は時が教えてくれるだろう。

の熱いシャワーが原因である可能性も高い。

湿度が上がるとマットが膨らみ、チーズが軟らかくなり、傷がかゆくなり、ロープが締まり、糸がほどけると言われている。どれもほんとうかもしれないが、私は役に立つと思ったことはない。ボートに乗ったり、水辺で過ごしたことのある人なら、塩が湿度に反応して塊になることは知っているだろうが、天気予報になるほどではない。湿気が増えると窓や扉は開閉しにくくなるし、嵐の前にそれに気づいたことがある。私の家には、状況によって動きづらくなるドアが1枚あり、寒さと湿気の組み合わせは最悪である。

私が出会った中で、いちばん突拍子もない都市伝説はホームラン天気予報である。ボールなどの飛翔体は、湿度の高い空気中でより遠くに飛ぶ。蒸し暑い空気はなんとなく濃く感じられ、水は空気より重いことを知っている私たちにとっては、常識の逆を行っているような気もするだろう。しかし、湿度の高い空気は乾燥した空気よりも密度が低い。つまり理論からいけば、ホームランは悪天候が近づいたほうが生まれやすいということだ。あなたの好きな球技に転用し、独自の天気予報を引き出してみるのもいいだろう。しかし、賭け屋に駆け込むのはやめにしよう。なぜなら、湿度によるボールの飛距離は1・5パーセントも変わらないからである。

街に吹く6種類の風

時は刻一刻と迫ってきた。単独で探索を許された時間には限りがあったので、私は素早く動き、ビルの間やマンハッタンの大通りを通り抜けた。市街地サファリに出ている私は、できるだけ多くの風を捕まえようと躍起になっていた。意思力の弱い人ができる探検ではない。都市の風を追い詰めるには、それなりの覚悟が必要なのだ。

やがて落ち合ったベンとソフィーは、ブランド服をまとっていた。私たちはみな笑顔だった。私はビッグ6を含む16の風のうち7つを拾い上げ、妻と息子はビジネスの歯車に貢献した。野球の知識は乏しい私であるが、右利きの息子は左手にグローブをつけるべきなのではと気づいたので、交換のためにスポーツ用品店に戻らなければならなかった。しかし、全体として私たちのミッションは成功したので、大満足で帰途についた。ホットドッグ売りたちは、私たちをおびえた目で見つめていたが。

私がミッドタウンで風を探し回ったことを詳しく説明しても、あなたは楽しくないだろう。スポーツとは違い、見て楽しむものではないからだ。自分で探し出さないと、満足感はない。都市部での風探しは困難な作業であり、多くの人は尻込みするだろう。しかし、ここまで読み進んできたあなたは大丈夫だと信じる。

高いビルに風が当たると、16種類の風が生まれる。その多くは地上からかなり高い位置にあり、ゴンドラに乗って窓拭きでもしない限り、感じることはできないだろう。しかし代表的な6つの風は、機材なしでサンプリングすることができる。2つは、皆さんの記憶に残っているだろう。この章の前半で紹介した風と、木の風下側にできる風である。

高い建物の表面に当たった風は下に向きを変える。これが、私たちが最初に感じる風である。風上側で建物の近くに立っているとき、地上の高さで感じる下向きの空気の奔流である（1）。また、この風が渦を作ることも私たちは知っており、ビルから一歩離れるとモンロー効果、つまり建物の脇に流れ出しつつ上向きに吹く風を感じることができるはずである（2）。ビルからすこし離れると、不思議に静

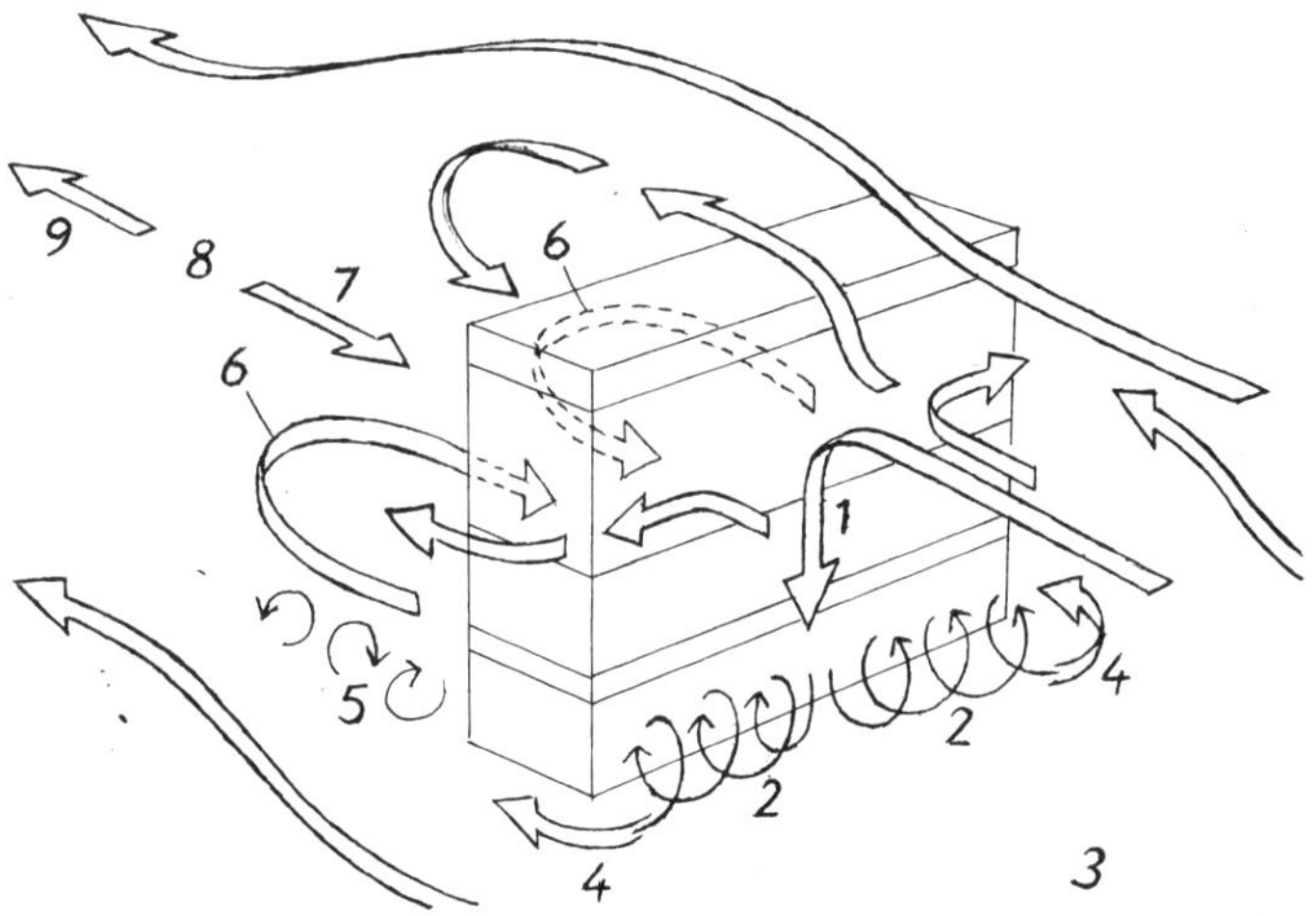

かな場所がある。この場所では、ビルに向かう風と反対方向に偏向した風がぶつかり合い、打ち消し合って穏やかな空気を作り出す（3）。

建物のかどまで歩いていくと、風ボリュームのつまみが「強」になっていることがわかる。かどを過ぎると風が加速するだろう（4）。さらにビルを回り込むと、ドライヤーのようにも聞こえた音は静まり、弱い風になる（5）。建物の風下側を回る1周を終えると、木の風下で発見したのと同じ二重渦が見つかる（6）。建物から遠ざかると、建物に向かって風が吹き（7）、いったんやんだように見え（8）、再び建物から離れる向きに吹く（9）。このうち最初の6つはビッグ6と呼ばれ、都会のサファリでウインドハンターたちが狙っている風である。

1つ付け加えるとすれば、屋上にいる場合、風はさまざまな奇妙な動きをすることが予想される。コンピューターでさえ混乱するのだから、何を感じるかを正確に予測するのは不可能だが、確実なのは、感じる風が数歩ごとに大きく変化するということだ。あなたが屋上での豪華パーティに呼ばれたなら、おもしろいことに気づくだろう。このような場には、居心地の良い人と居心地の悪い人がいるが、どちらも理由を知らないのがふつうである。コートを着ても肌寒いと嘆く人たちがいるかと思えば、わずか10メートル先でコートを脱ぐ人たちもいる。快適な屋上パーティを過ごすためには、服を脱ぎ着するのではなく、どこに立つかを考えることだ。

市街地でも、風を探しに行ってみてほしい。あなたなら、そんなハンティングを楽しめるだろう。ただし任務の目的は明かさないほうが成功の可能性は高まる。私たちの意図を知ると、なんでそんなことのために、と怪訝そうな顔をする人が少なからずいるからだ。

18

海岸

海と季節／島の上の雲／底部の色／海岸線に吹く風／冬の海にできる積雲／海岸の微気候

太平洋には数千もの島がある。メラネシア、ミクロネシア、ポリネシアなどの地域の伝統的な生活様式は、島々のつながりに立脚するものであった。とうぜん、航海とナチュラル・ナビゲーションの間には密接な関係ができあがった。

農民はもちろん、天候不順が不作につながると理解しているが、最悪の事態が起きたとしても屋根の下にいて、苦々しいあきらめとともに畑を眺めることができる。しかし海で天候のサインを読み違えると、運が良くても不漁、運が悪ければ嵐で命を落とすか、何週間も海を漂流することになる。他のあらゆる文化が見過ごしてしまう形、色、感覚に対し、太平洋の島々の文化が大きな意味を見いだしたという事実は驚くべきことではない。天気のサインの読み取りは、生死を左右する技術へと花開いたわけだ。

あまりにローカル的すぎて、取り入れたいという気も起こらないような予報もある。キリバス諸島のニクナウ環礁に住む人たちは、ある種類のサンゴを使って予報をする。天候が安定するときには透明な液体を、嵐の前には乳白色の液体を出すらしい。これは極端な例であるが、太平洋で使われているおもな予報方法は、私たちが学んできたやり方をさらに磨き上げたものと言える。新鮮な気持ちがするが、驚くには値しない。島々の文化、伝統、生活様式は私たちにとって異質かもしれないが、世界じゅうの空気と水と熱は共通の法則に縛られているからだ。

陸地は海よりも速く温まる。島は熱を持ち、上空の空気は上昇して冷やされ、水蒸気が凝縮して積雲が形成される。暖かく湿った空気が火山島の隆起にぶつかると持ち上げられ、雲が形成される。私の家に近い丘で見たのと同じプロセスが、はるか遠くの島でも起こる。人々は「ハワイキの峰々が雲に覆われますように！」と祈る。

違いは、細部を見つめる姿勢にある。たいていの人は雲を見落とすだろうから、それに注目する私たちは自分をほめたくなるが、その細かな形や色に深い意味を見いだせただろうか？　サインの中に秘められた、さらなるサインを見つけたいとするなら、自らに聞くことだ。はたしてその忍耐力があるだろうか？

インド洋に浮かぶモルディブと太平洋の諸島は、地形的に多くの共通点がある。いずれも、大きな陸地から遠く離れた赤道付近に、１０００を超えるサンゴ礁の島々が横たわっている。文化は違っても、天候のサインは同じだ。ここ数年、私はモルディブで先生をしている。地元の人たちや出稼ぎの人、観光客たちを対象に、天気の読み方を教えるコースを開いてきた。

とても印象的だったのは、生徒たちだけでなく私にとっても、時間と忍耐が大事だとわかったことだ。もちろん、サインは私たちが選んだときに都合よく現れるわけではないし、現れたとしても大胆に存在を示すことはまずない。多くのことを明らかにしてくれる色、形、動きは、目立たないままでいたがる。私たちは、目の前にあるものを見るために努力を払わなければならない。まずは、努力が必要なのだと自分自身に言い続けることから始めよう。

こんな実験をしてみよう。空の風景を見てから目を閉じ、見たものを思い出してみる。次に同じ空を見て、じきにそれに背中を向けると仮定し、あなたが見つけたすべての形と色を言葉で説明してみる。

あなたとは逆側を向いている画家のために説明していると想像すれば良い。一緒に練習してくれるパートナーがいれば、この練習はより真剣なものになる。正直に言うが、私にとっても簡単なことではない。モルディブにやってきた私は、この練習でサインに対する集中力を取り戻そうと思ったが、はからずも初日、遅れてくる人を桟橋に立ったまま2時間待つことになったのは結果的に良かった。眺めのいいベンチに数時間座り、画家の視点に立つことをお勧めする。

海と季節

陸と海の関係は、簡単に発見できないほど大規模なパターンを作り出すことがある。何ヶ月も続く風の傾向が存在するし、つねに注意を払う必要があるのは太平洋諸島の住民に限ったことではないだろう。モンスーンという言葉は、アラビア語で航海の季節を意味する「マウシム」に由来する。季節が変わり、太陽が大きな陸地から海上へと移動すると、気圧配置が変化して風向きも変わる。

インド洋では、帆船の時代に、通商が行われる短い季節が年に2つあった。アワル・アル・コーとアキール・アル・コーと呼ばれるもので、それぞれ2ヶ月弱続き、モンスーン風によって支配される。これらの風の季節は沿岸文化に不可欠な要素であり、ナツメヤシの収穫や雨季の始まりと関係づけられていた。彼の地の文化にとって、以前の章でも見てきた降雨の予兆は、地域全体の天気がこれから何週間にもわたって変わることを意味するのだ。このような季節の大変化を知らないと、小さなサインを探すのはとてもたいへんになる。

過去数世紀にこの地を訪れ、地元の知恵に耳を貸さず、季節の推移を理解せず海に出た西洋人は、傲慢さの代償を払うことになった。１８１８年、マンスター伯爵ジョージ・フィッツクラレンスはこの点を認めたが、すこし遅すぎたようだった。

ほぼ周年吹き続ける北西の風は、私の願いと期待をすべて裏切った。うまく渡るには11月ないし12月しかないだろうと、いまは信じている。紅海に来る前にじっくりと考える時間があれば、浅瀬の外を行く船の数の少なさから、海域にこれほど往来が少ないのには何か理由があるだろうと疑ったかもしれない。

大きすぎて容易には見つけられないパターンに関しては、２つのアプローチを使うことができる。その土地に数年滞在し、観察眼によって傾向を拾い上げるか、到着した初日に地元の人から話を聞くかだ。幸いなことに、時間や距離のスケールが小さければ、海岸線や島の近くで多くのサインを見つけることができるだろう。

島の上の雲

大きな火山島は、内陸の山と同じように雲を形成する。風上には盛り上がった積雲ができ、風下にはレンズ雲、旗雲などが見られる。陸上の山と同じく、ぶつかってくる雲を割るが、海上ではより顕著に現れる。浅い瀬の水が突き出した岩に当たると、流れが２つの筋に分かれるのと同じく、高い火山島の左右では、雲が渦を巻く２つの筋に分かれる。火山島が雲へおよぼす影響は、時に宇宙からも見えるほど大胆である。

より小さく、より低い島がもたらすサインに関しては、太平洋諸島の人々に学ぼう。彼らが探すディテールは、私たちにも見て取れるだろう。局地的な温度上昇の結果として小島の上に形成された雲は、風によって特定のパターンを形成する。太陽が陸地をじゅうぶん温めていない昼前にはこうした効果はあまり期待できないが、正午を過ぎれば、水平線を見渡し、陸と海の関係を調べ、風を測ってみよう。

風がなければ簡単なことだ。島の上空に積雲があれば、その最高点が島の中心付近にあると推定できる。島が大きく、さまざまな地形が混在している場合、温度上昇がもっとも顕著である街や森の上に、雲のもっとも高い部分を見つけることができるかもしれない。

微風が吹いていれば雲は押され、大半の部分は島の上空にあるが、風を受けて傾く。島の風上側に雲はなく、もっとも高い部分のほとんどは風下側の端近くか、その方向の海上にある。島の風下側の海上で最大の雲を見ることも多い。島の風上に向かって徐々に小さくなっていき、やがて雲がなくなる段差ができているかもしれない。この段差は、風に沿って形成される。

島の上の雲は、消散と形成を繰り返す。島によって形成された雲の特徴は、空にある他の雲と比べて静止して見えることだ。青空の下、積雲がそよ風に飛ばされていく光景はよく見かける。それに対して島が作る積雲は根を張っているか、ほとんど動いていないように見える。まるで地面に張りついているようだが、ある意味それは事実である。

遠くから見ると、島が作った積雲であるという判断材料は、その静的な性質だけでなく、外観にもある。大きさ、形、明るさが、他の積雲とは異なるのだ。通常、島が作り出した雲は大きく、幅も高さもあり、明るく見える。

静止して見えるという傾向には例外もある。風が安定して吹いており、島が大きくて加温効果が強く、空気がじゅうぶん湿っていれば、雲列は陸地から離れても生き残れるほど大きくなる。島からいったん離れた雲は、上空の他の雲と同じ速度で風下に流れ、長い線を描くこともある。

私が知っているもっとも珍しい雲現象は、キリバスの島民が「テ・ナンコト」と呼ぶ、眉毛に似たものである。風がない日、地面の温度が急上昇すれば積雲ができる。もしその上昇気流が強力なら、雲が割れて一対の眉雲が形成されるという。私はいろいろな島の上空で、このようにできたのではないかと推察できる分裂雲を見たことがあるが、眉毛のように見える雲には出会ったことがない。探索は続いており、いつか見てみたいとは思っているが、やる気がある人は遠慮なく私を出し抜いてほしい。

底部の色

小島の上にできる雲はまず雨を降らせないため、その底はきれいな水平になり、下にある面の色を映す。これを拾い上げるのは相当な能力が必要で、いくつかの条件が整っている必要がある。たとえば明るいターコイズブルーの海と暗い森のように、2つの地表の間にはっきりとしたコントラストがなければならない。それから、空の適切な部分に、比較対象として使える低い雲が必要だが、太陽の光が分断されるほど数が多くてはいけない。光が不安定になり、微妙な色の違いを拾うのが難しくなるからだ。とはいえ、海上は湿度が高いので雲の底部はだいたい低くなり、この練習に適した条件を整えてくれる。

雲の底部に色を探すのはオセアニア生まれの人々の知恵だが、身近な所でも技術を磨くことができる。私は世界じゅうのさまざまな場所でそれを実践し、失望と嬉しい驚きの両方を味わってきた。私が練習を重ねた場所は、英国サセックス州のサウスダウンズにある自宅から見える丘。頂上はうっそうとした森に覆われ、周囲の田園地帯よりも持ち上がっていて、かつ色合いが暗い。低い雲は丘のてっぺんを横ぎるときに、暗い色合いを帯びることも多い。私は月に1回ほど、それをはっきりと目にする。今日の午後、この章を書いているときにも見えた。

雲の色と、雲の性格を変える地表の色との関係に留意してほしい。丘にある暗い色の森が気温の上昇を招き、雲を作り出し、大気が不安定ならば既存の雲の色を結果的に暗くするケースは、これまでも見てきた。しかしいま私たちが取り上げているのは別のこと、つまり雲に陸地や海が映りこむ現象だ。もちろん、この2つは連動することも多い。反射のみによる色の違いを認識する練習には、低く白い層雲を探し、丘にある針葉樹林の上を通過するのを見ることをお勧めする。べったりと広がる毛布のような雲が見つかれば、丘や局所的な温度上昇が形や陰影に与える影響が少ないので、反射する色に集中できるというものだ。雲の中に、控えめな打ち身の傷を探してみよう。雲が通り過ぎるときも、高い森の上に留まり続ける青あざだ。

難しいと感じられるかもしれないが、私たちには多くを感じ取る能力があり、目にするすべてのバリエーションには理由がある。釣りにも、似た所がある。失敗したからといって、その努力が尊いものであることに変わりはない。私たちが追求を続けるのは、友達が信じてくれないような珍しい獲物を手にできることがたまにあるからだ。

これらのパターンとテクニックは、カヌーで海を行き島を探す航海士たちによって磨かれた。彼らの命は、見えない島を見つけることにかかっていたので、雲のサインは実用に堪えうると証明されている。私たちにとって嬉しいのは、問題の島が完全に目視できている状態で、昔から伝えられている観察技術を試せることだ。私の場合、ハルネーカー風車がある斜面まで歩けば港の上に出るので、ソレント海峡を隔てたワイト島にいたるまで、小さな島と半島が連なるのを見ることができる。晴れた夏の日の昼下がりに眺めていると、イングランドの南海岸はポリネシアの島々に見えてくる。そんな島々の人々と違い、私が訓練面で大きな有利さを与えられているのは、目に見える陸地と雲の形や色に関係づけを行うことができるという点にある。皆さんも訓練の機会を逃さないようにしてほしい。穏やかな晴れの日に、少し高さのある見晴らしの良い場所から島々を見渡す機会があれば、ぜひ活用したい。これまで説明してきたテクニックを使えば、目の前にありながら認識できなかったものが見えてくるはずである。

海岸線に吹く風

海風と陸風は以前に紹介したが、それらはたいてい、安定したやさしい性質を持っている。また、時には強力な山風やチャンネルウインドが川沿いに下り、河口から沿岸に吹き出すこともあることも知った。海岸に吹く風には、他にも2種類がある。これらは空気を大きくかき乱し、時に荒れた天気を生み出すので、知っておいて損はない。

まず、風向きが海岸に対して平行か直角かを確認する。次に、近くに崖や崩れ、あるいは急斜面がないかを探る。もしそんな地形があった場合は、風下側で風を宙返りさせるからだ。これは山頂の風下で見た、吊し雲のでき方と同じ現象だが、海上ではそのコントラストがより大きく感じられる。やさしい風がしばらく吹いていたあと、不規則に思える方向から強い突風が突然やってくるとびっくりさせられる。大気が不安定であれば、その影響はさらに大きくなり、嵐雲を発生させる引き金ともなるだろう。

風が海岸線と平行に吹いている場合、突き出た岬や半島は同じ効果を生むが、このときの渦風は垂直ではなく水平である。半島に沿って吹く風は、先端部を回り込んだ位置でぐるりと向きを変える傾向がある。風裏で静かだろうと思われた湾が、「間違った」方向の突風に見舞われるのもよくあることだ。

物理学の立場から言えば、これらのどちらも単なる渦流の影響であり、私たちは他の場所でもさまざまな形の渦に出会ってきた。しかし海岸近くでは、この渦が問題を引き起こす。安定した風が吹いている日に乱れた風が発生することはあまり予想されないが、海上ではとくに大きな危険を生み出す[*]。

冬の海にできる積雲

冬の日、丘の向こうに広がる海を見下ろすとたくさんの積雲がかかっているが、陸上にはないと気づくことがある。他の季節とは逆の現象だ。陸風は海上で雲列を作るが、雲が海岸の形どおりに揃っていないのであれば、それには別の原因がある。

初冬、海は熱電池にも似た働きをする。気温の変化に海水温の変化が追いつくためには時間がかかるので、秋の海水浴は春よりも快適だ。秋や冬の寒い日、陸地では上昇気流を作り出すほどの加温が起きないもしれないが、海上ではじゅうぶんというケースがある。これらの雲は、島の上にある積雲が陸地をマッピングするのと同じ理屈で、海の形を見せてくれる。

慣れてくると、私たちは空に海が見えるようになる。積雲はまた、海の上の空気が安定していないこと、風が強いであろうことを示してくれる。

海岸の微気候

屋外に干された海藻は、悪天候がやってくる前に空気中の水分を吸収して膨らんだり、ぬるついたりする。これを植物や動物の挙動変化コレクションに加え、同じような使い方をすることができるだろう。ただし、それはストーリーすべてを語るわけではない。

これまで私たちが探してきた微気候的サインのほとんどは沿岸部でも使うことができるが、塩分の強力な影響にも留意しておく必要がある。塩分は内陸の奥深くまで届くが、海に近い20キロメートルまでがもっとも被害を受けやすい。塩分を運ぶ風は植物や動物に壊滅的な影響を与える可能性があり、沿岸の微気候内で何が生き残るかを左右する。

塩分の力を示す奇妙な例は、海岸に生えた木から風の傾向を読み取ろうとするときに見ることができる。ナチュラル・ナビゲーターなら、混乱を来《きた》さないために知っておく必要があるだろう。海岸近くでは、海からの風のほうが、常風よりも植物に大きな影響を与えることがある。たとえばカナダのノバスコシア州では、もっぱら西風が吹いているにもかかわらず、崖の上に生えた木のてっぺんにある「旗」は西になびいている。常時というわけではないが、時に吹く塩分を含んだ東風にいじめられているのだ。

沿岸部の天気も他の場所と同じルールに従うが、陸と海が接する場所ではコントラストが大きくなる。天気は同じ言葉を話すが、形、色、感覚はより強く、複雑である。海岸における天気のキャラクターは派手だと言えるだろう。

＊危険をはらむ風がボートに到達する前にそれを発見し、追跡しておくためには波のパターンを使うことができる。それは私が２０１６年に書いた本『水の読み方』で紹介した技術である。

19 動物

伝承・文学・科学を解きほぐす／信頼できるサイン／鳥／昆虫天気図／昆虫と風／豊かな絵柄

鳥の歌が止まった。クロツグミが甲高い声で鳴き、シジュウカラが警戒の声を上げた。鳴き声が変わると同時に、鳥たちは地上から木々へと飛びはじめた。２羽のカラスが声を上げ、揉み合いになった。私は、足元の明るい場所に咲いている野草から何千もの小さな虫が舞い上がるのを見た。太陽の光の中を高く上がり、ブナの樹冠を目指すのだ。数分後、雨が降り出した。その２０００年前、ウェルギリウスはこう書いている、

豪雨はけっして人々を不意に襲うことはない。なぜなら
雨が降り出すときには、空高く飛ぶ鶴は
谷の底へと逃げたろう。若い牡牛は空を仰ぎ、
開いた鼻孔でその気配を捉えたろう。
燕は鋭くさえずりながら、池のまわりを飛びまわったろうし、
蛙たちは泥の中で、古い歎きの歌をうたったろう。
蟻は地中の住処から、狭い道を何度も通り、

卵を外に運んだろう。巨大な虹は水を飲もうと身をかがめ、
鳥の群れは餌場から、長い隊列を組んで遠ざかりつつ、
無数の翼で騒ぎ立てたであろうから。

（『牧歌・農耕詩』河津千代訳　未來社）

植物と同じように動物も、過去、現在そして未来の天候を理解するために使えるさまざまな方法で環境に反応する。植物と違って動物は、動き回って音を出す。私たち人間に比べて変化にとても敏感であることも助けになる。オスのアメンボは気温、日差しおよび風を考慮して自分の居場所を定め、太陽の光に合わせて体勢を微調整し、外皮の温度をできるだけ34℃近くに保とうとする。

多くの動物が、湿度の変化に対して私たちよりもはるかに高い感受性を示す。動物が見せる変化のサインは、信頼性が高いものなのだ。

伝承・文学・科学を解きほぐす

雌牛が伏せるのは雨の予兆でしょうか、と聞かれるたびに1ドルもらうことにしておけば、私はいまごろ子牛を1頭買えたかもしれない。残念なことに、雌牛の姿勢と雨に関する科学的な裏づけはほとんどなく、私もそれを信用していない。雌牛が伏せるのは草を濡らさないためだと言う人もいるが、そうは思わない。草を食べるためである可能性だってあるだろう。別の説によると、牛が伏せるのは午後に多く、その時間帯にはにわか雨が降ることが多いという。たとえそれが本当だとしても、雨との関連性

は示されないため、予報の価値はない。しかし、牛を観察したことがある人なら誰でも、強風の吹く前やその最中、木陰や畑の隅に集まっている姿を見たことがあるはずだ。

天気に関する言い伝えには魅力があるが、それを受け入れるべきか、無視するべきか、それとも第三の道を見つけるべきなのだろうか。

興味深くはあるが証明されてはいないものを概観してみよう。まずは雨の前の行動とされるもの。ネコがくしゃみをする、あるいはじゃれる。イヌが耳の後ろを洗う動作をしたり、草を食べたりする。ウサギたちが一方向を見る。ヒキガエルが水場に急ぐ。ウマが首を伸ばす。ブタが落ち着きをなくす。シカがいつもより早い時間に葉を食べる。アオゲラが笑う。ミヤマガラスが乱れた群れで飛ぶ……数え上げればきりがないが、このあたりでツアーは終わりにして、信頼できる動物のサインに焦点を移そう。言い伝えはインスピレーションや視覚化、あるいは記憶には最適だが、ほんとうの理解には科学が適している。しかし、科学とは必ずしも相反するわけではないので、この章では両方の良い所を取り入れることにしたい。使えるならばなんでも使おう。

動物が示す、信頼性の高い天候のサインには、個体の行動変化、集団の変化、音声的なサインの3種類がある。

信頼できるサイン

動物が示すサインの豊かさを味わうために、ある動物の行動に注目してみよう。昔から「クモは晴れの前には長い糸で巣を張り、糸が短くなると雨が降る」と言われることがあるが、ほんとうにそうなのだろうか？

たしかに風、気温そして湿度はクモの巣の張り方に影響を与える。温度と湿度は、紡ぎ出す糸の構造や性質に影響するが、私たちが覚えておくべき単純な事実とは、風が強くなるとクモの巣は小さくなるということだ。このことは、風洞観察をはじめ、科学的研究でも証明されている。私たちは、雨の前に風が強くなることが多いと知っているので、この言い伝えは真実を含んでいる。たしかに、クモの助けなしでも私たちは風を感じられると主張することはできる。しかし、それは論点ではない。クモの巣の大きさや形と天気の間には直接的な関係がある。その事実自体がとても美しいことではないか。

ナチュラル・ナビゲーターは、クモの巣と風の関係を利用して方位を知る。クモの巣は、木や門、建物のような障害物の風裏でよく見られるが、秘められた情報を読みとるためには知識が必要だ。風裏では、巣が長持ちする。つまり、孤立したクモの巣は方位磁針としては弱く、1つの場所に壊れた巣と新しい巣が重なっているものは強いサインだ。お化け屋敷のように見えるのは、春の大掃除を担当する強風が届かない場所である証拠だ。これは常風から保護されている場所を示しており、米国の場合は東側が多い。

もうおなじみとなったであろう英国の作家トマス・ハーディは、他の追随を許さないほど正確に土地と空を描写している。登場人物は、ヒキガエル、クモ、ナメクジ、そしてヒツジに見られる天候のサインに言及し、ある箇所では、同じ結論に達した4匹が互いを擁護しているようにも読める。『はるか群衆をはなれて』に登場する若き羊飼いガブリエル・オークは、小道を横切るヒキガエル、家の中に入り込んだナメクジ、そして天井から落ちてくる2匹のクモを目撃する。そして、「羊は、一頭の例外もなく、嵐が襲ってきそうな地平線の辺りに向かって尾を向けて、かたまっていた」とある。

肉食動物のエサとなる動物は、風に向かって背中を向ける習性がある。それは体重が1トン近くある動物でも、ナキウサギでも同じである。おそらく多くの種にとって、そうしているほうが快適なのだろうが、生存上の利点もある。そんな動物は非常に広い視野を備えているが、すべてが見えるわけではない。ウマは自分のま後ろ10度以外の全域を見ることができ、死角は私たちのこぶしくらいの幅しかない。人間の視野は120度、見えない場所を「死角」と形容するべきかどうかも悩ましい。見えない所の幅は、見ることのできる幅の2倍にもなるからだ。

被捕食動物は、風に背を向けることで、わずかな死角に潜んで近づこうとするもののにおいを嗅ぎとれる。知り合いの専門家によると、風はウマの行動を変化させるという。つまり強風の中で、ウマは不安になって興奮しやすくなる。強風が草や木を揺らすので、捕食生物の動きを感知しにくくなり、不安感をつのらせるということだ。

ウマは雨が降る前に汗をかくと言われるが、これは事実のようだ。雨の前は湿度が上がるが、動物は皆、湿度の高い空気の中ではより大量に発汗する。汗がなかなか蒸発しないと体があまり冷えないから、体はさらに汗を出そうとするわけだ。サウナで熱い石に水をかけるのは、部屋の温度ではなく、湿度を上げるためである。

群れを作る動物は、個々の生物としても集団としても見ることができる。家畜の群れは、見通しが良ければ「家」である農場の小屋から遠くまで動き、悪天候の恐れがあれば近くに集まる。また、捕食動物や天候などの脅威があれば群れをなし、リラックスしているときは分散する。小屋の近くの風が当たりにくい場所に群れている場合は、悪天候が迫っていることを示す強いサインだ。ヒツジが遠くの丘をのんきに歩き回っている場合は、危険な動物や天候を感知していないことを示す。

ガブリエル・オークが拾い出したサインを、少し詳しく見てみよう。ナメクジは天候、とくに気温の変化に反応する。ナメクジはいったん動き出すと、気温が低いときよりも高いときのほうが速く移動するが、天気を注視する人たちにとって興味深いのは、ナメクジが気温変化にどう反応するかということだ。もっぱら夜行性であることは、ナメクジの夜明けパトロールを苦々しく思っている人なら誰でも知っている。しかし、夏の昼間にナメクジが動く状況がある。にわか雨や寒冷前線が近づき、日中の気温が21℃を下回ると、一部のナメクジは石や植木の下から這い出てくる。さらに気温が下がると、もっと多くのナメクジが活動しはじめるが、再び気温が上がると家路につく。

カエルのオスは、多くの種類で雨のあとによく鳴くが、それはメスがフレッシュな水溜まりに卵を産み落とせるときだからである。しかし、私たちはそのずいぶん前に雨が降り出したことに気づいているだろう。1月以降、夜間の気温が5℃以上になるとカエルやヒキガエルは冬眠から目覚めるが、このような気温上昇も、私たちはすでに実感しているはずだ。

カエルは湿度が上がると活動が活発になるが、湿度の上昇は雨に先立つので、サインとしては有望である。感度の高い両生類愛好者はこの変化を察知できるかもしれないが、にわかファンは苦労するだろう。私は東南アジアのボルネオから英国のボグナー・リージスまで、雨の中でカエルが楽しそうに鳴くのを聞いた経験があるが、天気が変わる前に活発になったことに気づいたとは言えない。

皆さんもおそらく、雨上がりにミミズが地面にのたくっているのを見たことがあるだろう。雨が降るとミミズが地表に出てくる理由は、そうしないと自分が掘ったトンネルの中で溺れる危険があるからだと信じる人もいるが、これは間違い。ミミズは皮膚呼吸なので、何日も水に浸かって生き延びることができ、溺れることはない。科学者たちは、雨上がりこそミミズにとって長距離を移動するのに適したタイミングだから出てくるのだと考えている。干からびることなく移動できるチャンスなのだ。また、雨音がモグラの立てる音に似ているという可能性もある。つまり、モグラから逃げるために地表に出てくるわけだ。ミミズを釣りエサとして使う人たちは、雨の音と振動を模してミミズを呼び寄せる方法を考案した。そのうちの1つは、地面に打ち込んだ杭をノコギリで挽くというものである。

鳥

悪天候の前にはロバが鳴くという言い伝えがあるが、それは時として真実である。声を出すことができる動物であれば、荒天が迫ってきたときにそれが発する警告を耳にすることもあるだろう。音声で天気のサインを伝えてくる生き物としては、鳥類がもっとも信頼できる。以前に紹介した、植物がヒントを与えてくれると確信するボツワナの農民たちのうち82パーセントが「鳥のさえずりや昆虫の鳴き声によって雨が降るかどうか予測できる」と答えた。

私たちは世界じゅうで、同じような考え方を見いだすことができる。パプアニューギニアのミツスイは雨の前に大声で鳴く。ズアオアトリが雨の前に独自の鳴き方をするのは有名で、場所を問わず聞くことができるが、驚くことに地域によってアクセントがある。つまり、個々の鳴き声が具体的なカギになるわけではないが、音の風景の変化には耳を傾ける価値があるというわけだ。この考え方については、章の最後にまた触れることにしよう。

鳥は、情報の断片をつなぎ合わせる作業を助けてくれる。気象研究者のサイモン・リーはかつて、猛禽の一種であるアカトビが上昇気流に乗って輪を描くのを観察していると語った。高く上がっていればそれだけ、上昇気流が強いことを彼は知っていた。鳥が高く上がっていれば、大気はとても不安定なサイン。彼は、鳥が旋回する高さを予報として使うことを学んだのである。つまり鳥が高くを飛んでいるほど、荒天の可能性も上がる。２００５年、彼はヨークシャー上空で異常に高い位置を旋回する鳥を見た。間もなくひどい嵐が吹き荒れ、壊滅的な鉄砲水が押し寄せた。

　森の鳥たちは、天気が良くて空気が乾いているときは低い位置で採餌し、天気が悪くなるにつれて枝を伝い上がってくる傾向がある。晴天が続くと、ねぐらを作る鳥は長く外に留まり、巣に向かう時間も遅くなる。どちらの習性も反応的なものだ。予報として使えるわけではないが、ジグソーパズルの一部は見せてくれる。私はキツネやアナグマなどの動物が夕暮れ時に動き出す雰囲気を感じることができるが、それは鳥が帰巣する鳴き声や現在と近過去の天候に密接な関係がある。暑くて風の穏やかな日、鳥の声は実際よりも遠くに聞こえる。

　鳥たちは飛ぶとき、枝に留まるとき、そして眠るときでさえ、風のふるまいを教えてくれる。私たちは鳥が羽ばたきもせずに滑空するのをよく目にするが、乱気流の中ではたいへんだ。鳥がずっと滑空しているのは大気が安定している証拠なので、好天時によく見られる。

　キジをはじめとする森林に生息する鳥の多くは、ねぐらに入るときに風のほうを向く。第17章で見たように、都会の鳥も同様に風に向かって留まる。チョウゲンボウのようにホバリングする鳥も、同じ場所に留まるために風のほうを向く。よそを向いてしまうと、風で流されてしまうからだ。実際のところホバリングとは、風に向かってごくゆっくりと飛ぶことである。車に乗っていながら風向きを知る方法として、私はこれが一番好きだ。やかましい金属の箱に閉じ込められる長旅であっても、道路の近くでホバリングしている自然の風向計を見つけられれば楽しいものになる。

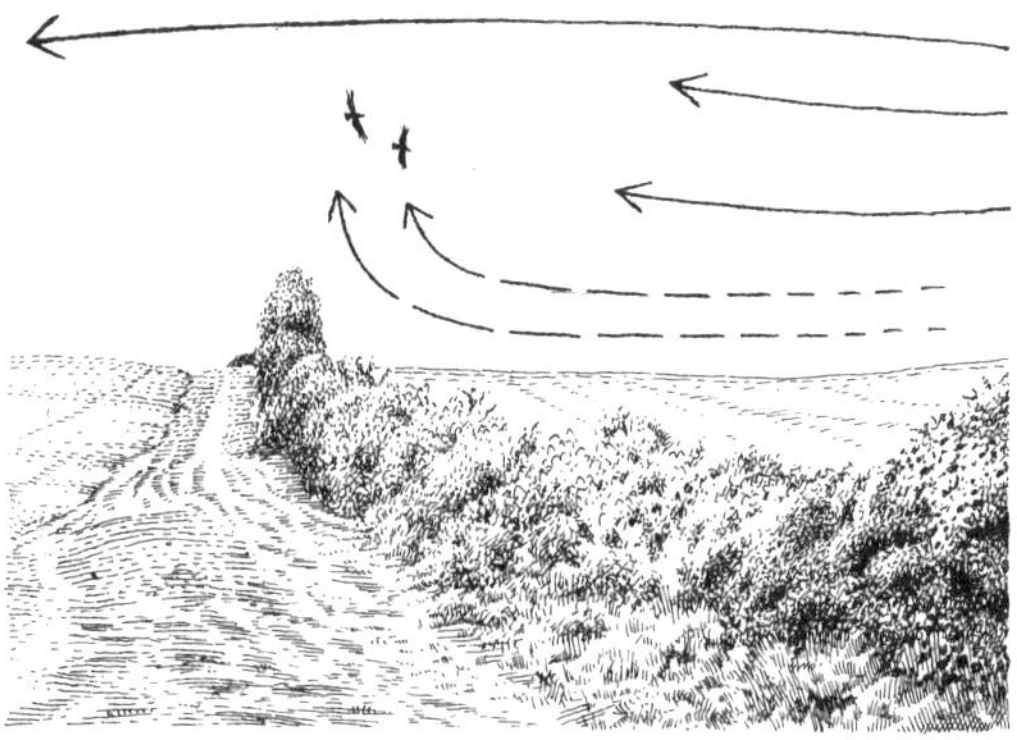

ホバリングする鳥は、私たちのために大地をマッピングしてくれている。どんなに優雅に飛んでいる鳥も、重力に逆らうことはできない。上昇するには、翼を羽ばたかせるか、上昇する気流に乗る必要がある。鳥が、温まった地面によって生まれた上昇気流を使って旋回することはこれまで見てきたが、別種の上昇風も活用する。急勾配の地面に当たった風は、渦流や波の一部として上方に押し上げられる。鳥類はこの無料エネルギーを利用するのが得意であり、崖の縁に沿って飛んだり、崖の上でホバリングしているのを見かけるのはそのためだ。

　この効果を知れば、さまざまな規模で発見することができる。ペンシルバニア州では、常風が山にぶつかって跳ね上がるので、渡ってきたタカはそれを活用する。私はまた、ちょっとした生け垣の上で、鳥が瞬間的にホバリングするのを見たこともある。いずれの場合も、鳥たちは下の地形によって吹き上がる風を示してくれる。リチャード・ジェフリーズが「考えれば考えるほど、空気の浮力は科学が証明しているよりもはるかに大きいと確信する」と書いたときに暗示していたことは、まさにこれではないだろうか。

　多くの鳥は、強い向かい風があるとき、風速が遅い地面に近い所を飛ぶ。また、カラス、カモメ、ハトなどの鳥が強風に逆らって飛ぼうというとき、草原のすぐ上空を高速飛行するのをよく見かける。それからぐいっと上空を目指し、反対方向へ戻っていく。たった一度の巡回でこの行動が観察できることもある。エサを探すとき、カモメや猛禽類は原っぱの上を長い楕円を描いて飛ぶ。陸上競技のトラックに似ていないこともない。向かい風では低く、追い風では少し高く飛ぶのが見える。

鳥は体を温めるために日光浴をする。日当たりの良い場所から飛び立ったなら、またそのような場所に向かう可能性が高い。暑くなりすぎて、同じ木の日陰側に移動することもあるが、ジョウビタキなどはクチバシを開いてあえぐように呼吸し、体温を下げようとする。

私の地元にいるモリフクロウは、天気が落ち着いているときのほうがよく鳴くように思える。「思える」は大事だ。天気の良い日のほうが鳴き声がはっきり聞こえると思うとき、フクロウがほんとうに大きな鳴き声を出しているのだろうか、それとも穏やかな天気のせいで木々がざわつかず、フクロウの声が大きくなったように聞こえるのだろうか、とチェックしてみるべきだろう。

この分野における限られた科学的知見によれば、フクロウは各種独自の方法で環境条件に反応するらしい。気温や湿度に敏感な種もいれば、月の満ち欠けや光量に敏感なフクロウもいる。17世紀、フランシス・ベーコンはこう書いている。「古代の人々は、フクロウの鳴き声が天候の変化を先取りすると考えていた。好天から雨天、ないし雨天から好天へと転じる前触れである。しかし我々にとって、フクロウがはっきりと自由に鳴く現象は、とくに冬季において、もっぱら好天を示すものだ」

私は、フクロウの鳴き声を聞くと、夜の散歩に行こうという気持ちを後押ししてくれていると思うようにしている。コウモリの出現もそうだ。乾燥した暖かい夜は、虫も活発に動くのでコウモリもよく活動する。

最近の私の楽しみは、散歩中にキツツキの穴の向きを観察すること。私が出くわすほとんどの穴の主であるオオアカゲラは、木の北東側を好むようだ。これは厳密な規則ではなく、私の家から１００メートルほど離れた所の巣穴は、まったく反対側にある。しかし穴の傾向としては有効である。キツツキにとって通風と暖かさは重要なので、日当たりや風が関係してくるが、何よりも枝の角度が重要だ。土砂降りのたび、穴の中に水が流れ込むのは嫌いらしい。ある説によると、常風によって木が北東に曲がると、枝の角度がちょうど良くなり、キツツキの家を濡らさないくらいになるのだという。

昆虫天気図

気温が上がるにつれて、チョウは活発になり、多くのアリが活動を加速する。ミツバチは外気温が13℃になると巣から出て花を訪れる気になり、19℃を超えると活発になる。日なたぼっこをして体を温めようとするマルハナバチは、温かい物に体を押しつけ、背中を太陽に向ける。暑くなりすぎると腹を地面から浮かせる甲虫もいるし、砂漠の太陽に向かって白い腹を向けるものもいる。

温度は決定的に大事なので、虫たちは繊細な反応を見せる。一般的な法則を紹介しよう。夏の一日、私たちの目に入ってくるのはまず大きな昆虫、次に小さな昆虫、そして再び大きな昆虫である。体が大きいほど低い気温に対応でき、逆に暑さには弱いからだ。つまり彼らは一日の前半および後半の時間帯を好み、昼頃にはあまり活動しない。逆に涼しい時間帯に活動できない小さな昆虫は、暖かくなるまで待たなければならない。

スコットランドのハイランド地方では、ヌカカの猛攻が不快感をもたらすが、私たちはその虫の気温に対する敏感さを利用できる。ヌカカは暑すぎず寒すぎない、狭い温度帯で活動するため、意図的に高度をずらすことで、気温の違いにより振り払えることがあるのだ。

コオロギは暖かい温度を知らせることで有名で、鳴きの回数はそれに直接関係している。種類によって異なるが、コオロギ温度計の典型値は、13℃で1秒間に1回鳴き、温度が上がるにつれて増加するというものだ。

羽アリは、暖かくて湿度が高く、風の弱い夏に飛ぶ。膨大な数を目にした多くの人々は、アリが全国一斉に群れ飛ぶ「羽アリの日」があると信じている。しかし、ご存知のように微気象は場所によって大きく異なる。つまり、羽アリがある日、全国に一斉に飛び立つというのは誤解なのだ。各地で、理想のコンディションが整うタイミングは異なる。大群を見かけたら、気温が13℃以上で、風速が毎秒6メートル未満であることを告げている。

アリが一直線に移動するのは悪天候の到来を意味するという言い習わしがあるが、それを裏づける観察や科学的データを私は知らない。興味深いことに、オーストラリアに住むアボリジニの伝承では、アリが巣の周囲に壁を作るのは大雨が来る予兆だとされており、西洋の気象伝承も同じようなことを言っている。先ほども紹介した太平洋諸島の人々は、家に巣くう小さな赤いアリが、悪天候の前には巣穴をふさぎ、晴天のときには開いたままにすることを指摘する。私はどちらの現象も観察したことはないが、これほど遠く離れ、その伝承のもとが誕生したころには接触があったとは考えにくい2つの社会で見られるのであれば、根拠がないとは考えにくい。実際、科学者たちの研究により、多くのアリが湿度に敏感だという考え方が支持されている。熱帯のハタオリアリは、嵐の前に巣を作ると観察されている。

アリ塚の向きと太陽の間に強い関係を示す種類もある。オーストラリア北部に生息するコンパスシロアリは、塚を南北に向けて作ることで知られている。真昼の太陽に対しては薄い面を、早朝と夕方の太陽に対しては広い面を向けることで、家の中の温度調節に役立てているのだ。

地球上には１万３０００種以上のアリが生息しており、それぞれに独自の習性を備えている。私たちも、地元種の行動に周波数を合わせる必要があるだろう。私はアリを目安にする方法をいくつか知っており、それは天気予報よりもナチュラル・ナビゲーションに近いものだが、重複部分もある。キイロケアリは英国の水はけが良い草原に生息し、自宅の近くに広がる石灰岩の丘にもたくさんいる。くすんだ黄色をしたこの虫の住処は、アリそのものよりも役に立つ。キイロケアリは土を積み上げて、高さ50センチにもなる塚を作る。丸みを帯びたコブ状だが、完璧な半球ではない。ふつう南東を向いた平らな面を備えているが、これはいわばソーラーパネルとして機能し、涼しい朝に太陽の暖かさを利用する。

アリ塚は、場所のすこしの違いで微気候がどのように変化するかを示す、すばらしい実例である。世界中にあるすべてのアリ塚が、周辺の微気候について語っている。数年前、私は友人の気象専門家で、ＢＢＣお天気キャスターも務めた経験があるピーター・ギブスとともに、ウエストサセックスのペットワース公園を探検していた。彼が司会するＢＢＣラジオ４の番組「園芸愛好者の質問タイム」にゲスト出演するためだ。私はすこし緊張していた。この番組はカルト的な人気を誇り、イギリスじゅうに多くの熱心なリスナーがいる。ピーターと番組クルーが駐車場の待ち合わせ場所に到着するのを待つ間、心臓の鼓動は速くなった

私たちは会うとすぐに、公園を歩くことになった。私はいくつかのことに触れ、調べる価値のあるものに出くわした。キイロケアリが作った塚の北側と南側で、花がどのように違うかを数分間観察した。光を好む花々、とくに野生のタイムは、明るく暖かい南側で楽しそうだった。この薄紫の花は、膝丈にさえ届かない小さな丘の両側に、まったく異なる気候があることを明らかにしてくれたのだ。アリたちも気候に敏感だ。これらの小さな手がかりを見るのは楽しく、私は自分たちのミクロ世界に没頭し、数

百万人の人々がその放送を聞いていることをすっかり忘れていた。

朝はチョウを観察するのに良い。涼しいうちはじっとしている時間が長く、午後に暖かくなると飛び回るようになるからだ。チョウは風よりも温度変化のほうに敏感だが、ナメクジとはほぼ真逆の行動をとる。どちらも外温動物で、活動するには一定の温度が必要だが、チョウは気温が下がるといなくなる。

チョウは太陽光線にも敏感で、直射日光を浴びると飛びはじめる。光が不足すると、それをめぐって争うものもいて、あまり陽の差しこまない林の中で場所取り合戦をするのを見かけることがある（トンボの中にも場所取り争いをする種がある）。チョウの日光に対する感受性は、羽の角度でわかる。羽を立てているときはおそらく休息中、開いている場合は日なたぼっこで体を温めようとしている。羽を開いているチョウが日当たりの良い場所から飛び立った場合、だいたいは別の日当たりの良い場所に再びとまる。日陰から飛び立った場合は、日陰に着地するだろう。

数週間前の暖かい秋の午後、私はサセックスの農家の小道で、あるクジャクチョウと追いかけっこをした。私が近づくたびにそれは日光浴をやめ、数メートル飛び、日当たりの良い場所にまたとまり、太陽に向かって羽を広げた。私は写真を撮り、メールマガジンのクイズに使った。「この写真を撮ったとき、私はどの方角を向いていたでしょうか？」というものだ。午後だったので太陽は南西、チョウはそのエネルギーを得るために羽を開いていた。つまり答えは北東。ナチュラル・ナビゲーターは、自然の中に身を置くことができないとき、このようなパズルを楽しむのである。

チョウは曇っていると活動が鈍り、飛ぶ距離も時間も短くなる。彼らにとって雨はほんとうに厄介な問題なので、気温が下がったり曇りがちになったりすると数が減るのは理にかなっている。私はこのことをちょっとした詩によって覚えている。「チョウチョがいやがる、空の雲がある」

昆虫と風

メアリー・シェーファーは、カナディアン・ロッキー山脈の奥深くを目指した最初の白人女性の一人である。男性ですら、なかなか彼の地に足を踏み入れたことがない時代のことだ。彼女は探検家、開拓者、かつ乗馬の名手であった。９月、彼女の一行は高地の渓谷からクートニー平原へと下っていったが、暖かくなったので、膨大な数の吸血昆虫、サシチョウバエに悩まされた。彼女らは、この虫が北米で「雪を食べる」と言われるフェーン「ソフト・シヌックウインド」の到来に合わせて出現することを知っていた。１９１１年に初めて出版された日記において、「翌朝シヌックウインドは去り、チョウバエも去った」とメアリーは書いている。

飛ぶ昆虫は、風に敏感だ。快適な気温を楽しんでいるヌカカでさえ、たったの風力3で退散してしまう。風の強い日、林の風が当たらない場所に立ち入ったり、生け垣や岩の裏の静まり返った空気に遭遇したりすると、まずは静けさに安堵し、次にたくさんの小さな空飛ぶ生き物がいることに驚くかもしれない。運が良ければ、チョウがパーティに加わってくれるだろう。それから林の中に入っていくと、昆虫たちの大きさや姿が突然変わることに気づくかもしれない。トンボのような大型の昆虫は木の外の風にも耐えられるほど強いが、弱い小さな昆虫は木立の中にしかいられない。驚くべきことに、風の強い日には、カなどの刺す虫が風下側に移動するという観察結果もある。虫よけスプレーを噴射しながら、風を考えてみるのもいいだろう。

古い言い伝えによれば、ハチは決してにわか雨に遭わないという。降りはじめのにわか雨の中を飛ぶミツバチを見たことはたしかにあるが、大雨の中を飛ぶミツバチを見た記憶はない。ミツバチは雨に敏感で、悪天候が近づくときに巣分かれはしないと、養蜂家たちは確信している。科学的調査もまた、それが正しいことを示す。低温、大雨、強風といった条件下では、花を訪れる頻度が減るのだ。しかしもっと興味深いのは、湿度が上がっても同じ行動を取るということ。ミツバチは湿度と湿度の変化を感知できるため、その行動は悪天候接近の警告として使える。

「アザミウマ」「刈り取り虫」「嵐虫」「カミナリバエ」などのさまざまな通称で知られた、興味深くミステリアスな虫がいる。英国には、この仲間が約１５０種、米国とカナダには７００種以上が生息し、そのほとんどが体長2ミリメートル以下。19世紀半ば以来、雷雨のすこし前にこの種の昆虫が膨大に出現するという報告がある。

ミツバチと同様、アザミウマも夏の暖かい時期に飛ぶ可能性が高い。そしてすでにご存知のように、夏は雷雨も起こりやすい。この昆虫は条件が整えば群れをなして飛ぶが、有名なのはそれだけではない。地方の人々は、これらの昆虫が悪天候の襲来直前に飛行を停止し、１カ所に大量に集まることを知っている。嵐の前、虫が地面に降りるきっかけはなんなのだろう。湿度の上昇という人もいるが、もっと興味深いのは、電界の変化を感知しているのではという説だ。いつか謎は解明されるだろうが、道のりは遠そうだ。

豊かな絵柄

鳥や昆虫たちは、私たちのために忙しく微気象をマッピングし、時には重なり合う独自のレイヤーを加えてくれる。ツバメを見たリチャード・ジェフリーズはこう書いた。「空を飛んでいなければ、水辺や川、大きな池の上を探し、そこにいなければ、湿った野原や木陰の多い草原を探す。ツバメはあちこち居場所を変える。大気の状態によって、虫の居場所も変わってくるからだ」

植物ないし動物が、天気が変わるサインを必ず最初に示してくれるというわけではない。ガブリエル・オークは、空の「不吉な面」を目にしたあと、動物たちが示すサインに気づいた。しかし、動物たちはたしかに、空や他の場所に現れるサインに目を向けるよう、私たちを促してくれる。私もしばしば以下の方法を使う。しばらく森の中にいて、空への感受性を失ってしまったとしよう。動物の行動や風の音が変わったりして、かつ原因がはっきりしない場合は、そのきっかけを探す。風が変わったのか？　樹冠を通して空の変化を見ることはできるだろうか？　これはロマンチックではないが、より現実的で実用的な、動物が示すサインの活用につながる。動物たちは手品の単独公演をしているわけではなく、私たちの意識を織りなす布の一部なのだ。こういった見方は、私たちの理解、注意、そして鑑賞に豊かさを加える。総体論的アプローチというと宗教がかった響きもあるが、実際にご紹介してみよう。

私が持っている小屋の窓から、トウヒの長い枝が見える。このあたりをなわばりにするノスリのペアにとって、お気に入りの止まり木の1つだ。ノスリたちが作戦行動で不在のときは、小鳥たちやカラスも喜んでこの枝を使う。トウヒの木とその周りの背の低い木々や植物の形は、常風である南西の風によって形作られたもの。鳥が風に向かってとまるのは、田舎でも都会の屋根の上でも同じである。つまり私の住んでいるこの地方では、南西を向くことになる。そして私の目には、鳥が向いている方向と近くにある植物の形が「合っている」ように見える。パターンが一致するのだ。

私は毎朝、空の全体的な眺め、高層と低層の雲、それらを動かす風、露、霜、霧、その他のサインを見つけようとする。しかし、すべてを拾い上げようと時間をかけるわけではない。一日の終わりに、典型的な向き、朝早く見た鳥とは違う方向を向いている鳥に気づいたら、好奇心が刺激される。私は風景をスキャンし、見渡す。1時間以上前からあったはずの、巻雲などの兆候を見つけるのは、この瞬間であることが多い。鳥たちは私の肩をちょんとつつき、こうささやいたわけだ。「ぼけっとしていないで空を見なさい。変化がやってくるわよ」

20

嵐

嵐雲の上部と底部／嵐のシステム／竜巻／ハリケーン

２０１９年７月。その炎暑は空から始まり、やがて地面を、池の水を、そして私たちをとらえた。寝床につく前、人々は不穏な雰囲気を感じた。週の後半にケンブリッジ植物園で測定された気温は38・７℃、英国新記録となった。

その数週間後、ピーク・ディストリクトにあるウェイリー・ブリッジ村を洪水から守ろうと、軍のヘリコプターは何トンもの砂利や砂を空中から投下した。ダムに決壊の危険性があったからだ。警察は住民に避難を命じ、村はゴーストタウンと化した。

熱波が静かに舞台を降りることはめったにない。大げさに雷鳴をとどろかせ、滝のような雨とともに退場しようとする。夏の暑さは輪ゴムのようなものだ。ある程度まで伸びるが、切れるときがいつか来る。切れた所が雷雨であり、私たちもなじみ深い熱、水、そして不安定性が影響している。世界じゅうでは、つねに約２０００の雷雨が荒れ狂っているという。

屋外で実施するアウトドア講座の予約受付時に、定期的に聞かれる質問はこうだ。「予報が悪かったら中止になりますか？」。私は12年にわたって講座を運営してきたが、天気が原因でキャンセルしたことはない。イングランド南部では、雨、雪、霰、霙、あるいは風は中止の原因にはならない。そんな条件下で講座に参加した生徒には、冗談まじりでこう言うのだ。「講座の実施時間が倍になったように感じられていると思いますが、追加料金はいただきませんよ」

雷雨の危険性があるなら、私は講座の時間やルートを変更する。サセックスのなだらかな丘陵地帯であっても、私は用心する。雷の危険がある場合は、どんなに小さな丘であっても頂上近くにグループを導くことはない。積乱雲の構造をよく観察することで、私たちは効果的にリスクを測ることができる。ある大気の層を見つける方法を知っていれば、もっと効果的だ。

山に登れば気温は下がることは誰もが予想するだろうし、実際そうである。空気は高度が上がるにつれて乾燥して低温になり、標高が１０００メートル上がると気温は６・５℃下がる。多くの人は、この傾向が果てしなく続き、高い山の頂上やその先の宇宙まで、温度低下は続くと思うかもしれない。しかし実際はそうではない。世界でもっとも高い山の頂きからもうすこし高い所までは気温が下がり続けるが、その先は奇妙なことが起こる。

１８９９年、フランスの気象学者レオン・ティスラン・ド・ボールは、大きな影響を及ぼす小さな発見をした。地表から約10キロメートル上空で、気温は高度とともに下がるのを止め、逆に上昇に転じるのだ。ド・ボールは、大気圏におけるもっとも重要な境界の１つ、対流圏界面と呼ばれるものを発見したのである。

対流圏界面から上は成層圏、そこではルールが変わり、高度が上がるにつれて気温は上昇する。奇妙に思えるだろうが、冬の日の海抜0メートルにおける気温が、上空50キロメートルの気温と同じということもあり得る。エベレスト頂上の気温より、それより6倍も高い位置の気温のほうが高いというわけだが、そのような場所では加圧呼吸器と宇宙服がなければ生きていられないという事実から目をそらす

嵐はおよそ50キロメートル離れた所を、右から左へ移動中

わけにもいかない。

嵐を生み出す雲すなわち積乱雲は、他の積雲と同じように形成されるが、唯一の違いはプロセスが暴走モードなことだ。水蒸気が凝縮して水になると、空気が膨張して温度が下がる以上の多量の熱が放出される。雲は上昇し続け、ついには強力な温度逆転である対流圏界面のバリア、いわば分厚い複層ガラスの天井にぶつかる。対流圏界面の高さはさまざまで、極地では約9キロメートル、赤道付近では17キロメートルに達するので、積乱雲は世界でもっとも高い山すらも小さく感じさせるまで成長し、３００キロメートル離れた所からも目視できるほどになる。私たちが住むほとんどの場所で、最大高は11キロメートルといったところだろう。

成熟した嵐雲、つまり頂上が平ら、あるいはかなとこ状の積乱雲であれば、私たちがいまいる場所からの大まかな距離を測ることができる。こぶしを突き出し、親指を上に、小指を地面にのほうにすると、約10度になる。雲があなたのこぶしと同じ高さだとすると、50キロメートル余り離れていることになる。こぶしが雲の半分までしか届かなければ、その半分つまり25キロメートルの距離となる。この方法は、海面が推定できる場合にもっとも効果的だ。海にいる場合、小指を水平線の位置に合わせる。

遠くに嵐雲が見えたら、左から右へ動いているのか逆に動いているのか、注意してみよう。どちらに動いていても、あなたが嵐に襲われる可能性は低い。反対に、一定の方位を保っているように見える嵐は、あなたに向かってきている。これは私が船乗り兼パイロットとして学んだテクニックの1つで、アウトドアのさまざまな状況で応用でき、次のように要約される。「動かない嵐雲は危険」。ボート、飛行機、暴風雨、遊園地のバンパー・カーなどが正面衝突の向きに動いてきているなら、見え方はずっと変わらない。小型機のコックピットからは、衝突コースにいる別の航空機が風防でつぶれたハエのように見えることがある。まったく動かず、すこしずつ成長し、最終的には恐るべき速さで大きくなるだろう。

典型的な嵐雲のライフサイクルは、開始から終了までわずか90分ほどである。* したがって、遠くに見える雷雨のほとんどは私たちに到達しない。遠くに見える嵐雲は、私たちが安全な場所からその一生を観察する絶好の機会である。

まずは、幅よりも高さがある積雲を探すのが良い。注意深く観察していれば、それがより不吉な雰囲気を帯びる瞬間をとらえることができる。上部を観察し、明瞭な形を探してみよう。

カリフラワーのような丸みが見えるだろうか？　この形は2つのことを教えてくれる。雲がまだ上に成長していること、いちばん高い部分がまだ水であることだ。とくに2番めは、思ったよりも重要である。伸び続ける雲のてっぺんを見続けていると、あるときに形が変わる。形が崩れて、ふわふわの綿菓子のようになる瞬間がやってくるのだ。このような雲の形は巻雲を思い起こすかもしれないが、偶然ではない。どちらも氷が形成されるサインなのだから。上部が氷に変われば、それはエネルギッシュな積雲から、破壊的な積乱雲へと変貌を遂げつつあるということだ。

積乱雲の発達を見続けていると、対流圏界面の天井にぶつかり、それに沿うように広がりはじめるの

＊アメリカ中西部グレートプレーンズなどの場所で発生する嵐のように、寿命の長い例外もある。

がわかるだろう。これにより上端がかなとこに似た形になる。いわば中年に達したのだ。ボウルに入った天ぷら生地をキッチンカウンターに落としたと想像してほしい。まずは垂直に落ち、カウンターの面で止まって水平に広がるだろう。嵐雲も、向きが反対なだけで同じ動きを見せる。

やがて雲のパワーは衰え、崩れて沈みはじめる。力強かった雲は砕け、消散し、時には巻雲や高い積雲が残る*。

雷をもたらす雲は、成長、成熟、消滅という人生の3つの段階を示す。急速に進行する最初の2段階は、もっとも警戒が必要な時期である。背の高い親しげな積雲が成熟し、荒れ狂う積乱雲へと変化するのには、30分もかからない。激しい雨や雹は、成熟した積乱雲から降る。

崩壊は、成熟とは対照的にゆっくり起きる。完全に消散するまでに1時間以上かかることもある。

積雲からの雨の降り方も、通常と同じルールが適用される。突然降り出した雨はすぐにやむというのが原則なので、嵐雲からの雨は30分以上続くことはほとんどなく、もっと短時間で終わることも多い。そんな雲は視界内にいくつか浮かんでいるかもしれないが、それぞれの降水は長く続かない。

多くの人は、嵐雲が息を吹き返すことがあると信じているが、決してそうではない。上昇気流を生み出すさまざまな理由により、新しい嵐雲が以前と同じ場所にできる可能性が高いのだ。そうとわかっていても、ボートやテントの中にいると、同じ雲が復讐心を燃やしているように感じるかもしれない。しかし、それはあなたが雲の発生しやすい場所にいるからだ。嵐雲は模倣犯とも言えよう。

嵐雲が見えたり、嵐が近づいていると思われる場合は、それが孤立したものか前線の一部なのかを見極める必要がある。単独か群れか、ということだ。局所的な温度上昇によって発生する嵐雲は孤立しており、控えめな積雲のときと同じように、地形の中にその引き金を見つけることができる。

空気がじゅうぶんに暖かく、湿っていて不安定であれば、ささいなことで連鎖反応が起きる。きっかけは、空気を丘沿いや海岸の崖の上に持ち上げるそよ風かもしれないし、近隣の農地よりも森のほうを強く温める太陽かもしれない。嵐の条件が整っている場合、引き金はとても地味なものでも機能する。地形の盛り上がりが原因の場合、嵐は風上側で発生する可能性が高い。

　１９７５年、局地的な嵐が数時間で3ヶ月分の雨をロンドン北部の一部地域に降らせて衝撃と恐怖をもたらし、ロイヤル・アルバート・ホールでのＢＢＣプロムス・コンサートを中止させた。被害を受けた地域はごく狭いものだったが、暴風雨の激しさはすさまじく、原因を解明するために調査が開始された。気象学者たちは、ハムステッドの丘のせいだと考えた。もっとも高い地点は海抜１３７メートル、周りの土地からの盛り上がりも76メートルしかない控えめな丘だが、エネルギーはそもそも土地の中ではなく、空中にあった。大きな花火に火をつけるにも、マッチ1本でじゅうぶんというわけだ。

　6月から8月にかけてはにわか雨があたりまえなので、ジョージ2世はイギリスの夏を形容して「晴れ2日と雷雨1日の繰り返し」と言った。夏のにわか雨はほぼすべてが太陽による地面の温度上昇を原因とするため、午前中よりも午後に多く発生し、日没後には起きない傾向がある。

　私たちは皆、夏の嵐を察知する感覚を持っていると思う。もしかしたら、進化の過程で手に入れたサバイバルキットの一部となっているのかもしれない。極端な蒸し暑さを感じると、人々は「そろそろだ」と語り合い、やがて誰かが「天気が崩れそうだな」と言う。これは暑さと湿度に関連した感覚だが、視界に注意を払うことで精度を上げることができる。夏の午後、視界が悪くなって空がかすんできたら、

＊嵐のあとによく見られる特殊な雲がある。英国のクラウド・アプリシエーション・ソサエティ（いわば雲愛好者の団体）の創設者であるギャビン・プリトア・ピニーは、これに「アスペリタス」という名前をつけた。荒く波打った形をしており、米国のグレートプレーンズ上空によく出現する。

それも天気が悪化して数時間以内に嵐が来る可能性を示すサインだ。以前に学んだように、遠くの物体を使って、細部がよく見えるかどうか観察してみよう。家の窓や木の枝が見えなくなっていないだろうか？

冬は寒気が支配的で、雷雨に理想的な条件ではないのだが、遭遇はまれではない。冬の嵐は局地的な加温というより前線、とくに寒冷前線によるところが大きい。

寒冷前線は、寒気の大きなくさびが前方にある暖気の下に入り込んで持ち上げるので、しばしば嵐を生み出す。丘の上に風を吹かせるなどというものではなく、暖かく湿った空気の下に険しい山が強引に突っ込んでくるようなものだ。前線は丘よりも幅広いため、嵐が一列横隊で行進することになり、まるで戦場のようだ。

雷雨の前兆は「空に浮かぶ城」である。塔や砲台のような形をした積雲が何十、何百と見える現象（正式名称は *Altocumulus castellanus*）は、湿った不安定な空気が広く覆っている証拠だ。数時間以内に、前線性の雷雨が発生する可能性がある。

夜中に何度も雷が聞こえたら寒冷前線が通過している証拠なので、朝は空気が冷たく新鮮で、視界もすばらしいと予想できる。

古い言い伝えの中に、こんな興味深いものがある。「4月の雷雨、霜の終わり」

科学的に直接的関係がないものを結びつけて真実を示唆するという点で、この物言いは興味深い。雷雨と霜の間に因果関係はないが、4月の雷雨から秋までは霜がおりないという可能性はじゅうぶんにあるだろう。この先を読み進める前に、孤立型と前線型のどちらのタイプの嵐が関係しているのか、そしてその理由は何なのか、ちょっと考えてみてほしい。

4月に局地的な雷雨が起きるのは、空気が暖かく、積乱雲を形成するのにじゅうぶんなエネルギーを大地が受けた証拠である。暖かい空気塊が到来し、太陽が陸を強烈に加温したことを示している。再び寒気団に襲われれば、そのあとで霜がおりることもないわけではないと思うが、4月に暖かい気塊と晴天がやってくれば、霜の季節はだいたい終わったと言えるのではないか。

嵐雲の上部と底部

嵐雲の内部には、つねに強い上昇気流と下降気流がある。雹が降るのはこの暴力的エレベーターのせいだが、それぞれの雲には読み取れる足跡が残っている。まずは遠く離れた安全な場所から1つの嵐雲を発見し、その構造を学ぶ機会があると仮定しよう。後半では、安全な距離が取れていない場合を取り上げる。

積雲が積乱雲へと変貌しかけているときは、上昇気流が支配的で強力である。それは時速48キロメートルで垂直に上昇する。時には雲の上まで巻き上げられた空気が冷えて凝結し、別の雲を形成することもある。この笠のような雲は頭巾雲と呼ばれる。背の高い積乱雲の上にこの雲が見えたら、嵐の雲が形成されつつある確実なサインである。

嵐の雲が形成されたあとも、残った上昇気流が主雲を押し上げることがある。主雲の上側がかなとこのように平らになっている場合、その上に別の小さな膨らみができる場合もあるだろう。これもまた、とても強い上昇気流を示す、強力な嵐の兆候である。

かなとこの形状をよく見ると、対称ではないこともわかるだろう。片側は短く、反対側は長い。引き伸ばされた側はその高度での風向きと雲の進行方向を示している。つまり積乱雲のかなとこは、太い指で嵐の進行方向を指しているのだ。

はっきりとした指が見つからない場合は、あなたの位置のせいか、上空の風が弱いせいかもしれない。巻雲など、高い雲の方向も確認してみよう。嵐の進行方向がわかったら、積乱雲の左右が微妙に違って見えることに気づくかもしれない。それもそうだ、空気はすべての部分で同じように上下しているわけではない。上昇気流は風上側でいちばん強力、そのため雲の側面は切り立って見える。かなとこの上に膨らみができているとすれば、それは中心よりも風上側にずれているだろう。風下側、つまり進行方向を示す指が向いている側では、雲の上部が平らに広がって見える。

嵐雲のてっぺんに膨らみを作る力と同じ力は雲の底では下向きに作用しており、その下降気流は雲底から垂れ下がった乳房雲と呼ばれる膨らみを生むことがある。下降気流が上昇気流よりも優勢になりはじめた積乱雲のライフサイクル後期には、この垂れ下がった突起がよく見られる。勢いのあるエネルギッシュな雲が、ピークを過ぎた証である。

嵐雲の底部から、じょうごのようなものが降りてくるのを見かけることがある。これは漏斗雲と呼ばれるもので、雲の中で気流が活発に動き回っていることを示している。回転するじょうごは雲の根元からあまり伸びないことも多く、雲が勢力を失うと消えてしまう。しかし、特定の状況、とくにアメリカの一部では、成長して地面に到達することがある。竜巻が生まれそうな状況を示す視覚警報である。

主要な嵐の雲の前乗りとして、別の雲が先導することもある。積乱雲の根元から広がる平らな棚、あるいはくさびのように見えることがあるため、棚雲またはアーチ雲と呼ばれるものだ。棚雲は、下降気流が地面に当たって広がり、暖かい空気を持ち上げることで形成される。台所の蛇口をひねれば、水が下向きに出てシンクに広がっていくのが見えるだろう。嵐の本体は風の蛇口を開け、地上に広がる風によって棚雲が運ばれる。棚雲は本体の積乱雲に張りついているため、残念ながら警告としてはあまり使えない。棚雲があなたの上空を通過する場合、あなたはその雲よりも突風に気を取られるだろう。

ここまで、私たちは快適な映画館でポップコーンを抱いているように、つまり安全な距離を保った遠くから、嵐の雲が成長し、成熟し、衰退していく様子を眺めてきた。しかしこれはつねに期待できることではない。嵐雲は、他の雲に紛れ込んだり、陰に隠れたりしながら、私たちに忍び寄るくせがある。

１９３８年、グライダーを操る５人のパイロットが競技中に上昇気流を求めて、安全に見える雲の塊に飛び込んだ。彼らはたしかに求めていた気流を見つけたが、強すぎた。運の悪いことに積乱雲が他の雲に紛れて潜んでおり、グライダーは引き裂かれた。生き残ったのはわずかに一人だった。

地上にいる私たちに忍び寄ろうとする嵐雲は、映画に登場する悪者にも似て、その正体を明かさずにはいられない。映画では音楽の変化が手がかりになるが、屋外では風がその役割を果たす。

１９８５年、デルタ航空機がダラス・フォートワース空港の滑走路にさしかかったとき、パイロットは前方に稲光を見た。飛行機はそのまま進み、雷雨の中を飛行。数秒後、マイクロバーストと呼ばれる強烈な下降気流が襲いかかった。パイロットは着陸をやり直そうと懸命の努力を行ったが、時すでに遅し。デルタ１９１便は滑走路の手前に墜落、空港に隣接するフリーウェイで車を走らせていた28歳の男性を含む１３７人が死亡した。

雷雨は垂直方向の激しい気流のストーリーだが、台所の蛇口から出る水を見ていると、風は地面にぶつかっても止まらないと思い知らされる。つまり、水平方向にも突風が吹くのである。冷たい風が嵐雲の周囲でよく起こるのは、空気が高い所から急速に下りてきて、さらに雨が雲の下の空気を冷却するためでもある。予期せぬ低温の突風を感じたら、それは暴風警報だ。
渦流や波、そして障害物を乗り越える風が作るさまざまな現象により、私たちは風をほぼ常時感じているわけだが、風速が急に上がって気温が下がった場合は警報だと思ったほうが良い。海風か、雪山から吹き下ろすカタバティック風なのか、原因がわからない場合は、五感を研ぎ澄まして対策を練る必要がある。映画であれば耳障りなヴァイオリンが鳴り響き、若い女性が一人で夜の人気のないビルに入ろうと決める瞬間だ。あなたもその瞬間に単独行を選択するかもしれないが、必ずこの章を最後まで読んでほしい。

雷雨に関する誤解の1つに、雷雨は風に逆らって移動できるというものがある。積乱雲が周囲の風を変化させることをふまえれば、この誤解がなぜ広まったのか理解するのは簡単だろう。私も危うく、命を代償として教訓を学ぶところだった。

２００7年のある日、ワイト島沖でヨットを走らせていた私は奇妙な現象に出会った。大西洋単独横断の準備をしていた私のおもなテーマは、セルフステアリング・ウインドベーンと名づけられた、新登場のすばらしい装置を使いこなすことだった。これはヨットの下を流れる水の力と風の角度を使い、滑車を経由して舵を自動的に操る。じつに天才的だ。バッテリーも電気も外部動力も一切使わず、一定の角度で進むことができる。

この驚異的な発明の利点は、ヨットの向きを風に対して保てることだ。どちらから吹こうが関係はない。風を右舷に受けるよう設定すれば、何時間でも何週間でもヨットは右舷に風を受け続ける。私は何時間でも、このシステムの良さを語ることができる。世界中にいる単独セイラーの救世主だ。しかしいまこの話を持ち出したのは、嵐を理解するためである。

その日、私はセルフステアリング・ウインドベーンを使うのが初めてだった。理屈は理解していたが、数時間しか使わないうちに船が旋回を始め、予期せぬＵターンをしてしまった。これは心配だった。装置をチェックしてみたが、すべてちゃんと機能していて、ヨットは右舷に風を受け続けている。何も壊れていなかったが、予想していた方向と反対の方向に進んでいる。つまり風がＵターンし、システムもそれに従ったのだ。この１８０度方向転換は、奇妙なことが起こっていると示していた。それは、ヨットの上ではなく空にあった。

心細い気持ちで水平線をスキャンしていると、パズルを解くピースが見つかった。そう遠くない所に、成長しつつある積乱雲があったのだ。私がロープと滑車とレバーに集中している間に、積乱雲は成長した。うまく逃げ切るには近すぎる。風は、急速に上昇する雲に向かって直接吹き込んでいる。私はすぐに縮帆し、ウインドベーン装置を切り、舵を自ら握り、強まる風とアドレナリンを使って港へ向かって走った。

雷雨は、かなとこや巻層雲が示す上層の風に乗って進むが、嵐雲が近づいてくるのを見ていると、それに向かって風が吹くのを感じることがよくある。あなたが受けている風は、成長する雲に吸い込まれていく空気である。台所の蛇口が逆に働き、シンクの底から水を吸い上げるのを想像してほしい。この効果は、雲の成熟段階における前半に強く現れる。雲が成熟し崩壊を始めると、下降気流が主流になり、雲の底から吹き出す突風が発生しやすくなる。嵐の雲が風に逆らって動くように思えるのは、それが若く、成長している証拠なのだ。

積乱雲の底部を見ていると、陰影や質感、色の違いに気づくかもしれない。暗い部分は上昇気流、明るくてごつごつした部分は下降気流と激しい雨をもたらす所だ。

「嵐の前の静けさ」を生み出す根本原因に関しては、いくつか説がある。天候にせよ人生一般にせよ、嵐に見舞われたあとで振り返ってみると、その前は比較的平穏に見えるという考え方もできるだろう。今回は分野を天候に限ることにするが、私が支持する理論では、嵐の前の静けさには2種類がある。まず、暖かい夏の日に襲ってくる単独の嵐では、のどかな夏の日と嵐の騒乱という対比が強調される。2つめのタイプはもっと興味深い。前線が生み出す嵐の場合、やってくる前からあまり穏やかではなく、すでに風が吹いている。しかし、嵐の雲は地上の風を変化させるため、常風を打ち消してしまう。そのため、嵐の影響を完全に感じる直前の1時間ほどは、吹いていた風がぱたりとやむことがある。

ありきたりな嵐雲であっても原子爆弾1つを上回るエネルギーを持ち、私たちはそれを猛烈な風の形で体験することになるのだが、私たちの鼓動を速めるのは雷鳴と稲妻である。雷は空気を太陽表面の6倍、3万℃まで加熱する。空気は激しく膨張し、雷として聞こえる音の衝撃波を送り出す。光は音よりもはるかに速く伝わるため、時差によって雷の距離を測ることができる。稲妻が閃いてから音が聞こえるまで3秒かかったとしたら、雷は９００メートルほど離れた場所で発生したことになる。

稲妻はほんの一瞬だが、雷鳴はもっと長くとどろく。ちょっと変に思えるかもしれないが、音が複数の場所で生まれているために起こることだ。雲から地面への落雷よりも、同じ雲の中あるいは雲から雲への落雷のほうがよく発生する。地上に落ちる場合でさえ、稲光の長さは1・6キロメートル以上もあるため、雷のもっとも高い位置で発生した轟音は、低い位置での轟音より遅れて聞こえる。

地上に落ちる雷は雲から地上、そして再び雲までという往復運動をするのだが、私たちが見聞きするものは「リターンストローク」すなわち帰り便である。多くの人と同じく、私は雷が地上に落ちるのを見るが、これは私たちの脳が自分に都合の良いようにストーリーを書き換え、単純化している例である。

まずは、空気の中に電気の通り道ができ、そこを通るリーダー、つまり「触角」ともいえるクモの足のような光が、雲から下に出てくる。それらは稲妻よりもゆっくりと、規則的に枝を伸ばす。稲妻が枝分かれをするという印象を持つのはこのせいだ。これがリーダーあるいは「触角」と呼ばれるのは、地面にじゅうぶん近づいて回路が完成すると、リターンストロークが始まるからである。これは行きの便よりもずっとまっすぐで太く、はるかに暴力的だ。私たちが聞いたり感じたりするのはこの稲妻である。

稲光がチカチカとまたたいているのを見ると、それが雲に当たって跳ね返っていると考えたくもなるが、光の速度はとても速すぎるので明滅には見えない。明滅するのは、複数のリターンストロークである。電流が、地上から雲へと脈を打つように何度も走っているのだ。

雲から雲へ、あるいは雲から地面への落雷は、私たちが経験する雷の大部分を占めている。私たちは、雷の種類がとても多いかのような表現を耳にすることがあるかもしれないが、実際はそうではない。ヒート・ライトニングというのは、遠すぎてよく聞こえない、あるいは見えない雷。嵐が襲ってくる前、空に弱い閃光のようなものが見えることがあるが、それがヒート・ライトニングだ。ふつうの雷となんら変わりはなく、たんに遠いだけである。シート・ライトニングとは、閃光ではなく、広く白い光が発生したときに使われる言葉で、雷が完全に雲に包まれていることを意味する。

雲の間を走る稲妻がアンビル・クローラー。その名のとおり、雲のかなとこの下から横に伸びてゆく、クモの巣に似た稲光である。派手な演出であり、その長さは最大60メートルにも達する。

ボール・ライトニングは、現実に発生するとされるが、とてもまれな現象である。通常の雷により、なんらかの具合で超高電圧のプラズマ球が生まれることによって起こるらしい。「なんらか」「らしい」という言葉使いは意図的なものだ。科学者たちが、ボール・ライトニングのことに話が及ぶと赤面してしまうという事実を反映している。それをうまく説明できず、むしろ立ち消えてしまうことを望んでいる気配すらある。自然現象を説明するのが私の仕事で、科学がほとんどの現象をきちんと説明できるのはすばらしいことであるが、まだ説明のつかないことも残っている。私はこれまで、ボール・ライトニングを見たと主張する人に会った記憶がないし、私も遭遇したことはない。あなたがもしボール・ライトニングに出会ったら、その僥倖《ぎょうこう》に感謝し、その気があればビデオを撮り、招待されたイベントでたらふくおいしいものを食べるとよい。

２０２０年のモンスーンシーズン初期、インド北部と東部では雷により１００人以上の死者が出た。それが危険であることは誰もが知っているが、意図せず嵐につかまったときにどうすれば良いか、熟知している人は少ない。私の本『失われた、自然を読む力』（田淵健太訳　エイアンドエフブックス）では、雷が心配されるときに取るべき安全対策について、実践的なアドバイスの取りまとめにかなりの時間を割いた。別の本で同じテーマを取り上げたり、説明を繰り返したりすることはしたくないのだが、今回は例外とし、もう少し掘り下げていくことにしよう。以下は拙書からの引用だ。

> 雷の危険がありそうなら、開けた場所を避けて、避難場所を見つけるのがよい――金属の部分に触れなければ、車や小屋は開けた場所に立っているより安全だ。孤立した木のような、孤立した高い物体から離れ、安全なら山を下りよう。水から離れよう。水に入っているならそこから出よう。金属のものを持たないようにし、危険が大きいと判断したら、ウォーキングポールや、金属フレームのリュックサックのような金属を含んでいるものを一時的に捨てよう。

今回つけ加えたいのは、もしあなたが開けた場所にいて、シェルターにたどりつけず、かつ落雷がとても心配なら、地面に寝転がらない程度に姿勢を低くすることである。しゃがむか、うずくまるのがベストだ。30／30の法則が役に立つかもしれない。閃光が走って音が聞こえるまでの時間が30秒以内なら、安全な場所に向かう。戸内から外に出るタイミングをうかがっている場合、最後の雷鳴から30分たってから出る。

雷が落ちる場所は、積乱雲の下にある突き出た物体である可能性が高いが、それを完全にあてにすることはできない。青天の霹靂という表現は日常的に使われるものだが、これは嵐雲から何キロメートルも離れた場所に落雷が起きる可能性に由来し、青空から雷が出てきたように見えることさえある、というわけだ。しかし、そんな出来事はまれだ。危険度がもっとも高いのは雨が到達するときである。

「雷は同じ場所に2度落ちない」という言い回しもある。これは恋愛ごとや戦争、あるいは人間が経験する他の分野では正しいかもしれないが、天候に関してはナンセンス。エンパイアステート・ビルには、10分の間に15回落雷したという記録がある

稲妻の色は、それが通過してきた空気のことを知る手がかりとなる。

白＝乾いた空気　黄＝ほこりっぽい空気　赤＝雨　青＝雹

雷は電磁波を発生させるので、気象予報士にとって遠くにある嵐の探知や追跡がやりやすくする。この電磁波はＡＭ放送に混じるパチパチ音として聞くことができる。

嵐のシステム

嵐はチームを編成することがある。積乱雲は互いに影響し、支え合うのだ。そのような場合、気象学の世界で「メソ対流系」と呼ばれる嵐の群れが襲来する。何時間にもわたって嵐が次々と襲ってくる場合は、このメソ対流系が通過している可能性がある。前述したガイダンスに従い、可能であれば屋内に入り、少なくとも30分以上穏やかな天候が続くまでは、空に描かれたサインを読もうとしてはならない。

竜巻

竜巻は、強風から騒乱、果ては破壊にいたる、特殊な渦巻システムである。この激しい渦は元気の良い積乱雲として発生するが、一年の特定の時期に特定の地域で竜巻に成長する。グレートプレーンズ地域では、５月から６月にかけて発生確率が急上昇する。

　竜巻は、他の嵐のシステムと比較すると狭い領域に絞り込まれているため、破壊力が巨大になると同時に、影響を受ける地域が狭くなるという２つの面がある。このため、竜巻の進路は非常にはっきりしている。時速４８０キロメートルの風が１つの通り全体を破壊することもあるが、数ブロック先の木には葉が残っている。

　竜巻は嵐雲によって引き起こされるため、強力な嵐雲を示すサインは竜巻の兆候でもある。かなとこの上にできた大きな膨らみや大きな乳房雲は、とても強い上昇気流と下降気流を示すもので、もしあなたがまずい時間にまずい場所にいればトラブルに巻き込まれることとなる。

雲の底にできる漏斗雲も、竜巻の発生条件が整っていることを示す。これらの漏斗が地面まで伸びると、竜巻の弱いバージョンであるランドスパウトないしウォータースパウトが形成される。

ハリケーン

この嵐は、ハリケーン、サイクロン、台風、熱帯低気圧など、世界の地域に応じたさまざまな呼び名で知られている。これらの名称はすべて同じ恐ろしい暴風現象を指しているが、ここでは統一してハリケーンと呼ぶことにしよう。

竜巻と同様、ハリケーンも特定の地域や季節に発生しやすい。つねに熱帯で生まれるので、まったく影響を受けない地域も多い。ハリケーンは竜巻の何百倍もの規模で、総エネルギーはより大きいが、薄く広がっている。つまり最大風速は竜巻よりも小さいが、より広範囲に混乱を引き起こすというわけだ。

ハリケーンが発生するには、湿気、暖かい空気、そして海が必要だ。陸上にいる私たちの体験は激しく混沌としたものだが、人工衛星から見たハリケーンはシンプルでエレガント。風は定石通り、北半球では反時計回りに吹く。ハリケーンが珍しいのは、気圧の極端な低さと、海水と大気中の熱エネルギーを利用して発達していくその方法にある。

ヨーロッパからカリブ海を目指して大西洋を横断する船乗りのほとんどは12月に出航するが、これは偶然ではない。大西洋のハリケーンシーズンは6月から11月までなので、12月にハリケーンに襲われる確率はかなり低くなる。初めて大西洋を横断する前、私はこのルートに詳しい人たちによる気象ブリーフィングに何度か出席した。今日のほとんどの船乗りは、ハリケーン予報や警告を他者に頼るようになったが、空にサインを探すのが伝統であり、その多くは私たちがすでによく知っているものだ。悪い予兆としては、風の強さと方向の急な変化、嵐を示す雲の成長、嵐の存在が疑われる方向から寄せるうねり、気圧の急降下、大雨の波状攻撃などがある。これらは熱帯地方全域で通用する基本だ。また、かつてインド沖を行く船乗りが使っていた「牛の皮のような雲」という表現のように、興味深いローカルな言い伝えやサインもある。

私が決して忘れることのできない体験とは、ハリケーンがどちら側から私たちを襲うかによって影響が大きく異なるということだ。ハリケーンは全周が均等ではない。私たちが帆走中あるいは陸上を移動中の場合、襲ってくるハリケーンから完全に逃れることはできないかもしれないが、当たり方は選べる場合がある。ハリケーンにまったく安全な場所は存在しないが、とても危険な区域とそうでない区域がある。以下の、ちょっと変わったたとえが参考になるだろうか。

路地に立っている人が、2メートルのロープの先につないだ野球のボールを振り回しているところを想像してほしい。上から見ると、ボールは反時計回りに回転している。もしあなたが身をかがめずに近くを通ろうとすれば、ボールが当たるかもしれない。近づいていく相手の左側を通れば、ボールはあなたに向かってくるので、顔に当たればとても痛い。しかし右側を通れば、ボールは比較的ゆっくりと後頭部に当たるだけだ。もちろんどちらも気持ちのいいものではないが、右側のほうが衝撃は小さいだろう。

北半球のハリケーンの風は、そのボールに似て、低気圧の中心を反時計回りに吹いている。大西洋に面した浜辺にあなたがいて、東からハリケーンが接近している場合、「危険な四分円」、つまり風がこちらに向かって回転しているためにもっとも強くなる場所は、低気圧の中心の左側、つまり北側にあるこ

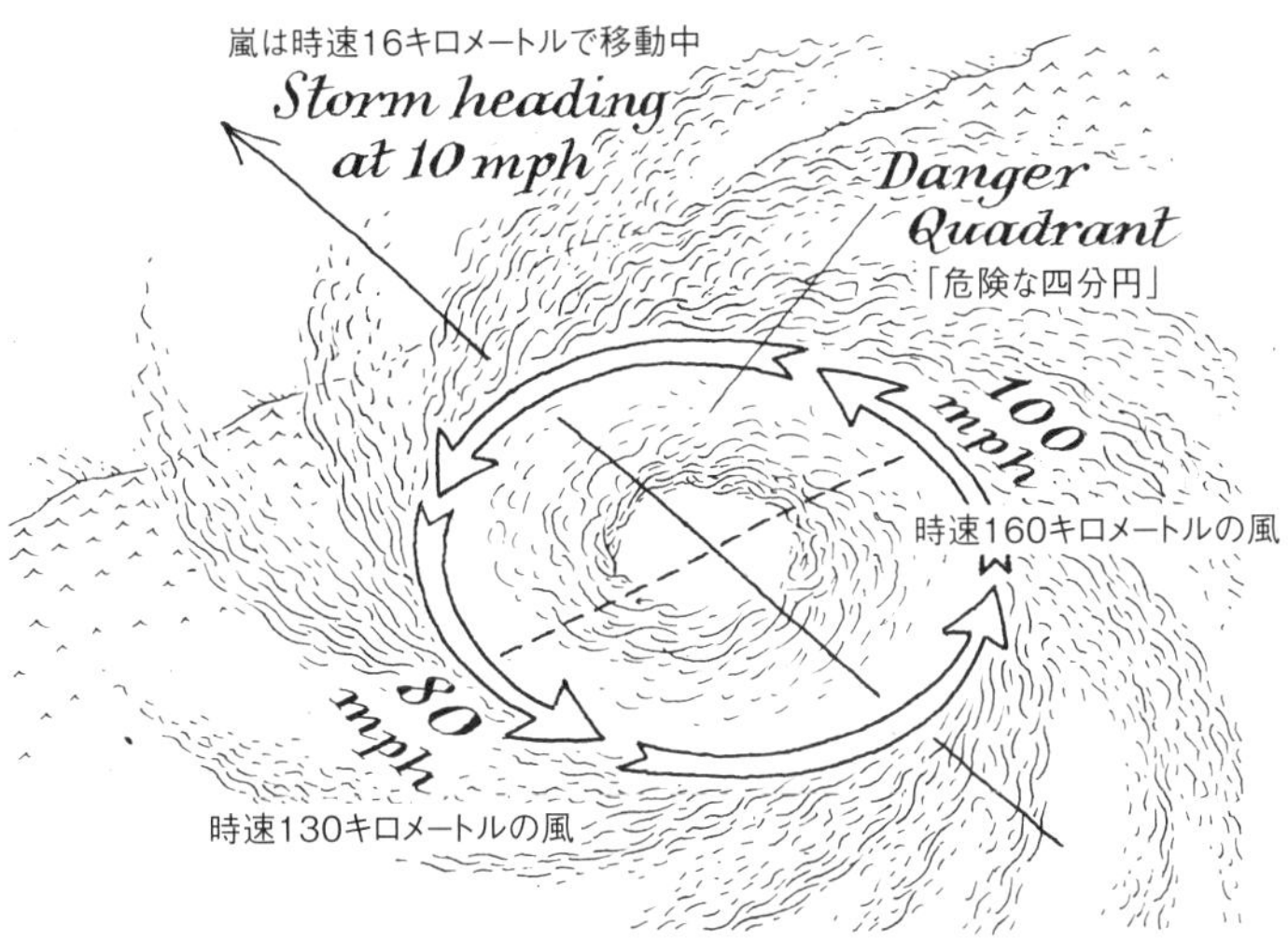

とを意味する。

別の言い方をすれば、ハリケーンを避けることはできないにしても、ハリケーンの中心があなたの北側を通過するように自らが南に移動できれば、南を通過した場合よりもダメージは少ないだろうということだ。

もしそれがあなたのいる場所にまっすぐ向かってきたら、まず北風による破壊が起こり、次に「目」が頭上を通過するときの不気味な静けさが訪れ、さらに南風による大混乱が起こるだろう。ざっくりとしたアドバイスとしては、できれば遭遇を避けること。「危険な四分円」がどこにあるのか、現場で判断しようとすると、間違いも起こるだろうから。

ハリケーンは狭い路地を進むわけではないが、進路には一定の傾向がある。発生と成長、維持にはコリオリ効果が必要なので、コリオリ効果がゼロである赤道から少なくとも５００キロメートルは離れた場所で誕生する。生まれたハリケーンの子供は、平均時速約18キロメートルで西に向かう傾向があり、大西洋だとカリブ海やアメリカ南東部沿岸が定期的に被害に遭うのはそのためである。時としてUターンも見せる。冷たい海や陸地の上に来ると、動力源である熱を失って勢力が衰えはじめる。

竜巻やハリケーン、その他の大災害に際して、私たちは自分の限界を受け入れなければならない。プロの気象予報士に敬意を表し、彼らが使うデータ、モデル、衛星写真、そして経験の価値をありがたく認めるべきだろう。

21 天空の荘厳

またたきの科学と芸術／季節と星／ハロ／壮大な影

『バンベリーに住む羊飼いの掟』という本には、イギリスの気象伝承が数多く収められている。筆者はジョン・クラリッジ、18世紀の羊飼いだ。皆さんも聞いたことがあるかもしれない、珠玉の1つがこれだ。

雲が岩や塔のようにそびえるとき
地はにわか雨で新鮮さを取り戻す

私たちが目にするすべてのものには意味がある。しかし、なんの意味もない現象に意味を見いだしたいという強い誘惑を感じる人もいる。月が大きく姿を変えること、天候が毎年同じような枠で変化することは、何千年も前から知られている。その誘いに抗いきれず、クラリッジ氏もこう言う。「満月に近いとき、夜明け前の霧は晴れのサイン」

夏の早朝に霧が発生するのは良い兆候であることを、私たちは知っている。晴天のため、地面の熱が夜の間に逃げてしまったのだ。つまり月は関係ない。月の形や満ち欠けに関してクラリッジ氏とは違う立場を取る人が、もっと適切な表現を紹介している。

月と天気は
共に変化することがある
しかし月の相貌が変わっても
天気は影響を受けない
月がなくなったとしても
奇妙な感じこそあれ
天気というものは
変わりやすいまま

月齢は、潮の干満や時刻あるいは方角については教えてくれるが、天気についてはほぼ何も伝えてはこないと私は思っている。しかし、月の「見え方」が天気について何も教えてくれないというつもりもない。太陽の光を反射する月は、大気にかざした懐中電灯のようなものだ。その光は氷や水蒸気を通過することがあり、どちらも月の見え方を変える。

とてもはっきりと澄んだ月が見えたら、空気が乾燥してきれいな証拠だ。月光をさえぎる雲がないだけでなく、湿気も少ないため、これから数時間の間に雲が出たり雨が降る可能性も低い。私たちは夜空がきれいなら、放射冷却によって熱が奪われることを知っている。「月が澄めば霜がおりる」という古いことわざには、科学的根拠があるのだ。月は霜について直接何かを教えてくれるわけではないが、夜が昼よりもずっと冷えるという手がかりを示す。夏以外の季節であれば、霜がおりる可能性は高くなる。

またたきの科学と芸術

目に見える最遠の物体、それが星である。遠い存在なだけでなく、最長期予報を与えてくれる自然物の1つでもある。

星からの光は何百万キロもの旅をして私たちの目に届くが、ごく短い最後の部分が、見え方に最大の影響を与える。そのきわめて細い光が大気圏に突入すると、空気に出会う。真空の宇宙空間に比べると、どろりとしたシロップにたとえられるものだ。光は空気を構成する分子によって跳ね返され、すこし揺さぶられたりするが、水分子にぶつかると大きく脱線する。いつもよりまたたいて見える星は、大気中に水分子が多いことを語っている。つまり、前線が接近していることを示す最初のサインとなる可能性があるわけだ。

これは、ざっくりとした傾向についての話である。星のまたたきはあまり多くのことを語らないが、一晩のうちにまたたきが増えてくる、あるいは昨晩と比べて今晩のほうがチカチカしている場合は、空気中の水分が増加している証拠であり、悪天候となる可能性が高い。星はつねにまたたくものだが、あまりそうしているように見えないときは、空気が乾燥していることを示唆するので、好天や霜がおとずれるだろう。

芸術の中には技術がある。太平洋を行く島の航海士たちは、星のまたたき方を天気予報に利用した。彼らは、星のまたたきが始まった方角の空から天候の変化が訪れると予測したのである。

あるオーストラリアの気象学者は、隕石と平均を上回る雨量の関連性を主張している。強引な理論のように思えるかもしれないが、彼の主張の根幹は単純なロジックだ。雲は大気中の小さな粒子を核としてできるが、隕石は大気中に微細な粒子を膨大に持ち込み、それが雲を作るのだという。ふたご座流星群のような大イベントから30日遅れて降雨が急増することがあるが、それは隕石の微粒子が大気内で雲が発生する層まで落下してくる時間と一致するらしい。

　大気の状態が同様であっても、夏よりも冬に星が明るく見えることをご存知だろうか。私たちは季節ごとに、夜空つまり宇宙の違う部分を見ている。冬は、遠くの星が少ないので背景が暗い。冬はすきまの多い宇宙に向きあうが、夏は明るい天の川銀河の中心に目を向けることになる。グレイに比べて黒の布地のほうが付いた糸くずを見つけやすいのと同じで、冬の星はよく目立つ。さらに、夏よりも冬のほうがオリオンをはじめとする明るい星座が多いため、影響はさらに大きくなる。

季節と星

多くの先住民文化では、星が天候に影響を与えたり、コントロールするとしている。この考えは、解釈のやり方次第で真実にも偽りにもなる。文字どおりとするならば、科学に反する。私たちが目にする星と私たちが経験する天気との間に、因果関係は見つかっていないからだ。しかし先住民たちは星が示す季節時計のことを言っていると考えるならば妥当だ。太平洋を行く海洋民族のように、生活や生計が季節と結びついていた文化圏に生きる人たちにとって、好天を捉えるためには季節の移り変わりを理解することが重要だった。イギリスのアーサー・グリンブルは１００年前にこう書いている。

> さそり座とプレアデス星団は、ジブラルタルの船乗りたちに1年の区切りを知らせる。アンタレスが日没時に出てくるようになると、いわゆる「航海の日々」つまり好天の期間が始まる。プレアデス星団が日没時に東の水平線から出てくれば、荒天の始まり、旅の季節の終わりである。（中略）それぞれが、貿易風と偏西風の季節に、かなり正確な対応を示している。

私たちの文化でも、冬の夜空で狩りをするオリオンをはじめ、星座は季節の目安として使われてきた。西洋人はオリオン座が雪を降らせるとは言わないが、それが出ている季節は降雪の可能性が高いことに同意してくれるだろう。見解が分かれるとするならば、その理由は温帯と熱帯の気候の違いと、結果としての文化的視点の相違にあると思う。

温帯には大きく異なる四季があるため、私たちは星や星座の大きな変化を察知するずっと前に、気温や植物、動物の変化に気づく。気温の変化が少なく、気まぐれな雨季と乾季の間を行き来する熱帯性気候では、星との関係がより顕著になる可能性は高い。また熱帯の社会では一年じゅう夜空を見ることができる。ひるがえって私たちは、真夏や真冬はほとんど星を見ない。6月は空が明るすぎるし、1月は寒すぎて外で長時間過ごしたくないからだ。つまり温帯地方に住む私たちは、季節の移り変わりを文字どおり骨身で感じているのに対し、熱帯の文化は星が季節を教えてくれるのを待つ。どちらの文化も、星が季節変化の糸を引いているとは考えていない。

イスラム教の暦は月の運行に立脚する太陰暦なので、アラブ文化はすこしやっかいだ。季節や太陽暦、星暦と一致しないのである。そこで彼らは、一年の始まりからの日数で時の経過を把握するということを考え出した。たとえばインド洋を行く人たちは「年始から93日目に海に出る」などと表現していた。

ハロ

月の周りにできるハロ、いわゆる「暈《かさ》」は、氷でできた薄い雲、おそらくは巻層雲が上空にあることを示すので、ある程度正確な予報となる。これまでの章で、巻雲のあとに出現する巻層雲は温暖前線の接近を警告すると私たちは学んだ。太陽の周りのハロも巻層雲を意味し、同じ予報である。

壮大な影

晴れた日、日没直後に東のほうに目をやると、地平線がきれいに見えているなら暗い帯がゆっくり昇ってくるのに気づくかもしれない。これは地球影と呼ばれるもので、大気中に湿気ややもやがわずかにあるとき鮮明に見える。夜明けに西を見ても観察できるが、大気中に含まれる粒子が少ないため、やや難しくなる。

この影は青紫色のベールのように見え、夕暮れ時は昇り、明け方は沈んでいく。それを見つけたと思ったら、影のすぐ上に「ビーナスベルト」として知られるピンク色の光がないか探してみよう。その方角に金星がある場合が多いからその名がついている。東側が海か、地平線ならばできるだけ低い場所で、少し高い所から探すと良い。日当たりの良い島の東側にある海岸斜面は、まさにうってつけだ。

22

私たちの天気

　２０２０年5月、私はロックダウンの中でこれを書いている。コロナウイルスは恐怖と困惑を与え続けており、昨日もアメリカだけで１５００人以上が死亡した*。世界じゅうのメディアが、太陽光線とウイルス抑制の関係を報道している。天候がこの特別なウイルスに与えている影響を正確に理解しようとするのは時期尚早だが、歴史的に見れば、有意の関係があるのではと推定される。

　１９９３年、ニューメキシコ州フォーコーナーズのナバホ族住民10人が、インフルエンザのような症状を示す病気で死亡した。肺には液体が充満していた。彼らはみな若く、病歴もない。ナバホ族がこの種のアウトブレイクに見舞われたのは初めてのことではなかった。１９１８年と１９３３年にも同様の事例が報告されている。医療関係者の間で、これは長い間の謎だった。

　ナバホの口承伝統が、その謎を解いてくれた。過去のアウトブレイクは、例外なく豪雨ないし豪雪に続いて起こっていた。雨や雪が直接的な原因で死者が出たわけではない。やがて、調査者たちには関係性が見えてきた。降水量が増えたので、マツが大量の実をつけた。するとネズミの数が爆発的に増えた。人間とネズミの接触が急増した結果、ハンタウイルス肺症候群の犠牲となる人たちが出た。つまり雨、木の実、ネズミ、ウイルス、そして死という連鎖の物語である。

何千マイルも離れたシベリアに目を移そう。韓国人の写真家でナチュラリストのパク・スヨンは、珍しいシベリアトラの生態を20年かけて観察し続けた。パクは風がマツの花粉をどのように運ぶかに注目した。その花粉が受精を引き起こし、やがて実がなって落ちる。草食動物たちはそれを探し求め、トラは獲物を狙う。マツの赤い花粉はそよ風をマッピングし、読み取ることのできる足跡を描いた。それはトラへと続くものだった。

シベリアやニューメキシコ州からまた何千マイルも離れたデンマークの科学者たちは、ハンミョウが捕らえる獲物の数が気温によって予測可能なことを発見した。

雨や風からマツの実、シベリアトラ、ハンミョウにいたるまで、天気、気候そして微気候が自然のジグソーパズルにおける重要なピースをなしていることは明らかだ。土地に密着した生活を送っている人は、空との関係もより深く理解している。ロシアの農民たちは伝統的に、桜の開花時期と霜の関係、鳥の羽根の色と雨の降り方の関係などを探ってきた。

スコットランドの作家、ナン・シェパードはこう言っている。「崩壊してゆく岩、いのちを育む雨、春に生きかえる太陽、種子、根、鳥、すべてがひとつである」

作家のタムシン・カリーダスは、ヘブリディーズ諸島にある小さな農場で天候の変化を感じ取った。ヒツジは近くの森に避難し、カモメは餌場の近くに身を寄せあっている。彼女は自分の中にもそれを感じていた。「口の中に感じる鉛のような鈍い味は、面倒なことあるいは変化が訪れる前触れだ」

天候は、私たちの内面世界の重要な一部を形作っている。冬、日照が短くなると、何百万人もの人が

＊本書の編集中、私はこの数字がどんどん小さく思えはじめ、恐怖を覚えた。

季節性感情障害を発症する。アラスカはフロリダの7倍も患者数が多い。突然の冷たい風は、私たちに寒さを覚えさせるだけでなく、そろそろ家に帰るときだという感覚も与える。私たちの足は、風が叩く太鼓のリズムに合わせて進む。研究者たちがある街で行った調査によると、通常の速度で歩いていた人たちが、風力６に達すると急に歩を速めたという。しかし、私たちはみな同じように反応するわけではない。風は差別的でもある。

　女性の胸は男性よりも寒さに弱いので、冷風が吹くと母乳が止まってしまうことがある。男性は強い風に向かって顔を向け、女性は背を向ける傾向があるのは、これで説明がつく。この発見の背景となった研究は１９７６年に発表されたもので、いまも風は同じように吹いているとはいえ、私たちが自分自身についてどう感じるかは大きく変わってきた。もし同じ研究をいま行ったら、行動面における男女の相違のうちで、どれが生物学的でどれが文化的なものなのか、明らかにできるのではないだろうか。いずれにせよ、赤ん坊づれの母親が、春になると暖かいポケットのような場所を真っ先に見つけ、他の人を導いてくれることは間違いないだろう。

　冷たい風に襲われると、防寒着をまとってじゅうぶんに対策をしていても、私たちの体は自動的に反応する。研究によると、額にたった30秒間冷風が当たるだけで、体の中心部の熱を保つため心拍数が下がるということだ。

　それが親切なものであろうが問題を引き起こす種であろうが、天気は人間を形作ってきた。フェニキア人、エジプト人、アッシリア人、バビロニア人、中国人、アステカ人、マヤ人、インカ人、初期の偉大な文明はすべて、平均気温が現在の室内気温として快適とされる20℃に近い場所で生まれたと主張する歴史家がいる。

天気や気候は長い年月をかけて文明の帝国を築き上げるが、微気候は驚きに溢れた瞬間を生み出してくれる。「なぜ涼しい谷にこれほど広いブドウ畑があるのだろうか？」。なるほど、太陽が川に反射して、木に倍量の光を与えているのか。このような発見をして、喜びを感じない人がいるだろうか。私たちの目の前には、どれほどの喜びが隠されているだろう。雨に含まれる塩分のせいで、海岸では虹がほんのすこしだけ小さくなることに、私たちは気づくだろうか？　答えは質問じたいほど重要ではない。見るという行為こそ、驚きをもたらしてくれるからだ。

謝辞

この本の中で私は「天気とは空気、熱、水のスープである」と言った。しかし本はスープではない。レンガ造り14階建てという変わったビルを歩くガイド付きツアーのようなものだ。建材のレンガは1つずつ異なり、各部屋には寿司の試食皿が1つ置いてある。大工兼シェフ兼ガイドの仕事は、とても一人ではこなせない……とまあ、このような出来の悪いたとえ、また存在するかもしれない間違いや抜けは、ひとえに筆者の責任であることを最初に申し上げておく。

まずは、私のエージェントであるソフィー・ヒックス、セプター出版のルパート・ランカスター、そしてジ・エクスペリメント出版のニコラス・シゼクに感謝を申し上げたい。彼らなしで、本書は存在しなかった。太平洋を挟みヨーロッパと米国で同時出版となった、私にとって初めての本である。そのような原稿は書くのが難しいのではと思ったが、関係者各位とくにルパート、ニックそしてソフィーの助力により、まったく反対のこととなった。

読者各位は、この本が2つの大目標を据えていることにお気づきかもしれない。私たちが拾い上げることが可能な天気のサインに関する総合的なガイドブックとなり、見過ごされがちな微気象の世界に読者をいざなうことだ。ルパートとニックなしでは、それを1冊の本の中でどう取り上げれば良いかわからず、片方だけしか実現できなかったと思う。

マシュー・ロア、ジェニファー・ハーゲンローダー、キャメロン・マイヤーズ、レベッカ・マンディ、カイトリオナ・ホルン、ミルト・カラヴレゾウ、ドミニク・グリベン、セプター出版およびジ・エクスペリメント出版に在籍する皆さんに対して、その勤勉とエネルギー、アイディアおよびビジョンにありがとうと申し上げたい。

ホームストレートを伴走していただいたヘイゼル・オルム、ありがとう。長年にわたってすばらしい仕事をしてくれたセーラ・ウィリアムズ、モラグ・オブライエン、ウィリアム・クラークにも感謝する。気象研究者サイモン・リーが私に提供してくれた時間とインプットに対して、深謝。必ずしも目に見える形とはいえない場合もあるが、大事なやり方で私を助けてくれた人たちはピーター・ギブス、ジョン・ライダー、ハンナ・トンプソン、ジョン・ポール、ニック・ハント、ニック・ヒギンズである。ニール・ガワーが描いたすばらしい表紙（原著）とイラストは、この本の大事な要素である。ニール、ほんとうにありがとう。

私の著作を読み、オンラインコースに参加し、またコロナウイルスのときに私の仕事を支えてくれた皆さんにもお礼を申し上げる。

支援と貴重な意見を提供してくれた私の妹シボン・マッキンにも感謝を。

参考図書と出典のページに挙げられた人たちは思考法やデータ、あるいはインスピレーションを提供してくれたが、中でもここに取り上げて言及したい人たちがいる。Ph・ストウジェスディークとＪ・Ｊ・バークマンは、独自の研究結果とともに、微気象関連のさまざまな研究結果を突き合わせるというすばらしい仕事により、私が感謝と尊敬を捧げたい人たちである。太平洋を領域としたデービッド・ルイスの著作、アラブ文化の航海術に関するＧ・Ｒ・ティベッツの著作は私を支え、刺激を与え続けてくれている。古代の文献に関しては、ジェイミー・モートンの著作がすばらしい助力となった。フィリップ・イーデン、ローランド・ストゥル、ストーム・ダンロップの書いた文章は、ずっと古いギルバート・ホワイト、リチャード・ジェフリーズ、そしてトマス・ハーディの文章とともに、それぞれ違った方法で私を助けてくれた。

２０２０年まで、オンラインとオフラインで多くの微笑と大笑いをもたらしてくれた、キャンピング・クルーとスピークイージーの皆さんにもありがとうを。皆さん全員の名前をここに公開したいところだが、ページも足りないのでご容赦いただきたい。

この本を書いているとき、ロックダウンをともに過ごして私を支えてくれた妻のソフィー、息子のベンとヴィニーにも感謝を。発見した凪や朝露、そして物書きであることの喜びに関し、たびたび大演説をぶって申し訳ない。この謝辞を書いているのは２０２１年の１月上旬、英国全土の学校がロックダウンに戻ってリモート授業が始まったタイミングだ。朝食のオートミールを食べたあと、私は息子たちに、芝生に霜がおりているのに木の下にはない理由を聞いてみたが、強引に観察させても楽しくないようだった。「お父さん！　オンライン授業の登録に遅れそうなんだよ！」

訳者あとがき

トリスタン・グーリーはバランス感覚にたけた人だ。２０００年代を生きるということは、情報の奔流の中で、さまざまな領域に注意を払いながら生を模索するという実験なのだと思うが、彼は決して一人の人間という立ち位置を見失わない。その姿勢はおそらく、究極的には自分がすべての責任を持つしかないアウトドア環境に身を置いてきたことで養われたものだ。世界各地に存在する計測ステーションからの膨大なインプットを使ってスーパーコンピューターが叩き出す長期予報はどんどん正確性を増しているが、アウトドアズマンなら、私たちが体験できるのはあくまで自分たちの周りの極小空間であることを心底実感しており、その極小エリアの中で快適／不快、成功／失敗、果ては生／死の分岐が起きてくる。彼は、現代社会が見落としがちな微視的視点を再導入してくれる。

しかしその極小空間は、巨大システムの一部をなしていることも忘れてはいけない。四十数億年という時を経て現在にいたる地球の姿は、数々の準・壊滅的な大変化を経由して到達したものであり、いまも変わり続けている。そのシステムはたいへんにうまくできあがっているので、その背後に大いなる意思の力を読み取ろうとするのは、かつての人間にとって当然のなりゆきであったといえるだろう。グーリーが本書の中で取り上げる「サイン」（＝関係性の証）の多くが、かつては神や大霊の存在証明であったが、いまでは気が遠くなるほどの時間をかけて変化してきた、膨大な数の因果関係から構成される大システムの成熟度を物語るものとして捉えるべきなのだ。

生態学が大前提とする命題は「すべてのものがすべてに関係している」であろう。グーリーが本書で言及しているバタフライ効果、すなわちチョウの羽ばたきが地球の裏側の天気に影響を与えるという説は、それを別表現で言い表したものだ。私たちになじみのあるスケールの、より小規模な実例は枚挙にいとまがない。たとえば、ハブが邪魔だからと北米から沖縄に持ってこられたマングースは、ハブを食べるよりも農作物のほうに甚大な被害をもたらし、その駆除には長い時間がかかった。北米では、長い間オオカミが駆除対象だった結果、シカの生息数が爆発して食害を起こしたことも一因となり、いくつかの州でオオカミの再導入が行われている。京都大学の生態学研究センターに在籍した中野繁さんという研究者は川と森の緊密なリンクを発想し、川からの水棲昆虫の供給を絶ち切ると、クモや鳥やコウモリなどといった陸の生物にも大きな影響が生まれることを証明した。

膨大なリサーチ力を備えるグーリーは、私たちの周りに溢れるサイン＝関係性の証をていねいに取り上げ、その読み解き方を教えてくれる。その活用方法はさまざまだ。明日計画されているウォーキングをできるだけ快適にする、動物写真をうまく撮影する、雪山で生き残るなどであるが、サインを読み解くという作業は文学的・学問的想像力をも大いに刺激するので、人類学や記号論とのつながりに興味を持たれる方がいらっしゃるかもしれない。

世界規模の情報爆発の中に埋もれてしまいそうになっている、過去の人たちが膨大な時間をかけて蓄えてきたローカルな知見を現代に語り継ごうという気持ちも、本書には溢れている。微少を取り上げる繊細な観察力と過去へのリンク、その組み合わせがトリスタン・グーリーの魅力でもある。いまウクライナで起こっていること、パレスチナで起こっていることを見るにつけ、現代ほど、過去とリンクできる知性が大事な時代はないように思うのだ。

翻訳にあたっては東京大学大気海洋研究所特任研究員、サイエンスライターの保坂直紀さんに気象関係の監修をお願いし、数多くの面でご教示をいただいた。天気という領域は私の活動範囲とごくわずかにオーバーラップするだけ、保坂さんのご尽力なしで本書の翻訳は不可能だったことを明記し、ここに深くお礼を申し上げたい。

２０２４年３月　横浜にて

著者

Tristan Gooley

トリスタン・グーリー

作家・探検家。現代の計測機器を使わないナチュラル・ナビゲーションのエキスパート。五大陸で探検隊を率い、ヨーロッパ、アフリカおよびアジアの高峰に登り、ヨットを操って多数の航海を成功させ、小型飛行機を操縦してアフリカや北極まで到達した経験がある。大西洋の単独横断飛行と単独横断航海の両方を成功させた唯一の存命人物。王立航海研究所および王立地理学会フェロー。『ナチュラル・ナビゲーション——道具を使わずに旅をする方法』（紀伊國屋書店）、『失われた、自然を読む力』（エイアンドエフ出版）などの著作がある。

日本語版監修

保坂直紀

ほさか・なおき

サイエンスライター。東京大学大気海洋研究所特任研究員。東京大学理学部卒。東京工業大学大学院博士課程修了。博士（学術）。1985～2013年、読売新聞記者。著書に『海洋プラスチック』（角川新書）、『地球規模の気象学』（講談社ブルーバックス）など。気象予報士。

翻訳

東 知憲

ひがし・とものり

東京外国語大学卒業（米国文学専攻）。アウトドア領域で活動する翻訳者・文筆家。デイヴ・フィットロック『L. L. Bean フライフィッシング・ハンドブック』（翔泳社）、イヴォン・シュイナード『シンプル・フライフィッシング』（地球丸）など訳書多数。

天気の不思議を読む力

2024年 7月1日　第 1 刷発行

著者
トリスタン・グーリー

日本語版監修
保坂直紀

翻訳
東 知憲

発行者
赤津孝夫

発行所
株式会社　エイアンドエフ
〒160-0022　東京都新宿区新宿6丁目27番地56号　新宿スクエア
出版部 電話 03-4578-8885

装幀
芦澤泰偉

装画・本文イラスト
Neil Gower

本文デザイン
明石すみれ

編集
宮古地人協会

印刷・製本
株式会社シナノパブリッシングプレス

Published by A&F Corporation
Printed in Japan
ISBN978-4-909355-46-1　C0040